KB100364

동유럽사

부록

부록

〈표 1〉 중동부 유럽 국가들의 인구, 1870-2000(100만 명)

국가	1870	1890	1910	1920	1940	1950	1960	1980	1990	2000
독일	39.2	47.6	62.9	60.9	69.8	68.4	72.5	78.3	79.4	82.2
오스트리아	4.5	5.4	6.6	6.5	6.7	6.9	7.0	7.5	7.7	8.1
폴란드	16.9	22.9	26.6	24.0	30.0	24.8	29.6	35.6	38.1	38.7
체코공화국	7.6	8.6	10.0	10.0	11.2	8.9	9.7	10.3	10.3	10.3
슬로바키아	2.5	2.6	2.9	3.0	—	3.5	4.0	5.0	5.3	5.4
헝가리	5.9	6.6	7.6	8.0	9.3	9.3	10.0	10.7	10.4	10.1
크로아티아	2.4	2.9	3.5	3.4	3.8	3.9	4.2	4.6	4.8	4.5
보스니아-헤르체고비나	1.2	1.6	2.0	1.9	—	2.7	3.2	4.1	4.4	4.0
세르비아	—	2.2	2.9	4.8	—	6.7	7.5	9.0	9.3	10.1
루마니아	9.2	10.4	11.9	12.3	15.9	16.3	18.4	22.1	22.9	22.5
불가리아	2.6	3.4	4.5	5.1	6.7	7.3	7.9	8.8	8.9	7.8

주: –는 자료 없음

자료: Jonathan Fink-Jensen, "Total Population," https://clio-infra.eu/Indicators/TotalPopulation.html# (accessed June 15, 2019).

〈표 2〉 중동부 유럽 국가들의 농업, 임업 및 관련 산업 종사 인구, 1910-1990(%)

국가	1910	1920	1930	1950	1960	1970	1980	1990
독일	35	31	33	25	13	7	5	3
오스트리아	40	40	38	34	24	15	10	8
폴란드		64	60	58	48	39	29	25
체코슬로바키아	40	40	33	39	26	17	13	13
헝가리	64	56	51	52	38	25	18	15
유고슬라비아	80	79	76	73	64	50	32	21
루마니아	78	78	72	72	64	49	31	24
불가리아	78	78	75	73	57	35	18	13

주: 1910년과 1920년 불가리아와 루마니아 통계는 아래 언급된 자료에 구간으로 표시됨(75-78%). 1910년 체코슬로바키아의 통계는 보헤미아-모라비아, 슬로바키아 통계에 근거함(각각 34%, 61%). 유고슬라비아 통계는 세르비아와 크로아티아-슬라보니아 통계에 근거함(각각 82%와 79%).

자료: For 1910: Ivan T. Berend and György Ránki, *The European Periphery and Industrialization, 1780-1914* (Cambridge, 1982), 159; David Turnock, *Eastern Europe: An Historical Geography, 1815-1945* (London, 1989), 104. For 1920: Derek Aldcroft and Steven Morewood, *Economic Change in Eastern Europe since 1918* (Aldershot, England, 1995), 18; Dušan Miljković, ed. *Jugoslavija 1918-1988: Statistički Godišnjak* (Belgrade, 1989), 39. For 1930: Dudley Kirk, *Europe's Population in the Interwar Years* (New York, 1968), 200; Wilbert Moore, *Economic Demography of Eastern and Southern Europe* (Geneva, 1945), 26, 35. For 1950-1980: International Labour Office, *Economically Active Population Estimates and Projections, 1950-2025*, vol. 4 (Geneva, 1986), 160-170. For 1990: Alexander Klein, Max-Stephan Schulze, and Tamás Vonyó, "How Peripheral Was the Periphery? Industrialization in East Central Europe Since 1870," in *The Spread of Modern Industry to the Periphery since 1871*, Kevin H. O'Rourke and Jeffrey Gale, eds. (Oxford, 2017), 76. For Germany: Johan Swinnen, *The Political Economy of Agricultural and Food Policies* (New York, 2018), 72.

〈표 3〉 중동부 유럽 국가들의 문맹률, 1930-1990년대(15세 이상 인구 중 비율)

국가	1930년대	1940년대	1950년대	1960년대	1970년대	1980년대	1990년대
폴란드	25	—	6	5	2	1	1
체코슬로바키아	4	—	3	—	—	—	—
헝가리	10	6	5	3	2	1	1
유고슬라비아	46	27	27	24	17	10	7
루마니아	45	—	11	—	—	—	3
불가리아	34	24	16	10	—	—	2

주: 통계는 15세 이상이나 체코슬로바키아 1930년은 예외(10세 이상). 폴란드 1930, 1950, 1980년과 루마니아 1930, 1956년 통계는 14세 이상임. 1991년 유고슬라비아 통계는 슬로베니아와 크로아티아를 제외한 것임. 이 두 곳의 문맹률은 15세 이상의 경우 3.3%(자료: Conpendium of Statistics on Illiteracy, 1995). -은 자료 없음.

자료: UNESCO, Progress of Literacy in Various Countries: A Preliminary Statistical Study of Available Census Data since 1900 (Paris, 1953); UNESCO, Division of Statistics on Education, Compendium of Statistics on Illiteracy, *Statistical Reports and Studies*, 31 (Paris, 1990); UNESCO, Division of Statistics on Education, Compendium of Statistics on Illiteracy, *Statistical reports and Studies*, 35 (Paris, 1995).

〈표 4〉 인구조사를 실시한 해의 중동부 유럽 국가들의 인구 구성, 1920-2010년대(%)

시기	폴란드		체코공화국		슬로바키아		헝가리	
전간기	1920년 센서스		1930년 센서스		1930년 센서스		1920년 센서스	
	폴란드인	83.9	체코인	67.7	슬로바키아인	70.4	헝가리인	83.9
	우크라이나인	1.8	폴란드인	0.9	헝가리인	17.2	슬로바키아인	1.8
	벨라루스인	0.7	슬로바키아인	0.4	우크라이나인	2.7	크로아티아인	0.7
	독일인	6.6	독일인	28.8	독일인	4.5	독일인	6.6
	유대인	6.0	유대인	1.4	유대인	2.0	유대인	6.0
전후	1949년 센서스		1950년 센서스		1950년 센서스		1949년 센서스	
	폴란드인	98.6	체코인	93.9	슬로바키아인	86.6	헝가리인	98.6
	우크라이나인	0.3	슬로바키아인	2.9	헝가리인	10.3	슬로바키아인	0.3
	독일인	0.2	독일인	1.8	루테니아인	1.4	독일인	0.2
현재	2011년 센서스		2011년 센서스		2011년 센서스		2011년 센서스	
	폴란드인	85.6	체코인	64.3	슬로바키아인	80.7	헝가리인	85.6
	실레시아인	3.2	슬로바키아인	1.4	헝가리인	8.5	집시	3.2
	독일인	14.1	미기재	26.0	미기재	7.0	미기재	14.1

시기	크로아티아		보스니아-헤르체고비나		세르비아		루마니아		불가리아	
전간기	1921년 센서스		1921년 센서스		1921년 센서스		1930년 센서스		1920년 센서스	
	크로아티아인	68.9	세르비아인	43.5	세르비아인	80.8	루마니아인	77.8	불가리아인	83.4
	세르비아인	16.9	보스냐크인	30.9	알바니아인	10.2	헝가리인	10.0	튀르크인	11.2
	이탈리아인	6.1	크로아티아인	21.6	블라흐인	3.9	집시	1.7	로마인	1.3
	독일인	2.9	독일인	0.9	독일인	0.1	독일인	4.4	독일인	1.0
	유대인	0.1	유대인	0.6	유대인	0.2	유대인	3.2	유대인	0.9

전후	1948년 센서스		1948년 센서스		1948년 센서스		1949년 센서스		1956년 센서스	
	크로아티아인	79.2	세르비아인	44.3	세르비아인	73.9	루마니아인	85.7	불가리아인	85.4
	세르비아인	14.4	보스냐크인	30.7	보스냐크인	8.15	헝가리인	9.4	튀르크인	8.6
	이탈리아인	2.0	크로아티아인	23.9	알바니아인	6.64	독일인	2.2	독일인	2.5
현재	2011년 센서스		2013년 센서스		2011년 센서스		2011년 센서스		2011년 센서스	
	크로아티아인	90.4	보스냐크인	50.1	세르비아인	83.3	루마니아인	88.6	불가리아인	84.8
	세르비아인	4.4	세르비아인	30.8	헝가리인	3.5	헝가리인	6.5	튀르크인	8.8
	보스냐크인	0.7	크로아티아인	15.4	보스냐크인	2.0	집시	3.3	집시	4.9

주: 폴란드 1930년과 슬로바키아 1950년의 경우 루테니아인과 우크라이나인이 같이 계상되었음. 유고슬라비아 1921년 유대인은 종교에 의해 계상되었고, 그 외 경우 인종은 모국어 기준으로 계상되었음. 헝가리 주민이 많이 포함된 보이보디나는 세르비아 통계에 포함되지 않았음. 보스냐크는 세르보-크로아티아를 사용하는 이슬람 주민이고, 블라흐는 루마니아를 사용하는 이슬람 주민임.

자료: Piotr Eberhardt and Jan Owsiński, *Ethnic Groups and Population Changes in Twentieth-Century Central-Eastern Europe: History, Data, and Analysis* (New York, 2003); Główny Urząd Statystyczny, Struktura narodowo-etniczna, językowa i wyznaniowa ludności Polski: Narodowy spis powszechny ludności i mieszkań 2011 (Warsaw, 2015); Český statistický úřad, "Obyvatelstvo podle národnosti podle výsledků sčítání lidu v letech 1921-2011," https://www.czso.cz/documents/10180/45948568/130055170116.pdf/7def9876-5651-4a16-ac13-01110eef9f4b?version=1.0(Accessed June 15, 2019); Štatistický úrad Slovenskej republiky, "TAB. 115 Obyvateľstvo podľa pohlavia a národnosti, Sčítanie obyvateľov, domov a bytov 2011." https://census2011.statistics.sk/tabulky.html(accessed June 15, 2019); Központi Statisztikai Hivatal, 2011 Évi népszámlálás, vol. 3, Országos adatok (Budapest, 2013), 67; Državni zavod za statistiku Republike Hrvatske, "Popisa stanovništva, kućanstava i stanova, Stanovništvo prema državljanstvu, narodnosti, maternjem jeziku i vjeri" (Zagreb, 2012), 11; Agencija za statistiku Bosne i Hercegovine, Popis stanovništva, domaćinstava i stanova u Bosni I Hercegovini, juni 2013 (Sarajevo, 2013), 54; Bogoljub Kočović, Etnički i demografski razvoj u Jugoslaviji od 1921 do 1991 godine (Paris, 1998); "Ukupno stanovništvo(gradjansko i vojničko, trajno i prolazno) po veroispovesti," http://pod2.stat.gov.rs/ObjavljenePublikacije/G1921/Pdf/G19214001.pdf(accessed June 15, 2019); Republički zavod za statistiku, Popis stanovništva, domaćinstava i stanova 2011 u Republici Srbiji, vol. 1 (Belgrade, 2012), 14-15; Comisia Judeţeană Pentru Recensământul Populaţiei şi al Locuinţelor, Judeţul Sibiu, "Comunicat de presă 2 februarie 2012 privind rezultatele provizorii ale Recensământului Populaţiei şi Locuinţelor—2011," (Bucharest, 2012, 10), http://www.recensamantromania.ro/wp-content/uploads/2012/02/Comunicat_DATE_PROVIZORII_RPL_2011.pdf(accessed June 15, 2019); Natsionalen statisticheski institute, Prebroyavane na naselenieto i zhilishtnya fond prez 2011 godina (okonchatelnidanni) (Sofia, 2012), 23.

〈표 5〉 중동부 유럽 국가들의 국민소득, 1890-2000(1인당 국민소득, 1990년 달러 기준)

국가	1890	1910	1920	1929	1950	1960	1980	1989	2000
독일	2,428	3,348	2,796	4,051	3,881	7,705	14,114	16,558	18,944
오스트리아	2,443	3,290	2,412	3,699	3,706	6,519	13,759	16,360	20,962
폴란드	1,284	1,690	—	2,117	2,447	3,215	5,740	5,684	7,309
체코슬로바키아	1,505	1,991	1,933	3,042	3,501	5,108	7,982	8,768	9,320
헝가리	1,473	2,000	1,709	2,476	2,480	3,649	6,306	6,903	6,772
유고슬라비아	776	973	949	1,256	1,428	2,370	6,297	6,203	4,744
루마니아	1,246	1,660	—	1,152	1,182	1,844	4,135	3,941	3,047
불가리아	1,132	1,137	—	1,227	1,651	2,912	6,044	6,216	5,483

주: 모든 숫자는 1990년 달러 가치 기준으로 제시됨. 1890년, 1910년 불가리아 통계는 1899년과 1909년 자료임, 1920년 이전 체코슬로바키아와 유고슬라비아 자료, 1989년 이후 체코공화국과 세르비아 자료는 없음.

자료: "Maddison Project Database 2013." https://www.rug.nl/ggdc/historicaldevelopment/maddison/releases/maddison-project-database-2013(accessed June 15, 2019); Jutta Bolt and Jan Luiten van Zanden. "The Maddison Project: Collaborative Research on Historical National Accounts," *Economic History Review* 67:3 (2014), 627-651.

〈표 6〉 중동부 유럽 국가들의 연간 재화 생산 성장률, 1956-1965(%)

국가	1956-1960	1961-1964
동독	7.1	3.4
폴란드	6.5	6.2
체코슬로바키아	7.0	1.9
헝가리	6.0	4.1
유고슬라비아	8.0	6.9
루마니아	6.6	9.1
불가리아	7.0	5.8

자료: Geoffrey Swain and Nigel Swain, *Eastern Europe since 1945* (New York, 1993), 127.

주

서론

1 독일어로는 völkische Flurbereinigung이다.

2 어네스트 겔러에 따르면 민족주의는 "정치적 단위와 민족적 단위가 일치한다고 주장하는, 기본적으로 정치적 원칙이다." *Nations and Nationalism* (Ithaca, 2006), 1.

3 보스니아에 대한 빌 클린턴 대통령의 발언. February 1994. Cited in Bill Dobbs, "Pitfalls of Pendulum Diplomacy," *Washington Post*, May 16, 1999.

4 인종 간 폭력을 유발하는 다른 종류의 합리성(rationality)에 대한 명쾌한 논의는 다음 자료를 참조할 것. William W. Hagen, *Anti-Jewish Violence in Poland* (Cambridge, 2017), 50-54.

5 Benedict Anderson, *Imagined Communities: Reflections on the Origin and Spread of Nationalism* (New York, 1991). 역사학자들은 앤더슨이 "'민족주의자들'의 바람과 독립된 역사적 상황을 분석했다"는 사실을 간과하는 경향이 있다. 이에 대한 비판적 논의는 다음 자료를 참조할 것. Miroslav Hroch, *European Nations: Explaining Their Formation* (London, 2015), 11-14.

6 보헤미아왕국은 1198년 형성되었고, 1806년까지 신성로마제국의 일부였다. 그 후 이 지역은 합스부르크 전제정의 왕령이었다(그리고 1866년까지는 독일 연방의 일원이었다). 시기에 따라 보헤미아왕국은 브란덴부르크공국의 많은 부분과 실레시아 전체를 차지했으나 1724년 후 (9세기로 거슬러 올라가는 보헤미아공국(Duchy of Bohemia 영토, 모라비아의 마르그라비아트 지방(11세기에 병합됨), 오스트리아령 실레시아로 축소되었다. 현재 이 지역은 체코공화국이 되었다.

7 Max Schlesinger, *The War in Hungary 1848-49*, vol. 1, trans. John Edward Taylor (London, 1850), 23-24. 조나단 스페르베르는 이 학살은 '중세 혁명 때 일어난 모든 사건 중 가장 폭력적'이라고 불렀다. Jonathan Sperber, *European Revolutions: 1848-1851* (New York, 1994), 137. 1820년대 일어난 그리스 혁명은 상당한 이슬람 주민 살해와 추방을 가져왔다. 1804년 세르비아인 봉기 때 좀 더 제한적인 추방이 발생했다. Michael Schwartz, *Ethnische "Säuberungen" in der Moderne: Globale Wechselwirkungen* (Munich, 2013), 241.

8 Letter to *Magdeburger Zeitung*, April 20, 1848, in *Politische Briefe Bismarcks aus den Jahren*

1849-1889 (Berlin, 1889), 2-4.

9 March 4, 1919. Joseph Rothschild, *East Central Europe between the Two World Wars* (Seattle, 1974), 79.

10 Paul Krugman, "Why It Can't Happen Here," *New York Times*, August 27, 2018.

11 1941년 포그롬은 동부 폴란드 2304곳의 행정 구역 중 219곳에서 발생했다. Jason Wittenberg and Jeffrey S. Kopstein, *Intimate Violence: Anti-Jewish Pogroms on the Eve of the Holocaust* (Ithaca, 2018).

12 Karl Marx and Frederick Engels, *The German Ideology*, ed. C. J. Arthur (London, 2004), 58.

13 "역사를 가져본 적이 없고, 역사를 갖기 위해 필요한 에너지도 없는 왈라키아의 루만인들(Roumans)이 2000년의 역사를 가진 이탈리아인들과 동일한 중요성을 갖는다는 것은 잘못된 일이다"라고 그는 썼다. Friedrich Engels, "What Have the Working Classes to Do with Poland," in Karl Marx, *Political Writings*, vol. 3, *The First International and After* (Harmondsworth, UK, 1974), 383. 마르크스는 경제적으로 역동적인 독일인들 가운데 거주하는 중요성이 없는 체코인들이 별도의 국가를 가질 수 있다는 사고를 우습게 여겼다. Jiří Kořalka, *Tschechen im Habsburgerreich und in Europa* (Munich, 1991), 221, fn. 61; Hans Magnus Enzensberger, ed., *Gespräche mit Marx und Engels* (Frankfurt, 1973), 709 ff.

14 "Der Magyarische Kampf," in Karl Marx and Friedrich Engels, *Werke*, Vol. 6 (Berlin, 1959), 175. 엥겔스는 "우리는 아직 사라지지 않았다"라는 가사가 들어 있는 폴란드 국가를 조롱하기까지 했다. 그는 폴란드인들의 가장 큰 기본적 특징은 아무 이유 없이 싸움을 벌이고자 하는 욕구라고 썼다. Hubert Orlowski, *"Polnische Wirtschaft": Zum deutschen Polendiskurs der Neuzeit* (Wiesbaden, 1996), 276.

15 Kenneth Jowitt called them "geographically contiguous replica regimes." *New World Disorder: The Leninist Extinction* (Berkeley, 1993), 176.

16 Karol Goláň, ed., *Pamäti z mladších rokov života* (Bratislava, 1950).

17 Patrick Kingsley, "Safe in Hungary, Viktor Orban Pushes His Message across Europe," *New York Times*, June 5, 2018.

18 Pieter Judson, *Guardians of the Nation: Activists on the Language Frontiers of Imperial Austria* (Cambridge, MA, 2006), 257. 베네딕트 앤더슨은 동유럽 민족주의의 언어에 대한 집요한 관심을 포착하지 못했고, 이를 추동하는 감정적·지적 에너지를 탐구하지 않았다. 전체적으로 서구적인 시각을 채택한 에릭 홉스봄은 동유럽 민족주의를 자극한 정체성 상실에 대한 염려를 제대로 평가하지 못했다. Benedict Anderson, *Imagined Communities*; Eric Hobsbawm, *Nations and Nationalism since 1780* (Cambridge, 1992), 24, 32-33.

19 Tara Zahra, "Imagined Non-Communities: National Indifference as a Category of Analysis," *Slavic Review* 69:1 (2010), 93-119. 그의 접근법에 대한 비평적 평가는 다음 자료를 보라.

Gerald Stourzh, "The Ethnicizing of Politics and 'National Indifference' in Late Imperial Austria," in Gerald Stourzh, *Der Umfang der österreichischen Geschichte Ausgewählte Schriften 1924-1950* (Vienna, 2011), 283-323.

20 기능적인 이중언어 사용은 널리 퍼진 현상이었지만, 합스부르크제국 내에서 "대등한 언어사용 능력을 가지고 두 언어를 사용하는 경우는 드물었다". Jakub S. Benes, *Workers and Nationalism: Czech and German Social Democracy in Habsburg Austria, 1890-1918* (Oxford, 2017), 60.

21 그래서 나는 근대 민족주의보다 앞서 온 것은 '행동화된 국가성(enacted nationhood)' 또는 공통의 음식, 민속 문화 또는 민속 음악 같은 '문화적 관행의 집합'이라는 브라이언 포터-쉬크스의 견해를 공유하지 않는다. 모든 사람이 수용한 것은 아니더라도 전근대 국가성에 대한 강력한 관념적인 실체가 있었다. 내가 앞으로 보여주는 바와 같이 폴란드를 포함한 동유럽 국가들 어디도 '우리'와 '그들'을 구분하는 도구로서 근본 특징인 인종적 국가성을 탈피할 수 없었다고 주장하는 것은 몰역사적이다. Brian Porter-Szücs, *When Nationalism Began to Hate* (Oxford, 2000), 7.

22 민족적 무관심에 관심을 둔 사람들은 민족들 사이의 지역, 즉 동부 갈리시아나 북부 실레시아, 체코 땅 일부 아니면 상대적으로 짧은 기간에 초점을 맞춰왔다.

23 Norman Davies, *God's Playground: A History of Poland*, vol. 1 (New York, 1980), 542; Karol Lutostański, *Les partages de la Pologne et la lutte pour l'indépendance* (Paris, 1918), 229.

24 Karel Havlíček-Borovský, ed., *Duch Národních novin: spis obsahujici úvodní články z Národních novin roků 1848, 1849, 1850* (Kutna Hora, Bohemia, 1851), 2; T. G. Masaryk, *Česká otázka* (Prague, 1895), 192-193. 1848년 3월 빈에 나타난 새로운 첫 신문은 민족이 자유보다 더 신성하다고 주장했다. 그 이유는 민족이 자유의 첫 번째 조건이기 때문이다. 자그레브에서 크로아티아 학생들은 민족이 없는 자유는 영혼이 없는 육체 같다고 썼고, 포즈난의 폴란드 민족위원회는 프로이센 국왕 사절에게 "폴란드에게는 단 하나의 자유만 있을 뿐이다. 그것은 우리 민족 안의 자유이다. 왜냐하면 인종만이 진정한 자유가 뻗어 나올 수 있는 토양이기 때문이다"라고 말했다. 오스만령 왈라키아(루마니아의 한 지역)의 혁명 지도자인 니콜라에 발세스쿠는 "한 주민이 민족으로 존재하기 전까지는 자유를 사용할 수 없다"라고 말했다. R. Maršan, *Čechové a Němci r. 1848 a boj o Frankfurt* (Prague, 1898), 35; Misha Glenny, *The Balkans: Nationalism, War, and the Great Powers* (New York, 2001), 48; letter of the Polish National Committee, Poznań of April 6, 1848, to General von Willisen, *Leipziger Zeitung*, April 20, 1848 (111), 2530-2531; George Barany, "Hungary," in Peter Sugar, ed., *Nationalism in Eastern Europe* (Seattle, 1969), 268. 이러한 확신에 대해서는 다음 자료를 보라. Gale Stokes, "Cognition and the Function of Nationalism," *Journal of Interdisciplinary History* 4:4 (1974), 538.

25 Franz Schuselka, *Ist Oesterreich deutsch? Eine statistische und glossirte Beantwortung dieser Frage* (Leipzig, 1843), 19, 21, 23-24. 달리 언급하지 않은 경우 번역은 내가 한 것이다.

26 Jiří Kořalka, *Tschechen im Habsburgerreich und in Europa* (Vienna, 1991), 68-70.

27 '무관심한(indifferent)' 정체성의 다른 형태를 선호하는 것은 둘째 치고, 민족주의에 반대하는 행동가들이 아니라 민족주의 행동가들이 작업에서 민족적 무관심에 대한 기념비적 연구는 다음을 보라. Judson, *Guardians of the Nations*.

28 Anthony Oberschall, "The Manipulation of Ethnicity: From Ethnic Cooperation to Violence and War in Yugoslavia," *Ethnic and Racial Studies* 23:6 (2000), 982-1001. 체코슬로바키아 독일인들의 염려를 부풀리기 위해 사용된 단어는 이들이 '노예'로 살고 있다는 것이었다. 이러한 시각에 동정을 얻기 위한 나치의 운동에 대해서는 다음 자료를 보라. Hermann Graml, *Europas Weg in den Krieg: Hitler und die Mächte 1939* (Munich, 1990), 103-104.

29 Jaromír Navrátil, *The Prague Spring 1968* (Budapest, 1998), 8.

30 이 지역을 통합적으로 지칭하는 용어는 다양하게 사용되었다. 과거 소비에트 블록을 나타내기 위해 '동유럽' 또는 '중동부 유럽'이 사용되었지만, 때로 '중유럽'이라는 용어도 사용되었다. 이러한 예에 대해서는 다음 자료를 참조하라. Antony Polonsky, *The Little Dictators: The History of Eastern Europe Since 1918* (London, 1975); Robin Okey, *Eastern Europe* 1740-1985: *From Feudalism to Communism* (London, 1991); Vladimir Tismaneanu, *Reinventing Politics: Eastern Europe from Stalin to Havel* (New York, 1992); R. J. Crampton, *Eastern Europe in the Twentieth Century* (London, 1994); Norman Naimark and Leonid Gibianskii, eds., *The Establishment of Communist Regimes in Eastern Europe* (Boulder, 1997); Ivan T. Berend, *Decades of Crisis: Central and Eastern Europe before WWI* (Berkeley, 1998); Andrew Janos, *East Central Europe in the Modern World* (Stanford, CA, 2000); Padraic Kenney, *The Burdens of Freedom: Eastern Europe Since 1989* (London, 2006); Joachim von Puttkamer, *Ostmitteleuropa im* 19. *und* 20. *Jahrhundert* (Munich, 2010); Irina Livezeanu and Árpád von Klim , eds., *The Routledge History of East Central Europe since 1700* (New York, 2017).

31 만일 저자가 알바니아와 알바이나인들의 역사에 대해 전적으로 무지하지 않다면, 이들은 이 책의 주제에 아주 맞아떨어진다. 소비에트 블록 외부 사람들로서 이들은 더 북쪽에 있는 나라들보다 중동부 유럽 역사에 덜 중심적이기는 하다. 마찬가지로 그리스도 1945년까지는 이 역사의 많은 부분에 포함되는 것이 좋다.

32 사람이 자신의 땅에서 이방인이 되었다는 탄식은 우리 시대 우파 포퓰리즘을 위한 유권자들의 불만이다. Stephen Holmes, "How Democracies Perish," in Cass Sunstein, *Can It Happen Here? Authoritarianism in America* (New York, 2018), 327-428. 루시안 보이아는 "과거는 좀 더 자주 소환되고, 그것과 단절하고 싶은 사람들에 의해 가장 강력한 방식으로 소환된다"라고 말했다. Lucian Boia, *History and Myth in Romanian Consciousness* (Budapest, 2001), 44.

1장 중동부 유럽 사람들

1 Paul Robert Magosci, *Historical Atlas of Central Europe*, revised edition (Seattle, 2002), 69, 77.
2 다키아인들은 거의 알려지지 않은 인도유럽어를 사용했다.
3 Traian Stoianovich, *Balkan Worlds: The First and Last Europe* (Armonk, NY, 1994), 122-124.
4 이 부족들은 원래 다언어 집단이었지만, 핀-우그리어를 사용하는 메그예리 부족이 지배하게 되었다. Jean W. Sedlar, *East Central Europe in the Middle Ages* (Seattle, 1994), 9.
5 Andrew Janos, *The Politics of Backwardness in Hungary* (Princeton, NJ, 1982), 3-4.
6 여기에 언급한 것은 문자 시대 이전의 독일 땅이다. 좀 더 근세에 지역 방언은 북부와 동부 독일 지역으로부터 멀어졌고, 고지대 독일어로 대체된 다음 방언 연속체와 단절되었다. 서부 로망스어 연속체도 있었다.
7 최초의 폴란드 왕 미에슈코는 폴란드를 교황청의 영지로 만든 것으로 보인다. Sedlar, *East Central Europe*, 142-143, 150.
8 이 판단은 레오폴트 폰 랑케가 내린 것이다. 다음 자료를 보라. Leopold von Ranke, *Serbische Revolution* (Berlin, 1844), 9. 11세기와 이후의 권력 임명 논란과 이후 시기 서방에서 권력 분립 관행 관계에 대해서는 다음 자료를 보라. Heinrich August Winkler, *Geschichte des Westens*, vol. 1 (Munich, 2009), 20, 57, 61; Hans Maier, "Canossa heute—Mythos und Symbol," in *Canossa 1077*, Christoph Stiegemann and Matthias Wernhoff, eds. (Munich, 2006), 625-630; Eckard Müller-Mertens, "Imperium und Regnum im Verhältnis zwischen Wormser Konkordat und Goldener Bulle," *Historische Zeitschrift* 284 (2007), 561-595.
9 Tim Judah, *The Serbs: History, Myth, and the Destruction of Yugoslavia* (New Haven, CT, 1997), 19-20.
10 Michael Boro Petrovich, *A History of Modern Serbia*, vol. 1 (New York, 1976), 13.
11 Veljko Vujačić, *Nationalism, Myth, and the State in Russia and Serbia* (Cambridge, 2015), 131.
12 Thomas Emmert, *Serbian Golgotha: Kosovo, 1389* (New York, 1990).
13 Laura Silber and Allan Little, *Yugoslavia: Death of a Nation* (New York, 1997), 72. 마이클 셀스는 "슬라브 이슬람 주민과 세르비아인들이 오래전부터 적이었다는 코소보 이야기의 발전은 좀 더 최근의 일이다. 이것은 19세기 민족주의 세르비아인들이 만들어낸 것이다"라고 썼다. 민족주의자들은 이미 존재해온 사고와 이미지를 이용했고, 이것은 자신들 운동의 강력한 무기로 구성했지만, 이들이 이것을 만들어낸 것은 아니라는 것이 이 공백에 첨가되어야 한다. 물론 언어가 민족을 만든다는 사고는 세르비아의 사고도 아니고, 부크 카라지치의 사고는 더욱 아니고, 동유럽 민족주의에 일반화된 사고이다. Michael Sells, *The Bridge Betrayed:*

Religion and Genocide in Bosnia (Berkeley, 1996), 37-38. 서사 민요가 민족주의적 신화로 발전한 과정에 대해서는 다음 자료를 보라. Svetozar Koljević, *The Epic in the Making* (Oxford, 1980); Emmert, *Serbian Golgotha*, 122-129.

14 Sabrina P. Ramet, *Nihil Obstat: Religion, Politics, and Social Change in East-Central Europe and Russia* (Durham, NC, 1998), 196.

15 Cynthia Hahn, *Portrayed onto the Heart: Narrative Effect in Pictorial Lives of Saints* (Berkeley, 2001), 325; Jan Kubik, *The Power of Symbols against the Symbols of Power: The Rise of Solidarity and the Fall of State Socialism in Poland* (University Park, PA, 1994), 109 ff.

16 이러한 의식은 '원형 민족주의의 가장 결정적인 기준'을 형성했다. Eric Hobsbawm, *Nations and Nationalism since 1780* (Cambridge, 1992), 73.

17 이슬람의 성장은 오스만 이슬람 주민의 정착에 힘입은 면이 있고, 특히 불가리아에서 그랬다. 개종을 위한 인센티브는 자신들의 농지를 계속 보유하려는 지주들 사이에 강했다. 때때로 군사와 국가 행정 요원으로 훈련시키기 위해 소년들을 잡아가는 것(데브쉬르메)을 넘어서 17세기 로도프 산악 지역에서처럼 때로 강제적 개종도 진행되었다. R. J. Crampton, *A Concise History of Bulgaria* (Cambridge, 1997), 33-36.

18 Charles Higounet, *Les Allemands en Europe centrale et orientale au Moyen Age* (Paris, 1989); David Frick, *Kith, Kin, and Neighbors: Communities and Confessions in Seventeenth Century Wilno* (Ithaca, NY, 2013). 1348년 실레시아를 폴란드왕국에 상실한 시기에 독일화, 특히 소도시에서 이 과정은 상당히 진행되었다. Jerzy Lukowski and Hubert Zawadzki, *A Concise History of Poland* (Cambridge, 2006), 27.

19 다음 자료의 지도 32B를 보라. Paul Robert Magocsi, *Historical Atlas of Central Europe* (Seattle, 2002), 105. 두 번째 줄은 첫 번째 줄보다 더 들쭉날쭉하다.

20 이 도시의 인구는 1921년 7만 명이었고, 이 중 1만 명이 유대인이었다. Anne Joseph, "The Secret Jewish History of Bosnia and Sarajevo," *The Forward*, January 30, 2016. 셉하르딤(Sephardim)은 전간기 유고슬라비아 유대인 인구의 40퍼센트를 차지했다. 약 9000명의 사라예보 유대인이 전쟁 중 집단수용소로 이송되었고, 1237명이 살아남았다. Ivana Vučina Simović, "The Sephardim and Ashkenazim in Sarajevo," *Transversal* 13:2 (2012), 54-57.

21 Sedlar, *East Central Europe*, 181; J. Perles, *Geschichte der Juden in Posen* (Breslau, 1863), 8-9.

22 16세기 중반 폴란드-리투아니아연합국가의 유대인 수는 15만 명에서 17만 명 사이로 추정된다. Matthias Lehmann, "New Worlds, East and West," in John Efron et al., *The Jews: A History* (Upper Saddle River, NJ, 2009), 204-208.

23 Denis Bašić, "The Roots of the Religious, Ethnic and National Identity of the Bosnian-Herzegovinan Muslims" (PhD dissertation, University of Washington, 2009), 290. 19세기

말 비이슬람 주민을 군대, 행정 업무에 관여시키려는 시도는 절반의 성공만 거두었다. Carter V. Findley, "The Acid Test of Ottomanism: The Acceptance of non-Muslims in the Late Ottoman Bureaucracy," in Benjamin Braude and Bernard Lewis, eds., *Christians and Jews in the Ottoman Empire*, vol. 1 (New York, 1982), 342.

24 이 혈통 세금(Devşirme)은 17세기까지 지속되었다. Noel Malcolm, *Bosnia: A Short History* (New York, 1994), 45-46.

25 Barbara Jelavich, *History of the Balkans*, vol. 1 (Cambridge, 1983), 62-126 and passim.

26 이러한 시각에 대한 평가는 다음 자료를 보라. Petrovich, *History of Modern Serbia*; Paul Lendvai, *The Hungarians: A Thousand Years of Victory in Defeat*, Ann Major, trans. (Princeton, NJ, 2003), 99 ff.

27 Petrovich, *History of Modern Serbia*.

28 Peter F. Sugar, *Southeastern Europe under Ottoman Rule 1354-1804* (Seattle, 1977), 258-261; Balázs Trencsényi and Michal Kopeček, eds., *Late Enlightenment: Emergence of Modern National Ideas* (Budapest, 2006), 218. 불가리아 운동은 남부 러시아, 합스부르크제국 도시들, 왈라키아와 몰다비아 자치공국에서 강했다. Claudia Weber, *Auf der Suche nach der Nation: Erinnerungskultur in Bulgarien von 1878-1944* (Berlin, 2003), 37-38.

29 Fritz Gschnizter et al., "Volk, Nation, Nationalismus, Masse," in *Geschichtliche Grundbegriffe; historisches Lexikon zur politisch-sozialen Sprache in Deutschland*, Otto Brunner et al., eds., vol. 7 (Stuttgart, 1992), 141-431. 피터 유드슨은 18세기 말 민족의 다섯 가지 구별되는 특징을 추적한다. Pieter Judson, *The Habsburg Empire: A New History* (Cambridge, MA, 2016), 85-87.

30 이것은 프랑스 인구의 0.52퍼센트에 해당했다. Jonathan Dewald, *The European Nobility* (Cambridge, 1996), 22.

31 Janusz Tazbir, "Polish National Consciousness in the Sixteenth to Eighteenth Century," *Harvard Ukrainian Studies* 10:3/4 (1986), 318. 16세기 폴란드 귀족 공화국 절정기에게 의회(Sejm) 의원의 약 3분의 1은 비가톨릭 신자였고, 대부분 개신교였다. 그러나 시간이 지나면서 이 집단은 점점 더 가톨릭화되었고, 특히 가톨릭교회가 특권을 방어하면서 17세기에는 폴란드인이 되는 것은 가톨릭이 되는 것이라는 사고가 확산되었다. Jerzy Topolski, "Die generellen Linien der Entwicklung der polnischen neuzeitlichen Nation," in Almut Bues and Rex Rexhauser, eds., *Mittelalterliche nations — neuzeitliche Nationen* (Wiesbaden, 1995), 145-149.

32 Tazbir, "Polish National Consciousness," 318-319. 리투아니아 귀족들은 자신들의 로마의 후손이라는 생각을 하고 있었다. 물론 이 사고는 오래 전으로 거슬러 올라가고, 다양한 집단을 단결시키는 통합 기능을 했다.

33 러시아어와 폴란드어의 예는 랍(rab)과 함(cham)이다. 시골 주민들을 지칭하는 데 경멸적인 언어를 사용하는 경향은 서유럽으로 확산되어, 농민이나 농부(paysan)은 '촌스럽고', '무식하고', '무신경하고', '거칠다'고 묘사되었다. 독일어에서 해당 단어는 '악마', '악당', '약탈자', '도적떼'와 동의어였다. 농민이 누구인지, 농민층이 누구인지를 알기 위해서는 다음 자료를 참조하라. Marc Edelman, "What Is a Peasant, What Are Peasantries," at https://ohchr.org/Documents/HRBodies/HrCouncil/WGPeasants/Edelman.pdf (accessed October 17, 2018).

34 서유럽의 농민들의 큰 이동성과 노동 소작료(labor rents)의 낮은 비율에 대해서는 다음 자료를 보라. Markus Cerman, *Villagers and Lords in Eastern Europe, 1300-1800* (London, 2012), 134. 영국과 동유럽의 차이에 대해서는 다음 자료를 보라. Mark Bailey, *The Decline of Serfdom in Late Medieval England: From Bondage to Freedom* (Woodbridge, UK, 2014), 82-83. 농업 혁신이 동유럽과 남동부 유럽으로 전파되지 못한 것에 대해서는 다음 자료를 보라. Andrew Janos, *East Central Europe in the Modern World* (Stanford, CA, 2000), 56-57.

35 미랴나 그로스는 정치적 민족으로서 크로아티아 귀족들은 자신들을 토착어를 사용하는 농민이나 소도시 주민들과 동일시하지 않았다. Hobsbawm, *Nations and Nationalism*, 74, fn. 50. 20세기에 들어오면서 많은 폴란드 농민들은 '폴란드'라는 사고에서 소외되었다고 느꼈고, 일부는 1918년 국가 재창설에 반대했다. 이들은 "봉건 시대에 그랬던 것처럼 평민들이 귀족을 위해 일하기를 원하는 귀족들만이 폴란드를 원한다"라고 말했다. Jerzy Tomaszewski, "The National Question in Poland," in M. Teich and R. Porter, eds., *The National Question in Europe in Historical Context* (Cambridge, 1993), 296.

36 Janusz Tazbir, "Polish National Consciousness in the Sixteenth to the Eighteenth Century," in Frank Sysyn and Ivo Banac, eds., "Concepts of Nationhood in Early Modern Eastern Europe," *Harvard Ukrainian Studies* 10:3/4 (1986), 317.

37 Hans Roos, "Die polnische Demokratie," in Hans-Erich Volkmann, *Die Krise des Parlementarismus in Ostmitteleuropa zwischen den beiden Weltkriegen* (Marburg, Germany, 1967), 15.

38 Peter Bugge, "Czech Nation-Building: National Self-Perception and Politics 1780-1914" (PhD dissertation, University of Aarhus, 1994), 18.

39 Bernd Rill, *Böhmen und Mähren* (Gernsbach, Germany, 2006), 341.

40 Keith Hitchins, *The Rumanian National Movement in Transylvania* (Cambridge, MA, 1969), 9.

41 작센인들은 13세기 헝가리 국왕들이 초대한 독일인 정착자의 후손들이었다. 세클러들은 불가리아 튀르크족의 후손들이었으나, 몇 세기가 지나면서 헝가리어를 사용하게 되었지만, 구별되는 사회문화를 보존했다. Lendvai, *The Hungarians*, 21, 24, 42. 이 시기 트란실바니

아에 거주하는 언어 집단에 대해서는 다음 자료를 보라. Valér Veres, "Adalékok Erdély 18. századi népessége etnikai összetételének kérdéséhez," *Történeti Demográfiai Évkönyv*, Központi Sztatisztikai Hivatal Népességtudományi Kutatóintézet, ed. (Budapest, 2002), 105. (이런 지적을 해준 제프 페닝톤에게 감사한다.)

42 이들은 개인 사이의 자연적 민권 동등성에 대한 계몽사상을 민족들 사이의 관계에 적용했다. Keith Hitchins, "Samuel Clain and the Rumanian Enlightenment in Transylvania," *Slavic Review* 23:4 (1964), 660.

43 이 토론에 대해서는 다음 자료를 보라. Ludwig Albrecht Gebhardi, *Fortsetzung der allgemeinen Welthistorie der neueren Zeiten*, vol. 3 (Halle, 1797), 65.

44 모든 곳에서 독일인들에 대한 비호의적인 사고가 나타났다. 일부는 독일인을 '멍청한 사람들(jokers)'이라고 불렀다. 군목 요제프 티소가 만든 고정관념 중 하나는 이 사람들은 1차 세계대전 중 참호 속에서 복무하는 것으로 극복되었다는 것이었다. Roman Holec, "Die slowakische politische Elite vor 1918," in *Religion und Nation*, Martin Schulze Wessel et al., eds. (Essen, Germany, 2015), 34.

45 Nevenko Bartulin, "The Ideology of Nation and Race: The Croatian Ustasha Regime and Its Policies toward Minorities in the Independent State of Croatia, 1941-45" (PhD dissertation, University of New South Wales, Australia, 2006), 66, 72. 좀 더 통상적으로 '블라흐'는 도나우강 남쪽 지역의 로망스어 사용자를 지칭하는 데 사용되었지만, 합스부르크제국 문서에는 오스만제국에서 *Miltärgrenze*에 정착한 정교회인들의 권리를 규율하는 *Statuta valachorum*의 예처럼 이중적으로 쓰이기도 했다.

46 Tazbir, "Polish National Consciousness," 329.

47 Edsel Walter-Stroup, "From Horea-Closca to 1867: Some Observations," in *Transylvania: The Roots of Ethnic Conflict*, John Cadzow et al., eds. (Kent, OH, 1983), 132-140.

48 집시, 그리스인, 아르메니아인, 유대인, 외국 상인들도 이들과 마찬가지로 도시에 거주했다. Petrovich, *History of Modern Serbia*, 9-11.

49 이러한 교회의 한 예는 크로아티아와 세르비아 경계 지역의 교회인 세니의 교회이다. Cathy Carmichael, *Ethnic Cleansing in the Balkans: Nationalism and the Destruction of Tradition* (London, 2003), 21.

50 배경은 16세기 보스니아 경계의 크로아티아 지역이다. Catherine Wendy Bracewell, *The Uskoks of Senj: Piracy, Banditry and Holy War in the Sixteenth Century Adriatic* (Ithaca, NY, 1992), 33.

51 Karl Ludwig Freiher von Pöllnitz, *The Memoirs of Charles Lewis Baron de Pollnitz*, vol. 1 (London, 1739), 218, 219. 최근에 역사학자들은 영주의 통치 아래 속박된 채 주도권 없이 살았다는 농민에 대한 이런 이미지를 바꾸는 데 많은 일을 했다. William W. Hagen, "Early

Modern Bohemia Joins Post-Communist Central Europe," review of Markus Cerman and Hermann Zeitlhofer, eds. *Soziale Strukturen in Böhmen. Ein regionaler Vergleich von Wirtschaft und Gesellschaften in Gutsherrschaften, 16.-19. Jahrhundert* (Vienna, 2002). Review is at H-German@h-net.org (accessed August 2005).

52 George Robert Gleig, *Germany, Bohemia, and Hungary, Visited in 1837*, vol. 2 (London, 1839), 330, 350-352.

53 Etienne Balibar and Immanuel Wallerstein, *Race, Nation, Class: Ambiguous Identities* (London, 1991), 89.

54 이것은 보헤미아, 슬로바키아, 후에 루마니아가 된 지역, 유고슬라비아의 많은 지역에도 적용되었다. 또한 후에 폴란드가 된 동부와 서부의 좁은 지역, 중부 폴란드, 헝가리도 마찬가지다. 지주와 주민들은 특권, 교육, 부에서 다른 세계로 분리되어 있었지만, 종종 같은 인종이었다. 지주들은 자신들을 별도의 민족으로 생각했고, 20세기 들어올 때까지 그렇게 행동했다.

55 한스 로드펠스는 서유럽과 대비되는 동유럽의 '얼룩진' 특성에 대해 말하고 있다. 서유럽에서는 정치적 경계가 좀 더 분명하게 주민들을 나누고 있지만, 이것은 서유럽 국가들의 특징으로 언어적 단일성을 가지고 있다는 것을 의미하지는 않는다. Hans Rothfels, *Zeitgeschichtliche Betrachtungen* (Göttingen, 1959), 102, 95.

56 17세기와 18세기 세르비아인에 대한 영국과 프랑스 여론의 우월감에 대해서는 다음 자료를 보라. Judah, *Serbs*, 48.

57 G. Mazzini asked: "Who thought of the Slavonians ten years ago?" "The Slavonian National Movement," *Lowes Edinburgh Magazine and Protestant Educational Journal* 9 (July 1847), 182.

2장 소멸의 위기에 처한 민족

1 Hugo Hantsch, *Geschichte Österreichs* (Graz, Austria, 1953), 148.

2 Charles Ingrao, *The Habsburg Monarchy 1618-1815* (Cambridge, 2000), 155.

3 헝가리는 주민 다수가 헝가리인이었다가 1787년이 되자 헝가리인 비율이 39퍼센트가 되었다. Paul Lendvai, *The Hungarians: A Thousand Years of Victory in Defeat*, Ann Major, trans. (Princeton, NJ, 2003), 99-104; Horst Haselsteiner, "Cooperation and Confrontation," in *A History of Hungary*, Peter Sugar et al., eds. (Bloomington, IN, 1990), 147; Victor L. Tapié, *The Rise and Fall of the Habsburg Monarchy*, Stephen Hardman, trans. (New York, 1971), 184; Geza David, "Adminisration in Ottoman Europe," in *Suleyman the Magnificent and His*

Age: The Ottoman Empire in the Early Modern Period, Metin Kunt and Christine Woodhead, eds. (New York, 1995), 86-89.

4 Tapié, *Rise and Fall*, 182; Jörg K. Hoensch, *Geschichte Böhmens* (Munich, 1997), 270.

5 약 185가족의 귀족들이 떠났고, 장관, 교수, 도시 부르주아들도 떠났다. Lonnie Smith, *Central Europe: Enemies, Neighbors, Friends* (Oxford, 1996), 89.

6 R. J. W. Evans, *The Making of the Habsburg Monarchy, 1550-1700* (Oxford, 1979), 200.

7 유대인들은 계속 법적 제약을 받았다. 국왕은 1687년 헝가리 의회의 결정에 의해 세습제가 되었다. Henryk Wereszycki, *Historia Austrii* (Wrocław, 1972), 102-103.

8 Evans, *Making of the Habsburg Monarchy*, 200, 213. 오스만튀르크 정복 결과로 헝가리는 16세기 세 부분으로 분할되었다. 동쪽에는 오스만제국의 가신국인 트란실바니아공국이 나타났고, 대부분 개신교도인 귀족들은 합스부르크가 이끈 반개혁 정책으로 보호받았다. 정복되지 않은 왕정 헝가리에서 귀족들은 충성의 대상을 합스부르크가에서 트란실바니아 통치자로 바꿀 수 있다고 위협하면서 특권을 보호받았다. 그러나 오스만제국의 직접 통치하에 들어간 중부와 남부 헝가리 대부분 지역은 큰 피해를 입어 마자르 요소가 약화되었다. Geza Palffy, "The Impact of Ottoman Rule on Hungary," *Hungarian Studies Review* 28:1-2 (2001), 112; Lendvai, *The Hungarians*, 98-99.

9 Jean Berénger, *History of the Habsburg Empire 1700-1918*, C. A. Simpson, trans. (London, 1997), 65-66.

10 T. C. W. Blaning, *Joseph II and Enlightened Despotism* (London, 1970), 15.

11 T. C. W. Blanning, *Joseph II* (London, 1974), 71; E. D., "Die deutsche Sprachgrenze," *Deutsche Vierteljahrsschrift* 3 (1844), 201; Corina Petersilka, *Die Zweisprachigkeit Friedrichs des Grossen: ein linguistisches Porträt* (Tübingen, 2005), 39-40.

12 R. J. W. Evans, *Austria, Hungary, and the Habsburgs* (Oxford, 2004), 136-137.

13 Ludwig Gumplowicz, *Das Recht der Nationalitäten und Sprachen in Oesterreich-Ungarn* (Innsbruck, 1879), 26; Bernard Michel, *Nations et nationalismes en Europe centrale* (Paris, 1995), 32-33.

14 Joseph Anton von Riegger, *Für Böhmen von Böhmen*, vol. 3 (Prague, 1793-1794), 2; Joseph Alexander Freiherr von Helfert, *Die österreichische Volksschule: Die Gründung der österreichischen Volksschule durch Maria Theresia* (Prague, 1860), 466.

15 그와 그의 어머니는 오스트리아령 네덜란드나 이탈리아의 독일어를 선호하는 어떤 일도 하지 않았다. John Deak, *Forging a Multinational State: State-Making in Imperial Austria* (Stanford, CA, 2015), 25.

16 Josef Hanzal, "Nižší školství," in Josef Petráň, ed., *Počátky českého národního obrozeni* (Prague, 1990), 133.

17 Joseph Kalousek, *Geschichte der Königlichen Böhmischen Gesellschaft der Wissenschaften* (Prague, 1885), 23. 1627년 조치 이후 독일어는 체코어와 동등해졌고, 행정 문서는 독일어, 체코어, 라틴어로 작성되었다. 요제프 2세 시기에 행정가들(이들은 문화적으로 독일화되었다)이 매일 업무에서 독일어를 사용하면서 독일어가 주도적 위치를 차지했다. 이렇게 보헤미아에서 독일어만 사용되는 언어 상황 변화는 점진적 과정의 결말이었다. Pavel Trost, "Deutsch-tschechische Zweisprachigkeit," in Bohuslav Havránek, ed., *Deutsch-tschechische Beziehungen* (Prague, 1965), 21-28; Helmut Glück, *Deutsch als Fremdsprache in Europa vom Mittelalter bis zur Barockzeit* (Berlin, 2002), 349-358.

18 Hugh Agnew, *Origins of the Czech National Renascence* (Pittsburgh, PA, 1993), 53; Miroslav Hroch, *Na prahu národní existence: touha a skutečnost* (Prague, 1999), 63. 중동부 유럽의 일반적 계몽정신과 그 기원, 함의에 대해서는 다음 자료를 보라. Balázs Trencsényi, Maciej Janowski, Mónika Baar et al., *A History of Modern Political Thought in East Central Europe*, vol. 1 (Oxford, 2016), 15-136.

19 Hroch, *Na prahu národní existence*, 64.

20 Evans, *Making of the Habsburg Monarchy*, 207

21 Ein Böhme [Franz Kinsky], *Erinnerung über einen wichtigen Gegenstand* (Prague, 1773), 5, 134.

22 Kinsky, *Erinnerung*, 132-134, 207-208.

23 Agnew, *Origins*, 29, 31. 중동부 유럽의 계몽사상에서 (언어를 포함하여) 조국의 제도의 중요성에 대해서는 다음의 자료를 보라. Trencsényi et al., *History of Modern Political Thought*, 16-18, 78-91. 그들의 동기에 대해서는 다음 자료를 보라. Miroslav Hroch, "Why Did They Begin: On the Transition from Cultural Reflection to Social Activism," SPIN Lecture 2010, at spinnet. humanities.uva.nl/images/2011-8/hroch-spin-lecture_-2010.pdf (accessed January 7, 2019).

24 František Martin Pelcl, *Kurzgefasste Geschichte der Böhmen* (Prague, 1774), 20; Agnew, *Origins*, 34.

25 Kalousek, *Geschichte*, 24-25; Trencsényi et al., *History of Modern Political Thought*, 58-59; František Bačkovský, *Zevrubné dějiny českého písemnictví doby nové* (Prague, 1886), 281.

26 그 여성이 1756년 사망한 도시는 벤트란트의 잘츠베델 바로 북쪽의 저지대 작센 지역의 부스트로프였다. Jerzy Strzelczyk, *Po tamtej stronie Odry* (Warsaw, 1968), 261. 이 뉴스는 지역 신문에 실렸다. 펠츨이 우려에 대해서는 다음 자료를 보라. Thomas Capek, *Bohemia under Hapsburg Misrule* (New York, 1915), 50.

27 Cited in Eugen Lemberg, *Grundlagen des national Erwachens in Böhmen* (Reichenberg, Czechoslovakia, 1932), 82.

28 Josef Dobrovský, *Korespondence*, vol. 3, Adolf Patera, ed. (Prague, 1908), 78; Agnew, *Origins*, 29, 31.

29 Luboš Merhaut, ed., *Lexikon české literatury: osobnosti, díla, instituce*, vol. 4, part 1 (Prague, 2008), 894-896; F. V. Vykoukal, "O rodišti bratří Thámů," *Světozor* 20 (1886), 534.

30 이것은 킨스키뿐만 아니라 얀 A. 한케도 우려하게 만들었다. Karel Tieftrunk, *Historie literatury české* (Prague, 1880), 95-96.

31 František Ladislav Rieger, *Slovník naučný*, vol. 9 (Prague, 1888); Karel Ignaz Tham, *Obrana jazyka českého proti zlobivým jeho utračům* (Prague, 1783).

32 이 사람은 보헤미아인인 안토닌 코냐쉬였다. Karel Ignaz Tham, *Über den Charakter der Slawen, dann über den Ursprung, die Schicksale, Vollkommenheiten, und die Nützlichkeit und Wichtigkeit der böhmischen Sprache* (Prague, 1803), 13.

33 Karl Ignaz Tham, *Kunst in drei Monaten böhmisch lesen, schreiben und sprechen zu lernen* (Prague, 1815).

34 Josef Dobrovský, *Geschichte der böhmischen Sprache und alten Literatur* (Prague, 1792); Josef Dobrovský, *Lehrgebäude der böhmischen Sprache* (Prague, 1809); Josef Dobrovský, *Entwurf zu einem allgemeinen Etymologikon der slawischen Sprachen* (Prague, 1813).

35 Cited in Richard Pražák, *Josef Dobrovský als Hungarist und Finno-Ugrist* (Brno, Czechoslovakia, 1967), 102-103.

36 Josef Jungmann, "O jazyku českém" (1803), in *Sebrané drobné spisy*, vol. 1 (Prague, 1869), 6.

37 봉건적 의무인 강제노역(robot)은 1848년까지 남아 있었다. Robin Okey, *The Habsburg Monarchy: From Enlightenment to Eclipse* (New York, 2001), 40; Blanning, *Joseph II*, 64, 73, 106.

38 R. J. W. Evans, "The Politics of Language and the Languages of Politics," in *Cultures of Power in Europe during the Long Eighteenth Century*, Hamish Scott et al., eds, (Cambridge, 2007), 203; István Gy Tóth, *Literacy and Written Culture in Early Modern Europe* (Budapest, 2000), 118-145. 헝가리의 '민족들'의 이름은 라틴어로 제시되었다. 슬라비(슬로바키아인), 크로아티, 루테니, 일리리(세르비아인), 발라치(루마니아인). Helfert, *Österreichische Volkschule*, 467.

39 Horst Haselsteiner, "Cooperation and Confrontation between the Rulers and Noble Estates," in *A History of Hungary*, Peter Sugar et al., eds. (Bloomington, IN, 1990), 161; C. A. Macartney, *The Habsburg Empire 1790-1918* (London, 1969), 122.

40 Michael Horvath, *Geschichte der Ungarn*, vol. 2 (Pest, 1855), 492; Éva H. Balázs, *Hungary and the Habsburgs 1765-1800* (Budapest, 1997), 206, 209. 독일화의 유령은 여러 세대 전으로 거슬러 올라가 가톨릭인 합스부르크가는 헝가리 권리를 축소하고, 토착적 개신교

를 뿌리 뽑게 만들었다. '합스부르크가'와 '독일인' 모두 소귀족 사이에 혐오의 감정을 불러 일으켰다. Lendvai, *The Hungarians*, 107; László Péter, *Hungary's Long Nineteenth Century: Constitutional and Democratic Traditions in a European Perspective* (Leiden, 2012), 187.

41 Alfred Jäger, *Kaiser Joseph II. und Leopold II* (Vienna, 1867), 60.

42 Balázs, *Hungary*, 209; Horvath, *Geschichte der Ungarn*, 492.

43 헝가리 군(郡)들에 보낸 1784년 5월 17일 편지에서 인용함. cited in Horvath, *Geschichte der Ungarn*, 488; François Fejtö, *Józef II: Habsburg rewolucjonista*, Alojzy Kołodziej, trans. (Warsaw, 1993), 265.

44 Wereszycki, *Historia Austrii*, 143; Tapié, *Rise and Fall*, 175.

45 1780년대 후반 헝가리 지역에 통계 수집을 위해 보내진 질문서에서 이러한 태도를 볼 수 있다. 핵심 질문은 다른 무엇보다도 독일어의 확산에 대한 정보를 얻기 위한 것이었다. Balázs, *Hungary*, 241-243; Horvath, *Geschichte der Ungarn*, 492.

46 Robert J. Kerner, *Bohemia in the Eighteenth Century* (New York, 1932).

47 Eugen Lemberg, *Nationalismus* (Reinbek bei Hamburg, 1964), 135; Hoensch, *Geschichte*, 300. 백산 전투 후 개신교도와 기타 비가톨릭 귀족들과 도시 주민들의 이민과, 지역 지지자들에 대한 토지 제공을 통한 보상에 대해서는 다음 자료를 보라. Evans, *Making of the Habsburg Monarchy*, 200-201; Hugh Agnew, *The Czechs and the Lands of the Bohemian Crown* (Stanford, CA, 2004), 93.

48 갈리시아에서 다소의 독일화 조치에 대해 지주들은 크게 항의하지 않았다. 헝가리는 유별났다. Gumplowicz, *Das Recht*, 28-29. 오스카 야시는 요제프 황제가 보헤미아, 헝가리, 크로아티아에 독일어를 강요하려는 시도를 '새로운 시대의 시작'으로 보았다. 그 이유는 요제프가 '민족적 진화의 심리 전체'를 이해하는 데 실패했기 때문이다. Oscar Jászi, *The Dissolution of the Habsburg Monarchy* (Chicago, 1929), 70-71.

49 트란실바니아 작센인들은 요제프를 민족주의자라고 불렀다. R. J. Evans, *Austria, Hungary, and the Habsburgs* (Oxford, 2004), 141-142. 이 역설을 강조하기 위해 그는 아직 존재하지 않는 것에 위협을 불러일으킴으로써 새로운 감각이 형성되게 만들었다.

3장 언어 민족주의

1 Jean Berenger, *A History of the Habsburg Empire, 1700-1918* (White Plains, NY, 1997), 113.

2 Balázs Trencsényi and Michal Kopeček, eds., *Late Enlightenment: Emergence of the Modern National Idea* (Budapest, 2006), 100-103.

3 Alfred Meissner, *Rococo-Bilder: Nach Aufzeichnungen meines Großvaters* (Leipzig, 1876), 141;

Alan Cassels, *Ideology and International Relations in the Modern World* (London, 1996), 20; Jeffrey L. Buller, "From Clementia Caesaris to Clemenza di Tito," in G. Schmeling et al., eds., *Qui Miscuit Utile Dulci* (Wauconda, IL, 1998), 83.

4 Peter Demetz, *Prague in Black and Gold: Scenes from the Life of a European City* (New York, 1997), 268; James J. Sheehan, *German History: 1770-1866* (Oxford, 1989), 277.

5 Jonathan Sperber, *Revolutionary Europe 1780-1850* (New York, 2000), 104.

6 Wolfgang Burgdorf, "Once We Were Trojans," in R. J. W. Evans and Peter Wilson, eds., *The Holy Roman Empire,* 1495-1806: *A European Perspective* (Leiden, 2012), 52.

7 Robert A. Kann, *A History of the Habsburg Empire, 1526-1918* (Berkeley, 1974), 221-222. 뷔르템베르크에서 프랑스군에 가담한 4만 명 이상의 젊은이 중 1만 3000명만이 1806년부터 1813년까지 지속된 원정에서 살아남았다. Bodie A. Ashton, *The Kingdom of Wurttemberg and the Making of Germany* (London, 2017), 27.

8 1790년 관측자들은 독일 민족 국가를 수립한다는 요구는 전혀 없었고, 제국을 대상으로 한 독일 애국주의도 전혀 없었다고 썼다. Sheehan, *German History*, 373.

9 Patricia Anne Simpson, "Visions of the Nation," in *The Enlightened Eye: Goethe and Visual Culture*, Patricia Anne Simpson et al., eds. (Amsterdam, 2007), 145-146.

10 Golo Mann, *Deutsche Geschichte des neunzehnten und zwanzigsten Jahrhunderts* (Frankfurt, 1958), 85; Thomas Rohkrämer, *A Single Communal Faith? The German Right from Conservatism to National Socialism* (New York, 2007), 46.

11 Martin Kessler, "Herders Kirchenamt in Sachsen-Weimar," in *Johann Gottfried Herder: Aspekte eines Lebenswerkes*, Martin Kessler and Volker Leppin, eds. (Berlin, 2005), 327.

12 "약간의 감정주의가 들어 있는 이 사고가 독특한 것은 경건주의가 민족주의에 남긴 유산이다." Anthony Smith, *Chosen Peoples* (Oxford, 2003), 45.

13 Cited in Hugh LeCaine Agnew, *Origins of the Czech National Renascence* (Pittsburgh, PA, 1993), 64.

14 Isaiah Berlin, *The Roots of Romanticism* (Princeton, NJ, 1999), 57. 민족 간의 투쟁을 '자연과 역사의 근본적 과정'이라고 본 헤르더의 핵심적 기여에 대해서는 다름 자료를 보라. Elie Kedourie, *Nationalism* (London, 1960), 47-48. 민족이 없는 국가성은 가치가 없다는 사고가 슬라브인들(보헤미아인들) 사이에 급속히 퍼진 것에 대해서는 다음 자료를 보라. Matthias Murko, *Deutsche Einflüsse auf die Anfänge der böhmischen Romantik* (Graz, Austria, 1897), 30. 그는 "감정을 불가지론자 범주로서 철학 분야에 도입함으로써 인식론 역사에서 자신이 전환점을 형성했다". Maria Ciesla-Korytowska, "On Romantic Cognition," in Angela Esterhammer, ed., *Romanic Poetry* (Amsterdam, 2002), 40-41.

15 Thomas Nipperdey, *Deutsche Geschichte: 1800-1866* (Munich, 1983), 307.

16 다음 자료에 대한 괴테의 서문에 나온다. Thomas Carlyle, *Leben Schillers* (Frankfurt am Main, 1830), ix.

17 프랑스, 스웨덴, 또는 영국에서 "국가 영토는 쉽게 민족의 영토가 된다". 그리고 '민족주의'로의 전환에 결정적이 된 것은 '정치 참여와 시민권 전반을 위한 투쟁'이었다. Miroslav Hroch, *European Nations: Explaining Their Formation* (London, 2015), 43.

18 J. G. Herder, "Ideen zur Geschichte der Menschheit," cited in Ján Kollár, *Sláwa bohyně a půwod gména Slawůw čili Slawjanůw* (Pest, Hungary, 1839), 157.

19 하루에 8-9시간씩 진행되는 강의에서 학생들이 만난 다른 유명 인사로는 신학자 요한 필리프 개블러, 요한 트라우고트 단츠, 하인리히 아우구스트 스코트, 철학자인 야콥 프레드리히 프리스와 로렌츠 오켄, 그리고 고전 철학자인 하인리히 카렐 아이크슈태트가 있다. Murko, *Deutsche Einflüsse*, 131.

20 John Kulamer, *The Life of John Kollár: A Biographical Sketch* (Pittsburgh, PA, 1917 11; Konstantin Jiráček, *P.J. Šafařík mezi Jihoslovany* (Prague, 1895), 9.

21 Ferdinand Menčík, *Jan Kollár: pěvec slovanské vzájemnosti* (Prague, 1893), 21-22; Jan Kollár, *Cestopis druhý a Paměti z mladších let života* (Prague, 1863), 251-253.

22 Kollár, *Cestopis*, 276. 실상을 보면 원 슬라브 정착자들은 여러 세대에 걸쳐 독일 문화로 평화롭게 동화되었다.

23 Peter Petro, *History of Slovak Literature* (Montreal, 1995), 58; Joseph Theodoor Leerssen, *National Thought in Europe: A Cultural History* (Amsterdam, 2006), 155; Otto von Leixne, *Geschichte der fremden Literaturen*, vol. 1 (Leipzig, 1899), 505; Robert Auty, "Ján Kollár, 1793-1952," *Slavonic and East European Review* 31: 76 (1952), 80-84; John Bowring, *Cheskian Anthology* (London, 1832), 225.

24 성서 체코어는 16세기 말 성서를 체코어로 처음 번역할 때 사용된 언어에 기초하고 있다. 이것은 슬라브어를 사용하는 북부 헝가리(오늘날 슬로바키아 개신교 목사들에게 인기가 있었고, 콜라 같은 초기 슬라브 애국자들이 선택했다. 그 이유는 언어로 체코인과 슬로바키아인을 연합한다는 약속을 믿었기 때문이었다. 일부 사람들은 이 언어를 '우리의 체코-슬로바키아어'라고 불렀다. Tomasz Kamusella, *The Politics of Language and Nationalism in Modern Central Europe* (Basingstoke, England, 2009), 533.

25 Murko, *Deutsche Einflüsse*, 134.

26 Pavel Šafárik, *Geschichte der slawischen Sprache und Literatur nach allen Mundarten* (Prague, 1869), 52 (first edition: 1826). Cited in Tomáš Glanc, "Izobretenie Slavii," in *Inventing Slavia*, Holt Meyer and Ekaterina Vel'mezova, eds. (Prague, 2005), 13-14.

27 Milorad Pavić, "Die serbische Vorromantik und Herder," in *Vuk Karadžić im europäischen Kontext*, Wilfried Potthoff, ed. (Heidelberg, 1990), 82.

28 Johann Gottfried Herder, *Ideen zur Geschichte der Menschheit*, part 3 [1787], ed. Johann von Müller (Vienna, 1813), 10, 20. On Herder and Fichte: Wulf D. Hund, "Rassismus im Kontext: Geschlecht, Klasse, Nation, Kultur und Rasse," in *Grenzenlose Vorurteile*, Irmtrud Wojak and Susanne Meinl, eds. (Frankfurt am Main, 2002), 17-21.

29 이것은 루도비트 하락심이 인용한 콜라의 말이다. L'udovit Haraksim, "Slovak Slavism and Pan-Slavism," in *Slovakia in History*, Mikuláš Teich, Dušan Kováč, and Martin Brown, eds. (Cambridge, 2011), 109.

30 Nadya Nedelsky, *Defining the Sovereign Community: The Czech and Slovak Republics* (Philadelphia, 2009), 33; Peter Brock, *The Slovak National Awakening: An Essay in the Intellectual History of East Central Europe* (Toronto, 1976), 25.

31 Alfred von Skene, *Entstehen und Entwicklung der slavischen Nationalbewegung in Böhmen und Mähren* (Vienna, 1893), 97.

32 Joseph Zacek, *Palacký: The Historian as Scholar and Nationalist* (The Hague, 1970), 13. 보헤미아형제단은 얀스와 페트르 첼치츠키의 가르침에서 나온 체코식 개신교를 신봉했고, 1620년 백산 전투에서 합스부르크가 승리한 후 강제 유형당하거나 지하로 들어갔다.

33 이러한 교신은 1819년 여름 예나에서 귀환한 후 슬로바키아 친구들과 만난 후부터 시작되었다. Zacek, *Palacký*, 29-30.

34 Zacek, *Palacký*, 18-19.

35 이것은 '체코 땅의 애국주의 박물관 후원회 잡지'로 불렸다. Zacek, *Palacký*, 20.

36 Peter F. Sugar, "Introduction," in *Nationalism in Eastern Europe*, Peter F. Sugar and Ivo J. Lederer, eds. (Seattle, 1969), 15; František Palacký, "*History of the Czech Nation in Bohemia and Moravia*," in Balázs Trencsényi and Michal Kopeček, eds., *Discourses of Collective Identity in Central and Southeast Europe*, vol. 2 (Budapest, 2007), 54-55.

37 Palacký, "*History*," 55; Henryk Wereszycki, *Pod berłem Habsburgów: zagadnienia narodowościowe* (Kraków, 1975), 43.

38 Michal Kopeček, "Context," in Trencsenyi and Kopeček, eds., *Discourses*, vol. 2, 52.

39 In Zacek, *Palacký*, 33.

40 Paul Joseph Šafařik and Franz Palacky, *Älteste Denkmäler der böhmischen Sprache* (Prague, 1840), 48.

41 이 자료는 실제로 18세기에 볼 수 있었다는 것이 증명되었다. Zacek, *Palacký*, 72-73.

42 František Palacký, "Die altböhmischen Handschriften und ihre Kritik," *Historische Zeitschrift* 2:1 (1859), 90.

43 Johann Georg Kohl, *Austria, Vienna, Prague, etc, etc*. (Philadelphia, 1844), 43. 이 문제에 책임이 있는 것은 아마도 바츨라프 한카이다. Peter Bugge, "Czech Nation-Building, National

Self-Perception and Politics, 1780-1914" (PhD dissertation, University of Aarhus, 1994), 30-31.

44 Bugge, "Czech Nation-Building," 30. 애국주의자는 야쿠프 말리이다.

45 1892년 빈 의회에서 행한 연설에서 인용함. Roland Hoffmann, *T. G. Masaryk und die tschechische Frage* (Munich, 1988), 112.

46 "언어가 살아 있는 한 민족은 죽지 않는다." 카타리나 에밍게로바, 아그네스 티렐, 아우구스타 아우스피츠 또는 요제피나 브르들리코바 같은 체코의 여성 작곡가들은 '애국주의적' 주제에 덜 끌린 것 같았다.

47 Josef Jungmann, "O jazyku českém" (1803), in *Sebrané drobné spisy*, vol. 1 (Prague, 1869), 6.

48 Glanc, "Izobretenie Slavii," 18; Sergio Bonazza, "Ján Kollár und das deutsche archäologische Institut in Rom," in *Schnittpunkt Slawistik*, Irina Podtergera, ed., vol. 1 (Bonn, 2012), 33-34; Glanc, "Izobretenie Slavii," 13-14.

49 Brunhild Neuland, "Die Aufnahme Herderscher Gedanken in Ján Kollárs Schrift 'Über die literarische Wechselseitigkeit zwischen den verschiedenen Stämmen und Mundarten der slawischen Nation,'" in *Deutschland und der slawische Osten*, Ulrich Steltner, ed. (Jena, Germany, 1994), 31.

50 이것은 신속하게 퍼져나갔다. Brock, *Slovak National Awakening*, 49.

51 Brock, *Slovak National Awakening*.

52 갈등의 시기가 있었음에도 불구하고 슬로바키아인들 사이에 "체코인들과 밀접한 연계를 유지해야 한다는 필요는 결코 잊힌 적이 없었다". Brock, *Slovak National Awakening*, 36.

53 Holm Sundhaussen, *Der Einfluss der Herderschen Ideen auf die Nationsbildung bei den Völkern der Habsburger Monarchie* (Munich, 1973), 78; László Péter, *Hungary's Long Nineteenth Century: Constitutional and Democratic Traditions in a European Perspective* (Leiden, 2012), 184.

54 일례로 시인 죄르지 베셰네이는 공공 생활에서 라틴어를 쓰는 것을 부담스럽게 느껴서, 1770년대 "모든 민족은 우선 자신의 언어로 인정받는다. 자신의 언어를 결여한 민족은 아무것도 아니다"라고 썼다. Péter, *Hungary's Long Nineteenth Century*, 184.

55 George Barany, *Stephen Széchenyi and the Awakening of Hungarian Nationalism, 1791-1841* (Princeton, NJ, 1968), 224-225.

56 갈리시아에는 서점이 다섯 개, 트란실바니아에는 두 개가 있었다. *Neueste Länder-und Völkerkunde. Ein geographisches Lesebuch für alle Stände*, vol. 18 (Prague, 1823), 144.

57 마자르인은 1840년대 인구의 49퍼센트를 차지했다. János Varga, *A Hungarian Quo Vadis: Political Trends and Theories of the Early 1840s*, Éva D. Pálmai, trans. (Budapest, 1993), 38. 18세기 이 숫자는 40퍼센트 아래였다. Péter, *Hungary's Long Nineteenth Century*, 185.

1846년 이들은 1189만 5796명의 인구 중 477만 7899명을 차지했다. Alan Sked, *Metternich and Austria* (New York, 2008), 216.

58 두 경우 모두, 부다페스트가 빠르게 마자르 외양을 나타내고, 프라하가 체코 외양을 나타낸 후 독일인과 비독일인 인구는 18세기 중반 거의 비슷했다. Károly Stampfel, *Deutsche Wahrheiten und magyarische Entstellungen* (Leipzig, 1882), 15; Gary Cohen, *The Politics of Ethnic Survival: Germans in Prague* (West Lafayette, IN, 2006).

59 헝가리에서 "진보에 대한 희망과 신념의 긍정적 요소는 공포와 무력감 요소와 대비되었다". István Deák, *The Lawful Revolution: Louis Kossuth and the Hungarians 1848–1849* (New York, 1979), 44; Julius von Farkas, *Die ungarische Romantik* (Berlin, 1931), 119.

60 그 친구는 요한 키스였다. Farkas, *Ungarische Romantik*, 118–119.

61 Sked, *Metternich*, 217.

62 Julia Pardoe, *The City of Magyar. Or Hungary and Her Institutions in 1839–40*, vol. 3 (London, 1840), 34.

63 이것이 니콜라이 1세가 폴란드인들에게 선언하려던 내용이었다. Miklos Wesselenyi, *Eine Stimme über die ungarische und slawische Nationalität* (Leipzig, 1834), 34

64 Cited from a letter to Kazinczy. Farkas, *Ungarische Romantik*, 117.

65 Cited in Farkas, *Ungarische Romantik*, 118. 산도르와 카롤리는 형제이다.

66 *Neue Leipziger Literaturzeitung* 1 (January 1808), 8.

67 Ludwig Spohr, *Geistige Grundlagen des Nationalismus in Ungarn* (Berlin, 1936), 24, marks the transition from "Hungarus" to "Rassemagyar" [racial Hungarian].

68 장르는 역사 소설이었다. 다음을 보라. Peter, *Hungary's Long Nineteenth Century*, 186; Józef Chlebowczyk, *Young Nations in Europe: Nation-Forming Processes in Ethnic Borderlands in East-Central Europe* (Wrocław, 1980), 120.

69 베야스 가브리엘 리울레비쿠스는 다음과 같이 썼다. "헤르더는 다문화, 문화상대주의, 문화 민족주의 전반의 아버지로 여겨져야 한다. 이로 인해 그는 민족주의자가 되었지만, 각 민족은 열매를 맺어야 할 민족적 사명을 부여받았다는 확신에서 국제적인 민족주의자가 되었다. 헤르더는 모든 인류는 하나이지만, 아주 다양한 모자이크라고 주장했다. 그는 인간이 되는 문제는 가치 있는 모든 문화와 함께 여러 다른 방법으로 해결될 수 있고, 인간의 진보에 대한 하늘의 뜻에 기여한다." *The German Myth of the East* (Oxford, 2009), 53-54.

70 Dóra Bobory, review of Benedek Láng, *A rohonci kód* [The Rohonc Code] (Budapest, 2011 in *Hungarian Historical Review* 2:4 (2013), 939. 유사 역사 자료를 이용한 이런 일은 유럽 전역에서 일어났다. Nora Berend, "The Forgeries of Sámuel Literáti Nemes," in *Manufacturing a Past for the Present: Forgery and Authenticity in Medievalist Texts and Objects in Nineteenth-Century Europe*, Janos M. Bak et al., eds. (Leiden, 2015), 143.

71 Murko, *Deutsche Einflüsse*, 134.

72 Bugge, "Czech Nation-Building," 34; Milan Šarić: "Život i rad dra Ante Starčevića," *Hrvatska misao: smotra za narodno gospodarstvo, knijiʒevnost* 1 (1902), 133.

73 이러한 개인들은 각각 루데비치 가이(부모 중 한 사람이 슬로바키아인), 스토마예르 주교, 안테 스타르체비치이다.

74 Agnew, *Origins*, 209.

75 Karl Wladislaw Zap [Karel Vladislav Zap], "Übersicht der neuern polnischen Literatur bis zum Jahre 1842," *Das Ausland: Ein Tagblatt für Kunde des geistigen und sittlichen Lebens der Völker*, 185 (July 3, 1844), 738; Eugen Lemberg, *Geschichte des Nationalismus in Europa* (Stuttgart, 1950), 183; Czesław Miłosz, *History of Polish Literature* (Berkeley, 1983), 247-249.

76 이 용어는 마르치 쇼레가 사용했다. Marci Shore, "Can We See Ideas?: On Evocation, Experience, and Empathy," in Darrin M. McMahon and Samuel Moyn, eds., *Rethinking Modern Intellectual History* (Oxford, 2014), 196.

77 Alexander Maxwell, "'Hey Slovaks, Where Is My Home?' Slovak Lyrics for Non-Slovak National Songs," *Philologica Jassyensia* 2:1 (2006), 168.

78 자유주의자 페렌츠 스툴러는 1842년 *Pesti Hirlap*에 이렇게 썼다. Varga, *Hungarian Quo Vadis*, 41.

79 진정한 첫 국가건설자인 요제프 2세의 실패를 고려할 때 제국 전제정을 '장래의 민족 국가'라고 부르는 것이 정확할 것이다. 이 전제정은 다양한 사회가 그 시도를 저지하기 전까지 가능한 경우에는 비제국적 방법으로 표준화하려고 시도했다. 이에 대한 가장 큰 반대 사례는 1780년대와 1850년대 헝가리인들이었다. 두 번째 투쟁의 결과로 전제정은 영역을 분리하여 (역시 결함이 많은 헝가리 민족 국가와 의회에 대표권이 있는 여러 영역을 만들었다. 1867년 합스부르크 국가는 차이를 인정하지 못하는 장소에서 영토의 절반에서 사실상 주권을 포기한 국가로 변했다. 차이를 통해 주권과 통치를 강조한 제국의 최근 정의에 대해서는 다음 자료를 보라. Ronald Suny and Valery Kivelson, *Russia's Empires* (Oxford, 2017).

4장 민족 투쟁: 사상에서 운동으로

1 George Robert Gleig, *Germany, Bohemia, and Hungary, Visited in 1837*, vol. 2 (London, 1839), 330.

2 루돌프 2세 때부터 체코어 문어가 있었다. 그 예로 사람들은 알프레트 폰 스케네의 다음 작품을 접할 수 있었다. Alfred von Skene, *Entstehen und Entwicklung der slavischen Nationalbewegung*

in Böhmen und Mähren (Vienna, 1893), 86.

3 László Kontler, *Millennium in Central Europe: A History of Hungary* (Budapest, 1999), 227.

4 그의 죄는 장 폴의 《자유의 교리문답서》의 복사본을 소지한 것이었다. 그는 '자코뱅' 음모의 일부로 다른 헝가리 문학의 지도적 인물들과 함께 체포되었다. George Barany, *Stephen Széchenyi and the Awakening of Hungarian Nationalism, 1791-1841* (Princeton, NJ, 1968), 20.

5 Imre Szabad, *Hungary: Past and Present* (Edinburgh, 1854), 204; "Schöne Künste," *Chronik der österreichischen Literatur* 46 (June 9, 1819), 182; Alan Sked, *Metternich and Austria* (New York, 2008), 219.

6 Laszlo Péter, *Hungary's Long Nineteenth Century: Constitutional and Democratic Traditions in a European Perspective* (Leiden, 2012), 189. 후에 의회는 교육 체계에서 구어의 입지를 확인하는 조례를 통과시켰다. Andrew Janos, *The Politics of Backwardness in Hungary* (Princeton, NJ, 1982), 55.

7 Sked, *Metternich*, 215-216; Péter, *Hungary's Long Nineteenth Century*, 189.

8 Alexander Szana, *Ungarn* (Suttgart, 1922), 136; Henryk Wereszycki, *Historia Austrii* (Wrocław, 1972), 156; Kontler, *Millennium*, 219. 보헤미아에서 '상실한 기회'에 대한 논의는 다음 자료를 보라. Rita Krueger, *Czech, German, and Noble: Status and National Identity in Habsburg Bohemia* (Oxford, 2009), 77-78.

9 https://dailynewshungary.com/plcsplace/hungarian-national-museum(accessed August 24, 2018).

10 Krueger, *Czech, German, and Noble*, 185.

11 박물관 자체 건립에 보헤미아 귀족들이 더 큰 기여를 했지만, 이것은 헝가리 귀족에 비교될 정도는 아니었다. 그 금액에 대해서는 다음 자료를 보라. Stanley B. Kimball, "The Matice Česká," in *The Czech Renascence of the Nineteenth Century*, Peter Brock and Gordon Skilling, eds. (Toronto, 1970), 62.

12 카렐 대공은 1790년대 말 보헤미아를 방문하고 그는 사람들이 여기보다 정치에 대해 덜 말하고 생각하는 곳을 본 적이 없다고 말했다. Jörg K. Hoensch, *Geschichte Böhmens* (Munich, 1997), 312-315.

13 Ivan T. Berend, *History Derailed: Central and Eastern Europe in the Long Nineteenth Century* (Berkeley, 2003), 39.

14 Barany, *Stephen Szechenyi*, 241; C. A. Macartney, *Hungary* (London, 1934), 136.

15 Description from Julia Pardoe, *The City of the Magyar. Or Hungary and Her Institutions in 1839-40*, vol. 3 (London, 1840), 3-4. 페스트 카지노는 세체니가 만들었다. Alice Freifeld, *Nationalism and the Crowd in Liberal Hungary, 1848-1914* (Baltimore, 2000), 32, 199.

1844년 가톨릭 자세 얀 아놀드를 시작으로 체코 땅에 카지노가 만들어진 과정에 대해서는 다음 자료를 보라. Hoensch, *Geschichte Böhmens*, 321.

16 Robert Nemes, "Associations and Civil Society in Reform-Era Hungary," *Austrian History Yearbook* 32 (2001), 35.

17 이 조직들은 1866년 구성되었다. Theodor Gettinger, *Ungarns Hauptstädte Pest-Ofen und deren Umgebungen* (Pest, 1866), 60.

18 Péter, *Hungary's Long Nineteenth Century*, 187 그는 같은 책에서 "헝가리의 모든 주민들은 시민 지위를 부여받아야 한다"라고 썼다(190). András Gerő, *Modern Hungarian Society in the Making* (Budapest, 1995), 63.

19 János Varga, *A Hungarian Quo Vadis: Political Trends and Theories of the Early 1840s*, Éva D. Pálmai, trans. (Budapest, 1993), 2.

20 Miklós Szabó, "The Liberalism of the Hungarian Nobility," in Iván Zoltán Dénes, ed., *Liberty and the Search for Identity: Liberal Nationalisms and the Legacy of Empires* (Budapest, 2006), 207-208.

21 Robert W. B. Gray, "Land Reform and the Hungarian Peasantry" (PhD dissertation, University College, London, 2009), 50; Wereszycki, *Historia*, 186.

22 George Barany, "Hungary," in Peter Sugar, ed., *Nationalism in Eastern Europe* (Seattle, 1969), 269. Oszkár Jászi, *Dissolution of the Habsburg Monarchy* (Chicago, 1961), 305.

23 Barany, "Hungary," 200; Kontler, *Millenium*, 240.

24 그는 헝가리의 슬라브인들과 루마니아인들 사이에 부상하는 민족주의는 자연적인 자기방어라고 주장했다. Wereszycki, *Historia*, 156.

25 Barany, "Hungary," 270; Peter Hanák, *Ungarn in der Donaumonarchie* (Vienna, 1984), 45.

26 콜라, 샤파리크, 팔라츠키는 예나에서 공부하던 1817년 헝가리인으로 분류되었다. Ludwig Spohr, *Die geistigen Grundlagen des Nationalismus in Ungarn* (Berlin and Leipzig, 1936), 111, fn. 32.

27 Domaljub Dorvatovic, *Sollen Wir alle Magyaren werden?* (Karlstadt, 1833), 6-7.

28 Macartney, *Hungary*, 144.

29 Elinor Murray Despalatovic, *Ljudevit Gaj and the Illyrian Movement* (Boulder, CO, 1975), 50-51.

30 Despalatovic, *Ljudevit Gaj and the Illyrian Movement*; Marcus Tanner, *Croatia: A Nation Forged in War* (New Haven, CT, 1997), 75.

31 Josef Toužimský, "Bohuslav Šulek," *Osvěta* 26 (1896), 214.

32 Fred Singleton, *A Short History of the Yugoslav Peoples* (Cambridge, 1985), 105.

33 Slavko Goldstein, 1941: *The Year That Keeps Returning*, Michael Gable, trans. (New York,

2013 65; Giuseppe Mazzini, "On the Slavonian National Movement," *Lowe's Edinburgh Magazine*, July 1847, 189.

34 Ivo J. Lederer, "Nationalism and the Yugoslavs," in Peter F. Sugar and Ivo John Lederer, *Nationalism in Eastern Europe* (Seattle, 1994), 415-416; Henryk Wereszycki, *Pod berłem Habsburgów* (Kraków, 1986), 230.

35 J. C. Kröger, *Reise durch Sachsen nach Böhmen und Österreich*, vol. 2 (Altona, 1840), 127; Otokar Kádner, "Das böhmische Schulwesen," in *Das böhmische Volk: Wohngebiete, körperliche Tüchtigkeit, geistige und materielle Kultur*, Zdeněk Topolka, ed. (Prague, 1916), 119.

36 Miroslav Hroch, *Na prahu národní existence: touha a skutečnost* (Prague, 1999), 203; Hoensch, *Geschichte Böhmens*, 327.

37 Peter Bugge, "Czech Nation-Building, National Self-Perception and Politics, 1780-1914" (PhD dissertation, University of Aarhus, 1994), 43.

38 Matthias Murko, *Deutsche Einflüsse auf die Anfänge der böhmischen Romantik* (Graz, Austria, 1897), 96; Peter Deutschmann, *Allegorien des Politischen: Zeitgeschichtliche Implikationen des tschechischen historischen Dramas (1810-1935)* (Vienna, 2017), 136.

39 František Rieger, ed., *Slovník naučný*, vol. 9 (Prague, 1872), 139; Ondrej Hucin, "Czech Theater: A Paradoxical Prop of the National Revival," in *History of the Literary Cultures of East-Central Europe*, Marcel Cornis-Pope et al., eds., vol. 3 (Amsterdam, 2004), 155.

40 Deutschmann, *Allegorien des Politischen*, 136; Hucin, "Czech Theater," 154-155.

41 Rieger, *Slovník naučný*, 140; A. W. Ambros, "Die böhmische Oper in Prag," *Österreichisch-ungarische revue* 3:1 (1865), 179.

42 Hroch, *Na prahu*, 214-215.

43 체코 민족을 단합시키는 힘으로 유머에 대한 우아한 논고는 다음 자료를 보라. Chad Bryant, *Prague in Black: Nazi Rule and Czech Nationalism* (Cambridge, MA, 2007). 게일 스토크스는 언어적 민족을 사람들이 아주 쉽게 이해할 수 있는 방법으로 추상을 조작할 수 있는 공동체로 서술했다. Gale Stokes, "Cognition and the Function of Nationalism," *Journal of Interdisciplinary History* 4:4 (1974), 533.

44 Deutschmann, *Allegorien des Politischen*, 134, 139.

45 Karel Novotny and Miloň Dohnal, "Průmyslová výroba," in *Počátky českého národního obrození. Společnost a kultura v 70. až 90. letech* 18. *století*, Josef Petráň, ed. (Prague, 1990), 57, 66, 73.

46 Janos, *Politics of Backwardness*, 55.

47 Janos, *Politics of Backwardness*, 52, 56. 차용 가능한 차관의 대부분은 부족분을 채우기 위해 이것을 사용한 국가에 의해 소진되었다. Wereszycki, *Historia*, 191.

48 Janos, *Politics of Backwardness*, 56; George Barany, "Age of Royal Absolutism," in *History of Hungary*, Peter Sugar, Péter Hanák, and Tibor Frank, eds. (Bloomington, IN, 1990), 202; George Barany, "Hungary," in *Nationalism in Eastern Europe*, Peter Sugar, ed. (Seattle, 1969), 270.

49 Kontler, *Millennium*, 271.

50 Hoensch, *Geschichte Böhmens*, 327; Kádner, "Das böhmische Schulwesen," 120; Joachim von Puttkamer, *Schulalltag und nationale Integration in Ungarn* (Munich, 2003), 100.

51 Wereszycki, *Historia*, 178-179. 에른스트 겔너에 의하면 농업 사회는 '문자해독을 하는 도시 엘리트를 문맹인 식품 생산 공동체에서' 분리시키는 문화적 계층화 때문에 민족주의가 나타날 공간이 없다. 이러한 논의에 대해서는 다음 자료를 보라. Anthony D. Smith, *The Antiquity of Nations* (Cambridge, 2008), 36; Ernest Gellner, *Nations and Nationalism* (Ithaca, NY, 1984), 72.

52 Jiří Hochman, *Historical Dictionary of the Czech State* (Lanham, MD, 1998), 41.

53 Józef Chlebowczyk, *O prawie do bytu małych i młodych narodów* (Katowice, Poland, 1983), 157.

54 디테르 랑게비스체는 국가성을 '궁극적 가치'라고 불렀다. Dieter Langewiesche, *Nation, Nationalismus, Nationalstaat in Deutschland und Europa* (Munich, 2000), 16.

55 Rainer Schmitz, "Nationalismus als Ressource," at https://arthist.net/reviews/14442 (accessed October 21, 2017).

56 Murko, *Deutsche Einflüsse*, 28, 31.

57 Arnold Suppan, *Die österreichischen Volksgruppen: Tendenzen ihrer gesellschaftlichen Entwicklung im 20. Jahrhundert* (Munich, 1983), 23. 1900년 빈 시청의 자료에 따르면 10만 2974명의 시민이 체코어를 일상어로 지목했다. 그들은 단 하나의 공립학교를 가지고 있었다. Haus der Abgeordneten, Session of April 10, 1902, in *Stenographische Protokolle über die Sitzungen des Hauses der Abgeordneten des österreichischen Reichsrathes*, session 17, vol. 13 (Vienna, 1902), 11,188; Michael John und Albert Lichtblau, *Schmelztiegel Wien: einst und jetzt: zur Geschichte und Gegenwart von Zuwanderung und Minderheiten* (Wien, 1990), 278.

58 Józef Chlebowczyk, *On Small and Young Nations: Nation-forming Processes in East Central Europe* (Wrocław, 1980), 195. 1900년 빈의 체코 지역 신생아 탄생 비율은 35만 명 중 25퍼센트였다.

59 Jan Patočka, *Co jsou Češi? Malý přehled fakt a pokus o vysvětlení* (Prague, 1992), 201.

60 Gary Cohen calls the German variant "feeble." *The Politics of Ethnic Survival: Germans in Prague* (West Lafayette, IN, 2006).

61 František Adolf Šubert, *Das böhmische National-Theater* (Prague, 1892), 200; Frances Starn

et al., eds., *The Czech Reader: History, Culture, Politics* (Durham, NC, 2010), 153.

62 Hroch, *Na prahu*, 258.

63 Janos, *Politics of Backwardness*.

64 그러나 그들의 요구도 역시 오스트리아의 다양한 민족들이 자치 정부였다. Jakub Budislav Malý, "Politický obrat Rakouska," *Časopis Musea Království českého* 34 (1860), 476.

5장 반란에 나선 민족주의: 세르비아와 폴란드

1 새뮤얼 헌팅턴은 라틴과 정교회 기독교 전통으로 인해 동방과 서방을 나누는 단층선이 존재한다고 믿었다. 동방은 약한 법의 지배, 권력 분립과 당국과 좀 더 밀접한 관계를 맺고 있다. Samuel Huntington, *The Clash of Civilizations* (New York, 1997).

2 이것이 현대적 제도를 통해 어떻게 현대적 국가성으로 이동이 발생하는지에 대해 현재 수용된 사고이다. 일례로 다음 자료를 보라. Dieter Langewiesche, *Nation, Nationalismus, Nationalstaat in Deutschland und Europa* (Munich, 2000), 32.

3 17세기 말 폴란드 소귀족의 절반에서 3분의 2는 읽고 쓸 수 있는 기본적 능력을 갖추었다. Hans-Jürgen Bömelburg, *Frühneuzeitliche Nationen im östlichen Europa* (Wiesbaden, 2006), 107. 이 숫자는 좀 더 가난한 소귀족들 사이에서는 낮았다.

4 세르비아 농민들은 소작농으로 일한 농지에 대한 전통적 권리를 가지고 있었다. 그들은 이것을 상속자에게 물려줄 수 있었고, 자신이 원하는 농작물을 재배할 수 있었다. Barbara Jelavich, *History of the Balkans*, vol. 1 (Cambridge, 1983), 91.

5 세르비아 정착자들이 물결처럼 합스부르크 영토로 들어왔고, 문호, 종교, 교육 인프라를 갖춘 도시 중심부를 건설했다. 이 중 가장 유명한 것이 스렘스키카를로브치의 세르비아 김나지움(1778)이다. Milan Kosanović, "Serbische Eliten im 19. Jahrhundert," in *Serbien in Europa*, Gabriella Schubert, ed. (Wiesbaden, 2008), 66-67; Holm Sundhaussen, *Geschichte Serbiens* (Vienna, 2007), 81.

6 Henryk Wereszycki, *Niewygasła przeszłość* (Krakow, 1987), 16-17.

7 1768년까지 지주계급(szlachta)은 농민에게 사형을 언도할 수 있는 권력을 가졌다. Michał Tymowski, Jerzy Holzer, and Jan Kieniewicz, *Historia Polski* (Warsaw, 1990), 203; Józef Andrzej Gierowski, *Historia Polski* (Warsaw, 1979), 84. '폴란드 민족'이라는 지칭은 계급, 종교 또는 문화적 집단에 한정되지 않는다. Waldemar J. Wołpiuk, "Naród jako pojęcie konstytucyjne," *Studia Iuridica Lublinensia* 22 (2014), 370-372.

8 Tadeusz Łepkowski, "Naród bez państwa," in *Polska. Losy państwa i narodu*, Henryk Samsonowicz, Janusz Tazbir, Tadeusz Łepkowski, and Tomasz Nałęcz (Warsaw, 1992), 264.

9 Gierowski, *Historia Polski*, 86.

10 Władysław Smolenski, *Ostatni rok Sejmu Wielkiego* (Kraków, 1897).

11 Łepkowski, "Naród," 266.

12 Gierowski, *Historia Polski*, 87-89; Tymowski, Holzer, and Kieniewicz, *Historia*, 204; Łepkowski, "Naród," 267.

13 Łepkowski, "Naród," 267-268; Gierowski, *Historia Polski*, 89.

14 Gierowski, *Historia Polski*, 90.

15 Andrzej Zahorski, "Powstanie kosciuszkowskie 1794," in Stefan Kienieczwicz et al., *Trzy powstania narodowe* (Warsaw, 1992), 17-36.

16 Tymowski, Holzer, and Kieniewicz, *Historia*, 205; Łepkowski, "Naród," 270.

17 Łepkowski, "Naród," 270. 바르샤바에서 헤트만 오자로프스키와 자비엘라, 영구위원회(Permanent Council) 수장 안크비츠, 코사코프스키 주교 모두 공개적으로 교수형에 처해졌고, 다른 사람들은 군중들에 의해 체포되어 교수형을 당했다. Łepkowski, "Naród," 273.

18 "Isolated Russian patrols were hounded through the streets and cut to pieces." Norman Davies, *God's Playground*, vol. 1 (New York, 1980), 539.

19 Łepkowski, "Naród," 275.

20 Konstanty Górski, *Historia piechoty polskiej* (Kraków, 1893), 182-183.

21 Davies, *God's Playground*, vol. 1, 533.

22 Łepkowski, "Naród," 272.

23 "Original Correspondence," *The Times* (London), June 1, 1791, 3.

24 Mirosław Maciorowski, in conversation with Maciej Trąbski, "Insurekcja Kościuszki," Ale Historia, *Gazeta Wyborcza*, March 7, 2014.

25 Gierowski, *Historia*, 99; Henryk Wereszycki cited in Łepkowski, "Naród" 275; "New Partition of Poland." *The Times* (London), June 21, 1792; E. Starczewski, *Sprawa polska* (Krakow, 1912), 39-40.

26 이것이 1794년 5월 7일의 폴라니에츠 선언이었다.

27 Davies, *God's Playground*, vol. 1, 542. Karol Lutostański, *Les partages de la Pologne et la lutte pour l'indépendance* (Paris, 1918), 229.

28 Christopher Clark, *Iron Kingdom: The Rise and Downfall of Prussia, 1600-1947* (Cambridge, MA, 2006), 232; Iryna Vushko, *The Politics of Cultural Retreat: Imperial Bureaucracy in Austrian Galicia* (New Haven, CT, 2015), 37.

29 "Observations on the Dismemberment of Poland, and the Politics of the Court of Petersburgh," *The Times* (London), January 15, 1796, 2; *The Times* (London), Thursday, December 24, 1795; 2; "New Partition of Poland," *The Times* (London), June 21, 1792; 3.

30 From *Journal de Patriots*, as reported in "Partition of Poland," *The Times* (London), December 23, 1795, 3.

31 Davies, *God's Playground*, vol. 1, 525; Holly Case, *The Age of Questions* (Princeton, NJ, 2018), 47-50.

32 이러한 일반적 인식에 대해서는 다음 자료를 보라. *Westminster Review* 24 (July and October 1863), 172.

33 Vushko, *Politics*, 241; Władysław Pobog-Malinowski, *Najnowsza historia polityczna Polski: 1864-1914*, vol. 1 (London, 1963), 143.

34 Poseł z Lechistanu jeszcze nie przybył.

35 국가는 계속 이렇게 나간다: "행진하라, 행진하라 동브로프스키, 이탈리아 땅으로부터 폴란드로 당신의 지휘 아래 우리는 민족에 합류할 것이다." Jan Pachonski and Reuel K. Wilson, *Poland's Caribbean Tragedy: A Study of Polish Legions in the Haitian War of Independence, 1802-1803* (New York, 1986), 305.

36 아담 예르지 차르토르스키가 작성하고 러시아 차르 알렉산드르 1세가 전파했다. R. F. Leslie, *Polish Politics and the Revolution of 1830* (London, 1956), 45-46.

37 Harro Harring, *Poland under the Dominion of Russia* (Boston, 1834), 46.

38 Artur Hutnikiewicz, *To co najważniejsze. Trzy eseje o Polsce* (Bydgoszcz, Poland, 1996). 추가적으로 5만 4000 폴란드 가족이 코카서스 산악 지역과 시베리아로 강제이주되었다. Joachim von Puttkamer, *Ostmitteleuropa im 19. und 20. Jahrhundert* (Munich, 2010), 26.

39 Stefan Kieniewicz, *Historyk a świadomość narodowa* (Warsaw, 1982), 60.

40 "민족적 연속성은 폴란드에서 러시아에서 심각하게 중단된 적이 결코 없었다." Holm Sundhaussen, *Der Einfluß der Herderischen Ideen auf die Nationsbildung bei den Völkern der Habsburgermonarchie* (Munich, 1973), 100; Slawomir Gawlas, "Die mittelalterliche Nationenbildung am Beispiel Polens," in Almut Bues and Rex Rexheuser, eds., *Mittelalterliche nationes* (Wiesbaden, 1995), 121-144; Tomasz Szumski, *Krótki rys historyi i literatury polskiey* (Berlin, 1807).

41 Ludwik Dębicki, *Widmo zdrady* (Lwów, Austria, 1876), 11-13.

42 피우수트스키뿐만 아니라 다른 모든 위대한 폴란드인에 대한 중상은 다음 자료를 보라. Adam Michnik, "Naganiacze i zdrajcy," *Gazeta Wyborcza*, September 28, 2006.

43 Suraiya Faroqhi, *Subjects of the Sultan: Culture and Daily Life in the Ottoman Empire* (London, 2000), 24-25. 이슬람 주민이 더 많은 지역들(예를 들어 보스니아, 노비 파자르의 사냐크)에서도 이슬람 주민들은 농민이었고, 이들은 일부 세금에서는 면제되었지만 군역 의무가 있는 기독교인 이웃들보다 형편이 별로 낫지 않았다. Jelavich, *History of the Balkans*, vol. 1, 60.

44 신학적으로 오스만에 의한 정복은 기독교의 죄악에 대한 일시적 징벌로 제시되었다.

Jelavich, *History of the Balkans*, vol. 1, 52; Ivo Banac, *The National Question: Origin, History, Politics* (Ithaca, NY, 1984), 64-65; Paul Robert Magocsi, *Historical Atlas of Central Europe* (Seattle, 2002), 44.

45 Kenneth M. Setton, *The Papacy and the Levant*, vol. 1 (Philadelphia, 1976), 355. 공국 내에서 세르비아인들의 반(半)주권의 최종 상실은 1459년 스메데로보 요새 함락과 함께 일어났다. Tim Judah, *Serbs: History, Myth and the Destruction of Yugoslavia* (New Haven, CT, 1997), 33.

46 라자르의 유골을 태운 것은 신성로마제국과의 15년 전쟁(1591-1606)에서 이슬람 남슬라브인들이 정교도 반란군들과 힘을 합칠 것에 대한 우려가 동기가 되었다. Remarks of Traian Stoianovich, *Actes du premier congres international des etudes balkaniques et sue-est Europeennes*, vol. 3 (Sofia, 1969), 775-776. 라자르의 유골을 태운 것은 이 지역을 휩쓴 천년왕국 물결 기간 중 일어났고, 성 사바 숭배에 대항하는 무함메드 숭배 성전의 일부였다. Traian Stoianovich, *Balkan Worlds: The First and Last Europe* (Armonk, NY, 1994), 168-169.

47 정교회 교회의 성상화를 훼손하는 것은 오스만이 통제하는 지역에서 자주 일어난 일이었다. 일부 폭력 행위는 점령 기간 동안 일어났고, 일부는 이슬람교도들이 조각상을 혐오했기 때문에 일어났다. 지역 공동체는 이 외에도 자신들의 통치자들이 시모니아 여왕의 경우처럼 역사 기억을 지우려는 욕구 때무에 일어났다고 의심했다. 그런 사례에 대해서는 다음 자료를 보라. Djoka Mazalić, *Slikarska umjetnost u Bosni i Hercegovini u Tursko doba, 1500-1878* (Sarajevo, 1965), 41-42 and passim; Andrei Oişteanu, *Inventing the Jew: Anti-Semitic Stereotypes in Central and East European Cultures* (Lincoln, NE and London, 2009), 398-400. 많은 성상화들이(아마도 상당수가) 오스만 지배 기간 동안 손상되지 살아남은 것도 사실이다. 이뿐 아니나 오스만 지배 기간 중에 만들어진 10여 개의 새로운 성상화가 오늘날까지 전해져 오고 있다. (생생한 그림을 보여주는) 이 문제에 대한 논의는 다음 자료를 보라. Svetlana Rakić, *Serbian Icons from Bosnia-Herzegovina* (New York, 2000).

48 이 노래는 모든 곳에 알려져 있었고, 맹인 거지들이 불렀지만 구슬리는 세르비아 땅 너머에서는 연주되지 않은 것 같다. Vuk Karadžić, *Serbische Hochzeitslieder*, E. Eugen Wesely, trans. (Pest, Hungary, 1826), 20-21. 주요 서사시의 지형학은 압도적으로 오스만튀르크령과 합스부르크령(이슬람 주민들이 섞여 있는 정교회 지역이었다. Svetozar Koljević, *The Epic in the Making* (Oxford, 1980), 92-93.

49 Michael Boro Petrovich, "Karadžić and Nationalism," *Serbian Studies* 4:3 (1988), 42.

50 Leopold von Ranke, *Die serbische Revolution: aus serbischen Papieren und Mitteilungen* (Berlin, 1844), 78-79.

51 Paul Schroeder, *The Transformation of European Politics 1763-1848* (Oxford, 1994), 58-59; Jelavich, *History of the Balkans*, vol. 1, 95; Michael Boro Petrovich, *A History of Modern*

Serbia, vol. 1 (New York, 1976), 28; Judah, *Serbs*, 51.

52 예니체리 계급은 '술탄의 왕좌를 위험하게 만드는 제멋대로인 용병들 잡동사니'로 변질되었다. 1789년 이후 술탄은 점점 더 예니체리 편을 들었고, 술탄은 세르비아 주민들은 극도의 압제와 과도한 세금에 시달리게 만들었다. Petrovich, *History of Modern Serbia*, vol. 1, 23-26.

53 Adolf Beer, *Die orientalische politik Oesterreichs seit 1774* (Prague, 1883), 184; Gunther Rothenberg, *The Military Border in Croatia* (Chicago, 1966), 102; Judah, *Serbs*, 51; Georges Castellan, *History of the Balkans: from Mohammed the Conqueror to Stalin* (New York, 1992), 235; Petrovich, *History of Modern Serbia*, 26; Charles Jelavich and Barbara Jelavich, *Establishment of the Balkan National States* (Seattle, 1977), 88-89; Dimitrije Djordjevic and Stephen Fischer-Galati, *The Balkan Revolutionary Tradition* (New York, 1981), 69-70. 일부 역사학자들은 봉기가 민족적 이유에 의해 촉발된 것이 아니라고 주장했다. '농민 대중'은 구질서의 재주장 같은 전통적 목표를 가지고 있었다. Konrad Clewing and Holm Sundhaussen, eds., *Lexikon zur Geschichte Südosteuropas* (Vienna, 2016), 145. 그러나 드러내고 '민족적'이지는 않지만 독립에 대한 요구는 여러 사건이 일어나는 동안에 제기되었다. 그렇지 않다면 세르비아인 지도자들이 단순한 평등적 행정을 넘어서는 요구를 하고 나선 이유가 분명하지 않다.

54 그 구성원 중 네 명은 문자해독을 했다. Wayne Vucinich, ed., *War and Society in East Central Europe: The First Serbian Uprising 1804-1813* (New York, 1982), 157.

55 Thomas Emmert, *Serbian Golgotha: Kosovo 1389* (New York, 1990), 207; Jelavich, *History of the Balkans*, vol. 1, 202.

56 그들이 지역 지도자인 파샤는 반란자를 처형하는 등 과도하게 압제적 정책을 계속했기 때문에 이럴 만한 충분한 이유가 있었다. Jelavich, *History of the Balkans*, vol. 1, 203.

57 Petrovich, *History of Modern Serbia*, 86; Sundhaussen, *Geschichte Serbiens*, 68.

58 스메데레보 사냐크라고도 알려진 이 행정구역은 15세기에 형성되었다.

59 Judah, *Serbs*, 53; Jelavich, *History of the Balkans*, vol. 1, 203, 207. 이 일은 1817년에 일어났다.

60 Clewing and Sundhaussen, eds., *Lexikon*, 145-146.

61 Jelavich, *History of the Balkans*, vol. 1, 241; Nicolae Jorga, *Geschichte des osmanischen Reiches*, vol. 5 (Gotha, Germany 1916), 154.

62 Dietmar Müller, *Staatsbürger auf Widerruf. Juden und Muslime im rumänischen und serbischen Nationscode* (Wiesbaden, 2005), 109-110.

63 Judah, *Serbs*, 50; Hugh Seton-Watson, *Eastern Europe between the Wars* (Cambridge, 1946), 6; Michael Schwartz, *Ethnische "Säuberungen" in der Moderne: Globale Wechselwirkungen* (Munich, 2013), 239.

64 Müller, *Staatsbürger*, 110.

65 Aleksa Djilas, *The Contested Country: Yugoslav Unity and Communist Revolution, 1919-1953* (Cambridge, MA, 1991), 26.

66 Stefan Rohdewald, "Der heilige Sava und unsere Muslime," in Thede Kahl and Cay Liena, eds., *Christen und Muslime: interethnische Koexistenz in südosteuropäischen Peripheriegebieten* (Vienna, 2009), 168.

67 이것은 카라지치의 *Srbi svi i sbuda*에서 나왔다. cited in Sundhaussen, *Geschichte Serbiens*, 92. "이성적 민족인 그리스인뿐 아니라 세르비아인들은 자신들이 한 민족이라는 것을 인식한다."

68 Sundhaussen, *Geschichte Serbiens*, 92-94.

69 카라지치는 생애 말년에 크로아티아 지식인들이 이러한 인식을 수용하지 않는다는 것을 인정하고 그들은 자신들을 세르비아인으로 생각하지 않는다는 것을 마지못해 인정한 듯 보였다. Sundhaussen, *Geschichte Serbiens*, 93.

70 이에 대한 명쾌한 설명은 다음 자료를 보라. Zofia Zielińska, *Ostatnie lata Pierwszej Rzeczypospolitej* (Warsaw, 1986); Jerzy Lukowski, *Liberty's Folly: The Polish Lithuanian Commonwealth in the Eighteenth Century* (London, 1991).

71 다음 자료에서 인용됨. Roman Szporluk, *Communism and Nationalism: Karl Marx vs. Friedrich List* (Oxford, 1988), 84-85.

72 다음 자료의 논의를 참조하라. Brian Porter-Szücs, *When Nationalism Began to Hate: Imagining Modern Politics in Nineteenth-Century Poland* (New York, 2000), 22-27.

6장 저주받은 평화주의자들: 1848년 중동부 유럽

1 Joseph Redlich, *Das österreichische Staats-und Reichsproblem*, vol. 1 (Leipzig, 1920), 104-105.

2 William L. Langer, *Revolutions of 1848* (New York, 1971), 33.

3 Josef Polišenský, *Aristocrats and the Crowd in the Revolutionary Year 1848*, Frederick Snider, trans. (Albany, NY, 1980), 32; Stanley Z. Pech, *The Czech Revolution of 1848* (Chapel Hill, NC, 1969), 45-46.

4 Langer, *Revolutions*, 35; Robin Okey, *The Habsburg Monarchy: From Enlightenment to Eclipse* (New York, 2001), 129.

5 Anton Füster, *Memoiren vom März* 1848 *bis Juli* 1849. *Beitrag zur Geschichte der Wiener Revolution* (Frankfurt, 1850), 58, 38.

6 Paul Lendvai, *The Hungarians: A Thousand Years of Victory in Defeat*, Ann Major, trans. (Princeton, NJ, 2003), 216-218; Alice Freifeld, *Nationalism and the Crowd in Liberal*

Hungary, 1848-1914 (Baltimore, 2000), 48-52; Henryk Wereszycki, *Historia Austrii* (Wrocław, 1972), 200.

7 László Kontler, *Millennium in Central Europe: A History of Hungary* (Budapest, 1999), 249; Istvan Deák, "The Revolution and the War of Independence," in *History of Hungary*, Peter Sugar et al., eds. (Bloomington, IN, 1994), 215; Wereszycki, *Historia*, 200.

8 Langer, *Revolutions*, 37.

9 Langer, *Revolutions*, 37-38; Polišenský, *Aristocrats*, 100; Wereszycki, *Historia*, 198-199. 피시호프는 크렘지에르 제국의회에 갔고 혁명 후 반역죄로 체포되었다. R. A. Kann, "Fischhof, Adolf," in *Neue deutsche Biographie*, vol. 5 (Berlin, 1960), 214-215.

10 Polišenský, *Aristocrats*, 105; Langer, *Revolutions*, 62.

11 Josef Redlich, *Emperor Francis Joseph of Austria* (New York, 1929), 14.

12 Langer, *Revolution*, 43; A. W. Ward, "Revolution and Reaction in Germany and Austria," in *Cambridge Modern History*, vol. 11 (New York, 1918), 182.

13 Kontler, *Millennium*, 251; Langer, *Revolutions*, 39; György Spira, *The Nationality Issue in the Hungary of 1848-49* (Budapest, 1992), 106; Alice Freifeld, *Nationalism and the Crowd in Liberal Hungary* (Washington, DC, 2000), 65.

14 Marcus Tanner, *Croatia: A Nation Forged in War* (New Haven, CT, 2010), 84.

15 극보수주의 귀족이자, 자그레브군(郡)의 수장이자 궁정의 사보르 대표인 프란츠 쿨머 남작은 3월 30일 옐라치치에게 오스트리아는 헝가리를 재정복해야 하고, 국경 군대의 충성이 아주 중요하다고 썼다. Gunther Rothenberg, *The Military Border in Croatia* (Chicago, 1966), 145; Okey, *Habsburg Monarchy*, 129; C. A. Macartney, *The Habsburg Empire 1790-1918* (London, 1969), 383-384; Michael Rapport, *1848: Year of Revolution* (New York, 2009), 247. 같은 달 궁정은 트란실바니아의 헝가리와 충돌할 준비를 했다. Edsel Walter Stroup, "From Horea-Closca to 1867," in John Cadzow et al., eds., *Transylvania: The Roots of Ethnic Conflict* (Kent State, OH, 1983), 128; Tanner, *Croatia*, 87; István Deák, *The Lawful Revolution* (New York, 1976), 130; Tomislav Markus, "Between Revolution and Legitimacy: The Croatian Political Movement of 1848/49," *Croatian Review of History* 1 (2009), 17.

16 Deák, *Lawful Revolution*, 131.

17 Deák, *Lawful Revolution*, 130; Elinor Murray Despalatovic, *Ljudevit Gaj and the Illyrian Movement*, (Boulder, CO, 1975), 192.

18 Misha Glenny, *The Balkans: Nationalism, War, and the Great Powers* (New York, 2000), 48.

19 Macartney, *Habsburg Empire*, 386-387.

20 Macartney, *Habsburg Empire*, 386-387; Karoly Kocsis and Eszter Kocsis-Hodosi, *Ethnic Geography of the Hungarian Minorities in the Carpathian Basin* (Budapest, 1998); Jovan

Subbotić, *Authentische Darstellung der Ursachen, der Entstehung, der Entwicklung und Führungsart des Krieges zwischen Serben und Magyaren* (Zagreb, 1849), 3-8.

21 '트리운왕국' 크로아티아왕국의 역사적 세 구성 지역인 크로아티아, 슬라보니아, 달마티아를 지칭한다. 이 지역들의 정치적 통합은 크로아티아 애국자들의 핵심 요구였다. Tanner, *Croatia*, 87; Deák, *Lawful Revolution*, 128.

22 Glenny, *The Balkans*, 41.

23 Macartney, *Habsburg Empire*, 388.

24 Ward, "Revolution," 180; Heinrich Friedjung, *Österreich von 1848 bis 1860*, vol. 1 (Stuttgart, 1908), 59-60; Macartney, *Habsburg Empire*, 389.

25 스렘스키카를로브치의 세르비아 반란의 수도는 군사지대 경계 내부였다. Macartney, *Habsburg Empire*, 388; Deák, *Lawful Revolution*, 129.

26 Freifeld, *Nationalism*, 65.

27 헝가리 대표단이 인스부르크로 가기 전에 스렘스키카를로브치에서 일어난 것으로 알려진 공격에 대한 애국자 수보티치의 보고를 보라. 이 보고에서는 헝가리군 '돈 미구엘 연대'의 병사들은 자신들이 불을 지른 가옥들의 주민들을 살해하고 시신을 훼손했다. 이들은 연약한 여성들에게 분풀이를 하고 거리에서 만난 도시 주민들을 불길에 던져 넣었다. Subbotić, *Authentische Darstellung*, 19-20. 다음도 보라. Johann von Adlerstein, *Archiv des Ungarischen Ministeriums und Landesverteidigungsausschusses*, 3 vols. (Altenburg, 1851).

28 Istvan Deák, "The Revolution and the War of Independence," in Peter Sugar, Péter Hanák, and Tibor Frank, eds., *History of Hungary* (Bloomington, IN, 1990), 220.

29 포그롬은 나기솜바트, 바구이헬리, 세케페레바르, 솜바델리와 피스트에서도 발생했다. Raphael Patai, *The Jews of Hungary: History, Culture, Psychology* (Detroit, 1996), 277.

30 Ignác Einhorn, *Die Revolution und Die Juden in Ungarn* (Leipzig, 1851), 83-85.

31 Einhorn, *Revolution*, 79, 85; Freifeld, *Nationalism*, 65.

32 Einhorn, *Revolution*, 87; Deák, *Lawful Revolution*, 114-115.

33 문구에 대해서는 다음 자료를 보라. Jan Matouš Černý, *Boj za právo: sborník aktů politických u věcech státu a národa českého* (Prague, 1893), 2. 수도인 프라하 시민들을 위한 포스터도 만들어졌다. Pech, *Czech Revolution*, 47-48; Jos. J. Toužimský, *Na úsvitě nové doby: dějiny roku* 1848. *v zemích českých* (Prague, 1898), 47-52.

34 Peter Demetz, *Prague in Gold and Black* (New York, 1997), 290; William H. Stiles, *Austria in 1848-49*, vol. 2 (London, 1852), 356; Stanley Z. Pech, "The Czech Revolution of 1848: Some New Perspectives," *Canadian Journal of History* 4:1 (1969), 54.

35 Pech, *Czech Revolution*, 45.

36 이 용어의 독일어 단어는 böhmisches Staatsrecht이다. Jan Křen, *Die Konfliktgemeinschaft:*

Tschechen und Deutsche 1780-1918, Peter Heumos, trans. (Munich, 1996), 77-79; Polišenský, *Aristocrats*, 114; Alfred Fischel, *Das österreichische Sprachenrecht: eine Quellensammlung* (Brünn, Austria, 1910), XLIX; Černý, *Boj za právo*, 3-4.

37 Introduction to Kristina Kaiserová and Jiří Rak, eds., *Nacionalizace společnosti v Čechách 1848-1914* (Ústí nad Labem, Czech Republic, 2008), 11.

38 이 자유주의자 중 한 사람은 프란티셰크 아우구스트 브라우너였다. Polišenský, *Aristocrats*, 110-111.

39 Franz Josef Schopf, *Wahre und ausführliche Darstellung der am* 11. *März* 1848 *zur Erlangung einer constitutionellen Regierungsverfassung in der königlichen Hauptstadt Prag begonnenen Volksbewegung* (Leitmeritz, 1848), 15; Křen, *Konfliktgemeinschaft*, 85.

40 이와 유사한 보고가 모스크(브뤽스), 말리엔바트, 테플리세에도 들어왔다. Robert Maršan, *Čechové a Němci r. 1848 a boj o Frankfurt* (Prague, 1898), 9ff, 83; Jan Havránek, "Böhmen im Frühjahr 1848," in Heiner Timmermann, ed., *1848 Revolution in Europa* (Berlin, 1999), 187.

41 Maršan, *Čechové*, 37; Schopf, *Wahre und ausführliche Darstellung*, 33; Havránek, "Böhmen," 186; Demetz, *Prague*, 293.

42 Maršan, *Čechové*, 39, 42; Havránek, "Böhmen," 184.

43 Freifeld, *Nationalism*, 63; Anton Springer, *Geschichte Österreichs seit dem Wiener Frieden 1809*, vol. 2 (Leipzig, 1865), 264; Introduction to Kaiserová and Rak, *Nacionalizace společnosti*, 12. 소수의 독일인만 프라하위원회에 남았다. 급진주의 작가인 알프레드 메이스너와 모리츠 하트만은 체코의 후스파 영웅들을 찬양했다. Demetz, *Prague*, 293. 1848년 여름 빈 여행에 대해서는 후에 국무장관이 된 역사가이자 리에거의 친구의 요제프 알렉산더 헬페르트의 회고도 참고하라. Josef Alexander Helfert, *Aufzeichnungen und Erinnerungen aus jungen Jahren* (Vienna, 1904), 17.

44 Maršan, *Čechové*, 14ff; Křen, *Konfliktgemeinschaft*, 85; Gary Cohen, *The Politics of Ethnic Survival: Germans in Prague 1861-1914* (West Lafayette, IN, 2006).

45 Joseph Alexander von Helfert, *Geschichte der österreichischen Revolution*, vol. 1 (Freiburg im Breisgau, Germany, 1907), 466; Monika Baár, *Historians and Nationalism. East-Central Europe in the Nineteenth Century* (Oxford, 2010), 241.

46 Josef Kolejka, "Der Slawenkongress in Prag im Juni 1848," in Rudolf Jaworski and Robert Luft, eds., 1848/49 *Revolutionen in Ostmitteleuropa* (Munich, 1996), 137.

47 이 편지는 1848년 3월 15-16일 자이다. Černý, *Boj za právo*, 20-21; Introduction to Kaiserová and Rak, *Nacionalizace společnosti*, 12; Kořalka, *Tschechen*, 50.

48 Kořalka, *Tschechen*, 50; Peter Bugge, "Czech Nation-Building, National Self-Perception and

Politics, 1780-1914" (PhD dissertation, University of Aarhus, 1994), 69.

49 그들은 다수를 차지하는 독일인들이었다. Bugge, "Czech Nation-Building," 68-69. Demetz, *Prague*, 294.

50 Redlich, *Francis Joseph*, 25

51 Polišenský, *Aristocrats*, 150-151; Bugge, "Czech Nation-Building," 77; Joseph Alexander von Helfert, *Der Prager Juni-Aufstand, 1848* (Prague, 1897), 4.

52 Richard Georg Plaschka, *Avantgarde des Widerstands: Modellfälle militärischer Auflehnung im 19. und 20. Jahrhundert* (Vienna, 2000), 66.

53 폴리셴스키는 병사 수를 약 1만 명으로 추산했다. Polišenský, *Aristocrats*, 152.

54 František Palacký, "Manifesto of First Slavonic Congress to the Nations of Europe," *Slavonic and East European Review* 26 (1947/1948), 309-313. 이 포고문은 전투가 격화되던 6월 12일에 발표되었다. Demetz, *Prague*, 294-295.

55 Schopf, *Wahre und ausführliche Darstellung*, 49; Havránek, "Böhmen," 196; Pech, *Czech Revolution*, 144; Bugge, "Czech Nation-Building," 77.

56 Bertold Sutter, "Die politische und rechtliche Stellung der Deutschen in Österreich 1848," in *Die Habsburgermonarchie*, Adam Wandruszka and Peter Urbanitsch, eds., vol. 3, part 1 (Vienna, 1980), 203; Julius Ebersberg, *Vater Radetzky. Ein Charakterbild für Soldaten* (Prague, 1858), 99; Wereszycki, *Historia*, 206; Sheehan, *German History*, 697; Macartney, *Habsburg Empire*, 392-393.

57 Rapport, *1848*, 264; Richard Bassett, *For God and Kaiser: The Imperial Austrian Army, 1619-1918* (New Haven, CT, 2015), 296.

58 헝가리인들이 영지는 1723년 받아들여졌다. Kontler, *Millennium*, 253; Deák, "The Revolution," 216.

59 Macartney, *Habsburg Empire*, 393.

60 Deák, "The Revolution," 224; Constant von Wurzbach, ed., *Biographisches Lexikon des Kaisertums Österreich*, vol. 14 (Vienna, 1865), 40.

61 R. John Rath, *The Viennese Revolution of 1848* (Austin, 1957), 329; Rapport, 1848, 281-282.

62 Wereszycki, *Historia*, 208-209.

63 민족방위대는 진격해오는 헝가리군을 발견한 후에도 전투를 계속했다. 양측에서 약 2000명이 전사했다. Rapport, *1848*, 286-287.

64 Rapport, *1848*, 287-288.

65 Juliusz Demel, *Historia Rumunii* (Wrocław, 1970), 300.

66 Ambrus Miskolczy, "Transylvania in the Revolution," in Zoltán Szász, ed., *History of*

Transylvania, vol. 3 (New York, 2002), 243; Ştefan Pascu, *A History of Transylvania* (Detroit, 1982), 196.

67 Kontler, *Millennium*, 251; Spira, *Nationality Issue*, 124-125. 약 5000명의 슬로바키아 자원자들은 대체로 제국 군대를 지지하며 싸웠다. Dušan Kováč, "The Slovak Political Program," in Teich et al., eds., *Slovakia in History*, 126-127.

68 Spira, *Nationality Issue*, 131. 이것은 1848-1849년 혁명 사건 중 가장 폭력적인 사건이 되었다. Jonathan Sperber, *The European Revolutions 1848-1851* (Cambridge, 1994), 137.

69 Deák, *Lawful Revolution*, 209-210.

70 Andreas Gräser, *Stephan Ludwig Roth nach seinem Leben und Wirken dargestellt* (Kronstadt, 1852), 77; C. Edmund Maurice, *The Revolutionary Movement of 1848-49* (New York, 1887), 450; György Klapka, *Memoiren: April bis October 1849* (Leipzig, 1850), 347.

71 Demel, *Historia*, 304. For the report on Abrud: August Treboniu Laurian, *Die Romanen der österreichischen Monarchie*, vol. 2 (Vienna, 1850), 35; also: Sorin Mitu, *Die ethnische Identität der Siebenbürger Rumänen* (Vienna, 2003), 109; Wilhelm Rüstow, *Geschichte des ungarischen Insurrektionskrieges*, vol. 2 (Zurich, 1861), 12-13; "Ein nationaler Martyrer gegen dreizehn," *Die Reform* 8:41 (1869), 1294; Deák, *Lawful Revolution*, 313-314; Miskolczy, "Transylvania," 315; Ambrus Miskolczy, "Roumanian-Hungarian Attempts at Reconciliation in the Spring of 1849 in Transylvania: Ioan Dragos's Mission," *Annales Universitatis Eötvös, Historica*, 10-11 (1981), 61-81.

72 약 17만 명의 헝가리군은 17만 5000명의 제국 군대에 맞서 승리할 가능성이 있었다. 그러나 추가로 증원된 20만 명 병력으로 인해 승부가 결정되었다. Paul Robert Magocsi, *With Their Backs to the Mountain: A History of Carpathian Rus and Carpatho-Rusyns* (Budapest, 2015), 119-120; Angela Jianu, *A Circle of Friends: Romanian Revolutionaries and Political Exile, 1840-1859* (Leiden, 2011), 149. 헝가리인이 많은 직업 군인 장교들은 왕정에 계속 충성했다. Deák, *Lawful Revolution*, 314, 332-334, 336. On the Vojvodina: Dimitrije Djordjevic, "Die Serben," in *Die Habsburgermonarchie*, Wandruszka and Urbanitsch, eds., vol. 3, 747.

73 Heinrich Friedjung, *Österreich von 1848 bis 1860*, vol. 1 (Stuttgart, 1908), 231; R. W. Seton-Watson, *Racial Problems in Hungary* (London, 1908), 101.

74 Maurice, *Revolutionary Moment*, 456.

75 Dieter Langewiesche, *Europa zwischen Restauration und Revolution* (Munich, 2007, 83-84); Kořalka, *Tschechen*, 91; Wereszycki, *Historia*, 199; Sperber, *European Revolutions*, 209.

76 한 예외는 이 시대의 민족주의 활동가인 귀세페 마치니였다. Giuseppe Mazzini, "The Slavonian National Movement," *Lowes Edinburgh Magazine and Protestant Educational Journal* 9 (July 1847), 182-192.

77 Havránek, "Böhmen," 183; John Erickson, "The Preparatory Committee of the Slav Congress," in Brock and Skilling, eds., *Czech Renascence*, 178-179. 빈디슈그래츠의 승리에 대한 지지는 인종 경계선을 따랐다. 대부분 독일인이 유산 계급은 군중이 시내 중심부를 장악해 재산을 파괴할 수 있던 '무법' 상황이 종료되어 안도의 한숨을 돌렸다. Polišenský, *Aristocrats*, 152.

78 Polišenský, *Aristocrats*, 167.

79 Havránek, "Böhmen," 183; Klapka, *Memoiren*, 37.

7장 제국 군주정을 개혁할 수 없게 만든 개혁: 1867년 타협

1 Henryk Wereszycki, *Historia Austrii* (Wrocław, 1972), 219-221.

2 크림전쟁을 위해 군대를 동원하느라 1854년에 3개월 만에 군사 예산 전부가 소진되었다. Steven Beller, *Francis Joseph* (London, 1996), 67-68.

3 Macartney, *Habsburg Empire*, 499.

4 Piotr Boyarski, "Kiedy Polacy rządzili we Wiedniu," *Gazeta Wyborcza*, June 14, 2013; Larry Wolff, *The Idea of Galicia: History and Fantasy in Habsburg Political Culture* (Stanford, CA, 2010), 199; Henryk Wereszycki, *Pod berłem Habsburgów*, 169-170.

5 Piotr Wandycz, *The Lands of Partitioned Poland, 1795-1918* (Seattle, 1974), 151-152; *Fortnightly Review* (London vol. 6 (1866), 625; Gustav Strakosch-Grassmann, *Geschichte des österreichischen Unterrichtswesens* (Vienna, 1905), 240.

6 Macartney, *Habsburg Empire*, 503; Stanisław Estreicher, "Galicia in the Period of Autonomy and Self-Government," in W. Reddaway et al., eds., *Cambridge History of Poland* (Cambridge, 1941), 440.

7 Louis Eisenmann, "Austria-Hungary," in A. W. Ward et al., eds., *Cambridge Modern History*, vol. 12 (Cambridge, 1910), 176-177. 보헤미아의 클람-마르티니치 백작은 안톤 셰츠셴 백작, 둔 백작과 의기투합했다. Robert Kann, *Multinational Empire: Nationalism and National Reform in the Habsburg Monarcy*, vol. 1 (New York, 1950), 179.

8 "Mailath, Georg," in *Biographisches Lexikon des Kaiserthums Oesterreich*, Constant von Wurzbach, ed., vol. 16 (Vienna, 1867), 297-299; Macartney, *Habsburg Empire*, 506; Albert Sturm, *Culturbilder aus Budapest* (Leipzig, 1876), 46; K. M. Kertbeny, *Silhoutten und Reliquien*, vol. 2 (Prague, 1863), 29.

9 Eisenmann, "Austria-Hungary," 177; Lothar Höbelt, *Franz Joseph I.: der Kaiser und sein Reich: eine politische Geschichte* (Vienna, 2009), 47-48; Macartney, *Habsburg Empire*, 499,

503; Alexander Matlekovits, *Das Königreich Ungarn*, vol. 1 (Leipzig, 1900), vi-vii.

10 Gejza von Ferdinandy, *Staats-und Verwaltungsrecht des Königreichs Ungarn und seiner Nebenländer*, Heinrich Schiller, trans. (Hannover, 1909), 17; C. A. Macartney, *Hungary: A Short History* (Chicago, 1962), 167. 타베르니쿠스(tavernicus)는 일종의 내무장관으로 도시 행정을 맡은 왕의 지명직이었다. Jean W. Sedlar, *East Central Europe in the Middle Ages* (Seattle, 1994), 329.

11 *London Review*, September 7, 1861, 287.

12 Eisenmann, "Austria-Hungary," 178.

13 Robert C. Binkley, *Realism and Nationalism 1852-1871* (New York, 1935), 237.

14 Robin Okey, *The Habsburg Monarchy: From Enlightenment to Eclipse* (New York, 2001), 184; Eisenmann, "Austria-Hungary," 179.

15 슈메를링의 선거구 조정(게리맨더링)으로 도시와 농촌의 독일인 유권자 수는 체코 유권자 수보다 훨씬 적어졌다. Bugge, "Czech Nation-Building," 109.

16 Levente T. Szabo, "Patterns, Ideologies and Networks of Memory," *Berliner Beiträge zur Hungarologie* 19 (2016), 35, 38; http://geroandras.hu/en/blog/2016/03/24/march-15-the-birthday-of-the-nation/ (accessed September 26, 2018).

17 *New Hungarian Quarterly* 33 (1992), 116; András Gerő, *Emperor Francis Joseph*, James Paterson, trans. (Boulder, 2001), 101; Peter Hanák, *Ungarn in der Donaumonarchie* (Vienna, 1984), 71; Wereszycki, *Historia*, 225; Eisenmann, "Austria-Hungary," 180.

18 이러한 안을 만든 것은 요아킴 폰 푸트카머 덕분이었다. 헝가리 의회는 4월 소집되었지만, 프란츠 황제가 의회에 타협을 이룰 수 없었기 때문에 8월에 해산되었다. Eisenmann, "Austria-Hungary," 179; Wereszycki, *Historia*, 224.

19 Hanák, *Ungarn*, 72-73, 75. 오스트리아가 가진 제한적 선택지에 대한 당대의 놀라운 분석은 다음 자료를 참조하라. "The Hungarian Ultimatum," *The Spectator*, May 25, 1861, 553-556.

20 Macartney, *Hungary*, 168; Eisenmann, "Austria-Hungary," 182.

21 Macartney, *Habsburg Empire*, 537.

22 Gerő, *Emperor Francis Joseph*, 94.

23 비평가들은 합스부르크 땅에 '솔로몬의 판단'을 적용할 수 없다고 썼고, 이것을 서술하기 위해 여전히 '제국'이라는 단어를 쓴다. 가톨릭 보수주의자들의 의견에 대해서는 다음 자료를 보라. "Zeitläufe," *Historisch-politische Blätter für das katholische Deutschland* 56 (1865), 648.

24 Hanák, *Ungarn*, 86.

25 Binkley, *Realism*, 275; Macartney, *Habsburg Empire*, 538; Hanák, *Ungarn*, 84.

26 Eisenmann, "Austria-Hungary," 182.

27 이것이 1865년 9월 20일 발표된 '9월 포고령'이었다. 이 당의 명칭은 데아크가 국왕에게

직접 청원 했지만, 반대자들은 의회 결의를 주장한 1861년으로 거슬러 올라간다. "Recent Hungarian Politics," in *Saturday Review*, November 17, 1866, 607-608.

28 역사가 하인리히 폰 트라이치케는 1859년 오스트리아가 독일 연방에서 추방될 때만 '이 불경스럽게 인종이 혼합된 국가가 동쪽 슬라브 지역에서의 문화적 임무를 통해 존재의 목적을 발견할 수 있을 것'으로 상상할 수 있다고 썼다. Sheehan, *German History*, 866.

29 프로이센은 무장을 한 각개 병사에 대해 거의 두 배의 비용을 지출했다. Peter J. Katzenstein, *Disjoined Partners: Austria and Germany Since 1815* (Berkeley, 1976), 87-89.

30 Macartney, *Habsburg Empire*, 546; John Deak, *Forging a Multinational State: State-Making in Imperial Austria* (Stanford, CA, 2015), 151ff.

31 이 사고에 의하면 독일 문화를 퍼뜨리는 것을 돕는 것이 이 종족들 자신의 이익이 되었다. 그 이유는 이것이 핵심적 지적 효모이기 때문이었다. *Die Aufgaben Österreichs* (Leipzig, 1860), 19-20, 27; Ian Reifowitz, "Threads Intertwined: German National Egoism and Liberalism," *Nationalities Papers* 29:3 (2001), 446; Carl E. Schorske, *Fin-de-Siecle Vienna: Politics and Culture* (New York, 1980), 117.

32 Johann Ritter von Perthaler, *Hans von Perthaler's auserlesene Schriften*, vol. 2 (Vienna, 1883), 47; Selma Krasa-Florian, *Die Allegorie der Austria* (Vienna, 2007), 177. For biography: "Johann Ritter von Perthaler," *Biographisches Lexikon*, Wurzbach, ed., vol. 22 (Vienna, 1870), 39.

33 Friedrich von Hellweld, *Die Welt der Slawen* (Berlin, 1890), 139.

34 Viktor Bibl, *Der Zerfall Österreichs*, vol. 2 (Vienna, 1924), 312.

35 Okey, *Habsburg Monarchy*, 187; Macartney, *Habsburg Empire*, 547. 갈리시아의 자치를 대가로 헝가리와의 대타협에 폴란드가 동의한 것에 대해서는 다음 자료를 보라. Jonathan Kwan, *Liberalism and the Habsburg Monarchy* (Basingstoke, UK, 2013), 53. 크로아티아의 상황은 갈리시아의 우크라이나인들보다 훨씬 좋았다(세르비아, 슬로바키아, 또는 루마니아 상황에 더 가까웠다).

36 1867년 2월 *Die Neue Freie Presse*는 독일 자유주의자들은 '슬라브인과 헝가리' 중 하나만 선택할 수 있다고 썼다. Kwan, *Liberalism*, 54. 1860년대 초반 보헤미아 의회 의원 261명 중 70명이 대지주였고, 독일인의 숫자는 폭등했다. Kann, *Multinational Empire*, vol. 1, 401.

37 그는 슬라브인들의 '인위적 우세'에 대해 말했다. *Die Presse* (Vienna), Abendblatt 241, September 3, 1866.

38 Eduard von Wertheimer, *Graf Julius Andrássy: sein Leben und seine Zeit*, vol. 2 (Stuttgart, 1912), 224.

39 "만일 이 시점에서 오스트리아가 내부적 자체 세력을 발전시키지 않으면 오스트리아는 독일 연방뿐 아니라 문명 유럽에서 추방될 것이다." Von Wertheimer, *Graf Julius Andrássy*, 226.

40 Pieter Judson, *Exclusive Revolutionaries: Liberal Politics, Social Experience, and National Identity in the Austrian Empire* (Ann Arbor, MI, 1996), 108; Kwan, *Liberalism*, 55.

41 Macartney, *Habsburg Empire*, 548. 모리츠 카이저펠트의 회고와 보도에 대해서는 다음 사이트를 참조하라. *Neue Freie Presse*, June 1867, in Kwan, *Liberalism*, 55-56.

42 Josef Redlich, *Das österreichische Staats-und Reichsproblem*, vol. 2 (Leipzig, 1920), 523; Stefan Pfurtscheller, *Die Epoche Maria-Theresiens bis zum Ausgleich Österreich-Ungarns aus französischer Perspektive* (Innsbruck, 2013), 93.

43 Eisenmann, "Austria-Hungary," 183; Redlich, *Das österreichische Staats-und Reichsproblem*, vol. 2, 561; Macartney, *Habsburg Empire*, 549, 568.

44 Viktor Bibl, *Der Zerfall Österreichs*, vol. 2 (Vienna, 1924), 313; Brigitte Hamann, *Elisabeth: Kaiserin wider Willen* (Munich, 1998), 259; Katzenstein, *Disjoined Partners*, 87-89; Hanák, *Ungarn*, 88; Deak, *Forging a Multinational State*, 147.

45 Macartney, *Habsburg Empire*, 227.

46 프란츠 요제프 황제가 안드라시를 완전히 신뢰하는 경우에만 제국은 구원될 수 있다고 그녀는 그에게 썼다. Hamann, *Elisabeth*, 241.

47 Eisenmann, "Austria-Hungary," 184; Hamann, *Elisabeth*, 253, 258.

48 Macartney, *Habsburg Empire*, 555; Hanák, *Ungarn*, 94. 이 자료는 1911년부터 1913년 사이의 통계이다. 1897년 격분한 오스트리아 대표단은 지출의 42대 58 분담을 요구했지만, 헝가리의 강력한 주장 때문에 결국 32.5대 67.5에 합의했다. Janos, *Politics of Backwardness*, 123.

49 Okey, *Habsburg Monarchy*, 188; Eisenmann, "Austria-Hungary," 184.

50 Bugge, "Czech Nation-Building," 115. 검열은 슈메를링 정부에서 이미 완화되었고, 신앙고백 관용은 확대되었다. Wereszycki, *Historia*, 231.

51 Redlich, *Österreichisches Staatsproblem*, vol. 2, 580; Hanák, *Ungarn*, 93; Alexander Maxwell, *Choosing Slovakia: Slavic Hungary, the Czechoslovak Language and Accidental Nationalism* (London, 2009), 25.

52 Victor L. Tapié, *Rise and Fall of the Habsburg Monarchy* (London, 1971), 305.

53 Maxwell, *Choosing Slovakia*, 26.

54 이 권리는 각 민족이 '토착어(Landesprache)'를 말할 권리를 주장하는 경우에 해당한다. 즉, 체코인은 보헤미아에서는 체코어를 사용할 수 있지만, 오스트리아에서는 사용할 수 없다. Pieter Judson, *Guardians of the Nation: Activists on the Language Frontiers of Imperial Austria* (Cambridge, MA, 2006), 24; Bugge, "Czech Nation-Building," 115-116; Kwan, *Liberalism*, 60. 체코인들인 중등교육과 고등교육에서 따라잡아야 했지만, 1880년대 말 이 과정을 성공적으로 진행하지 못했다. Jiri Kořalka and R. J. Crampton, "Die Tschechen," in *Habsburgermonarchie*, Wandruszka and Urbanitsch, eds., vol. 3, 510-512; Gary B.

Cohen "Education and Czech Social Structure in the Late Nineteenth Century," in *Bildungsgeschichte, Bevölkerungsgeschichte, Gesellschaftsgeschichte in den böhmischen Ländern und in Europa*, Hans Lemberg et al., eds. (Vienna, 1977), 32-45.

55 이것들은 타보리(tabory)라고 불렸다. Bugge, "Czech Nation-Building," 116-119; Otto Orban, "Der tschechische Austroslawismus," in Andreas Moritsch, *Der Austroslawismus: ein verfrühtes Konzept zur politischen Neugestaltung Europas* (Vienna, 1996), 59; Stanley Z. Pech, "Passive Resistance of the Czechs, 1863-1879," *Slavonic and East European Review* 36 (1958), 443.

8장 1878년 베를린회의: 유럽의 새로운 인종-민족 국가들

1 이런 용어 사용의 가장 유명한 최근 사례는 크리스토퍼 클라크의 다음 자료이다. Christopher Clark, *Sleepwalkers: How Europe Went to War in 1914* (New York, 2013).

2 Tibor Frank, "Hungary and the Dual Monarchy," in Sugar et al., eds., *History of Hungary*, 254-256; Okey, *Habsburg Monarchy*, 325 (on Romanians and Serbs); Rebekah Klein-Pejšová, *Mapping Jewish Loyalties in Interwar Slovakia* (Bloomington, IN, 2015), 10-12 (on Slovaks). 마자르화 정책은 칼만 티사의 자유당 통치하인 1875년부터 강화되었다. 1873년 정부는 공식 신문의 슬로바키아어판 출간을 중단했고, 1874년 슬로바키아 중등교육 기관 문을 닫았다. 국가 행정은 완전히 마자르어로 수행되었고, 1875년 법률이 규정한 대로 관리들이 지역 언어를 사용할 때, 그 목적은 마자르화였다. 그러나 강제적 마자르화는 1880년대 초부터 진행되었다. Robert A. Kann and Zdeněk V. David, *Peoples of the Eastern Habsburg Lands* (Seattle, 1984), 380; Macartney, *Hungary*, 182-183.

3 James J. Reid, *Crisis of the Ottoman Empire: Prelude to Collapse* (Stuttgart, 2000), 309; Fred Singleton, *A Short History of the Yugoslav Peoples* (Cambridge, 1985), 102. 비이슬람 세금 납부 농민 비율은 시기에 따라 달랐지만, 19세기가 되자 그들은 유럽 대륙에서 소수집단이 되어갔다. 그 이유는 세금 수납 권한이 군 출신 관리들에게 넘어갔고, 이들은 거의 모두 이슬람 주민이었기 때문이다. 그러나 역사가들은 19세기 말 불가리아 등의 기독교 주민 납세자 숫자의 증가를 보고했다. Svetla Ianeva, "The Non-Muslim Tax-Farmers," in *Religion, Ethnicity, and Contested Nationhood in the Former Ottoman Space*, Jorgen Nielsen, ed. (Leiden, 2012), 48-52.

4 Martha M. Čupić-Amrein, *Die Opposition gegen die österreichisch-ungarische Herrschaft in Bosnien-Hercegovina* (Bern, 1987), 14. 처음에 이 사건에 다섯 마을이 관련되었다. "The Herzegovina," *The Times* (London), July 19, 1875, 5; Arthur Evans, *Through Bosnia and*

Herzegovina on Foot during the Insurrection (London, 1876), 338.

5 Evans, *Through Bosnia*, 333, 336.

6 일례로 군복무를 통해 자유를 얻을 수 있었다. Francine Friedman, *Bosnian Muslims: Denial of a Nation* (Boulder, 1996), 44.

7 이 사건은 코니차에서 일어났다. Josef Koetschet, *Aus Bosniens letzter Türkenzeit* (Vienna, 1905), 18. 19세기 정부가 징병제를 시작할 때 기독교인들은 제외되었다. 그 이유는 기독교인 병사들은 종교적 열정을 상당 수준 기반으로 하고 있던 탓에 사기에 악영향을 끼칠 것으로 우려했기 때문이다. Erik Jan Zürcher, "The Ottoman Conscription System," *International Review of Social History* 43 (1998), 445-447.

8 Evans, *Through Bosnia*, 338-342; "Christian Populations in Turkey," *London Quarterly Review* 46 (April 1876), 82-83; Hannes Grandits, "Violent Social Disintegration: A Nation-Building Strategy in Late Ottoman Herzegovina," in *Conflicting Loyalties in the Balkans: The Great Powers, the Ottoman Empire, and Nation-Building*, Hannes Grandits et al., eds. (London, 2011), 112-113.

9 Evans, *Through Bosnia*, 331.

10 Evans, *Through Bosnia*, 340.

11 Evans, *Through Bosnia*, 340; Koetschet, *Aus Bosniens*, 5. 스위스 출신 의사로서 오스만 궁정에서 일한 코에트셰트는 오스만제국의 가장 강력한 인물들에게 접근할 수 있었다. 그는 몬테네그로 대공에게 오스만 대표로 파견되기도 했다. Grandits, "Violent Social Disintegration," 114.

12 Singleton, *Short History*, 102; Čupić-Amrein, *Opposition*, 21.

13 이러한 보스니아 세르비아인들은 자신들을 '보스냐크'라고 불렀고, 보스니아의 이슬람 주민들에게 반란 동참을 호소하며 이들의 종교와 재산을 존중해줄 것이라고 약속했다. Marko Attila Hoare, *The History of Bosnia* (London, 2007), 61-64.

14 Grandits, "Violent Social Disintegration," 121, 133; "The Herzegovina," *The Times* (London), July 19, 1875, 5; "The Herzegovina and Turkestan," *The Times* (London), August 12, 1875, 10.

15 Noel Malcolm, *Bosnia: A Short History* (New York, 1994), 132; *The Times* (London), August 5, 1875, 8. 종교적이고 반이슬람적인 전쟁 성격에 대해서는 다음 자료도 보라. Kemal H. Karpat, "Foundations of Nationalism in South East Europe," in *Der Berliner Kongress von 1878: Die Politik der Grossmächte*, Ralph Melville and Hans-Jürgen Schröder, eds. (Wiesbaden, 1982), 385-410.

16 Malcolm, *Bosnia*, 133. 기독교인들은 모스타르 인근 땅을 경작했지만, 감옥행의 위협 앞에 이슬람 지방 촌장(beg)에게 수확물을 넘겨주어야 했다. Koetschet, *Aus Bosniens*, 22;

Friedman, *Bosnian Muslims*, 44. 기독교인 마을 주민들은 중립을 지킬 수가 없었다. "만일 마을이 반군에 동조하지 않으면 한 가옥과 옥수수 밭을 불태운 후 다음 가옥과 밭을 태웠다." Evans, *Through Bosnia*, 329-330.

17 Singleton, *Short History*, 101.

18 From January 1875. Horst Haselsteiner, "Zur Haltung der Donaumonarchie in der Orientalischen Frage," in *Berliner Kongress*, Melville, ed., 230.

19 Singleton, *Short History*, 103.

20 세르비아, 오스트리아, 그리스는 산스테파노조약에 불만이 컸다. Barbara Jelavich and Charles Jelavich, *The Establishment of the Balkan National States* (Seattle, 1977), 153.

21 Hoare, *History of Bosnia*, 67.

22 Jared Manasek, "Empire Displaced: Ottoman-Habsburg Forced Migration and the Near Eastern Crisis 1875-78," (PhD thesis, Columbia University, 2013), 224-225.

23 이 회의는 원래 안드라시의 아이디어였고, 독일은 발칸 지역에 직접적인 이해관계가 있었기 때문에 베를린이 모두가 수용할 수 있는 회의 장소로 여겨졌다. Jelavich and Jelavich, *Establishment*, 155; Theodore S. Hamerow, *The Age of Bismarck* (New York, 1973), 263-272; Mihailo D. Stojanovich, *The Great Powers and the Balkans 1875-1878* (Cambridge, 1939).

24 불가리아는 산스테파노조약으로 영토의 37.5퍼센트만을 보존할 수 있었다. R. J. Crampton, *A Short History of Modern Bulgaria* (Cambridge, 1987), 85.

25 루마니아인들이 다수 주민인 이 지역은 역사적으로 몰다비아공국에 속해 있었지만, 1812년 러시아와 튀르크 전쟁 후 러시아가 점령했다가 1856년 상실했다. 이 지역을 러시아가 재장악한 것은 오스트리아가 보스니아와 노비 파자르의 사냐크 지역을 장악한 것에 대한 보상이었다. 이 과정에서 발칸반도에서의 튀르크가 점령한 땅은 82퍼센트(1830년대)에서 44퍼센트(1878), 5퍼센트(1913)로 계속 줄어들었다. Holm Sundhaussen, *Geschichte Serbiens* (Vienna, 2007), 132. 샐리즈버리 발표에 대해서는 다음 자료를 보라. Piotr S. Wandycz, *Die Grossmächte und Ostmitteleuropa vom Berliner Kongress bis zum Fall der Mauer* (Leipzig, 2007), 17.

26 Crampton, *Short History*, 85.

27 Robert Donia, "The Proximate Colony," in Clemens Ruthner et al., eds., *Wechselwirkungen: Austria-Hungary, Bosnia-Herzegovina and the Western Balkans* (New York, 2015), 67, 79.

28 Singleton, *Short History*, 104.

29 Robin Okey, *Taming Balkan Nationalism* (Oxford, 2007), 57, 64.

30 Malcolm, *Bosnia*, 149. 오스트리아-헝가리군은 반란군의 숫자를 9만 3000명으로 추산했다. Hoare, *History of Bosnia*, 69.

31 Jovana Mihajlović Trbovc, "Forging Identity through Negotiation: The Case of the

Contemporary Bosniak Nation" (MA thesis, Central European University, 2008). 다음 자료에 기반한다. Ivan Franjo Jukić, *Zemljopis i poviestnica Bosne* (Zagreb, 1851).

32 Benjamin Kállay, *Geschichte der Serben* (Vienna, 1878). 소문과 반대로 그는 자신의 책을 금서로 만들지 않았다. Okey, *Taming*, 63.

33 Okey, *Taming*, 60, 254; Andrea Feldman, "Kállay's Dilemma on the Challenge of Creating a Manageable Identity in Bosnia and Herzegovina," *Review of Croatian History* 13:1 (2017), 117.

34 Mihajlović Trbovc, "Forging Identity," 12. 교회의 실제 가르침과 역사는 19세기 신화 만들기 안개에 덮여 있었다. 분명한 것으로 보이는 것은 서방 지향적인 보스니아 교회는 13세기 초 로마의 통제를 벗어나서 정교회에서 파생된 의례와 가르침을 발전시켰다(이것은 잘 알려지지 않은 보구밀 이교도들과 관련이 있을 수도 있었다). 아마도 이것은 신학적 이중주의를 조장했다. 상대적으로 독립적이었던 이 교회는 프란치스코파가 로마의 권위를 다시 주장한 15세기에 쇠퇴했다. 정교회는 튀르크의 정복, 즉 15세기 말 이후에야 보스니아에 다시 나타났다. Malcolm, *Bosnia*, 27-42; 70-71.

35 "The idea of a single Bosnian national identity never gained support beyond the small circle of youthful pro-regime Muslim intellectuals." Donia, "Proximate Colony," 71.

36 Hoare, *History of Bosnia*, 74-75.

37 Mihajlović Trbovc, "Forging Identity," 10.

38 Okey, *Taming*, 51-52. 세르비아인들은 학교 교육을 통해 크로아티아 민간 사회에서 세르비아 정체성을 해체하려는 크로아티아 관리들의 시도에 경각심을 가졌다. 세르비아회는 1863년 만들어졌다. Mihajlović Trbovc, "Forging Identity," 8, citing: Mustafa Imamović "Integracione nacionane ideologije i Bosna," *Godišnjak Pravnog fakulteta u Sarajevu* 39 (1996), 115.

39 교구 학교 수는 13퍼센트 감소했다. Okey, *Taming*, 52; Dimitrije Djordjević, "Die Serben," in *Habsburgermonarchie*, Wandruszka and Urbanitsch, eds., vol. 3, 768.

40 Donia, "Proximate Colony," 72; Feldman, "Kállay's Dilemma," 108; Jelavich, *History of Balkans*, vol. 2, 60; Malcolm, *Bosnia*, 145.

41 1902년 1만 1264명의 공무원 중 단 1217명만이 토착 주민이었다. Hoare, *History of Bosnia*, 72; Clemens Ruthner, "Bosnia-Herzegovina: Post-colonial?" in Ruthner et al., *Wechselwirkungen*, 9. 1904년 공무원의 26.5퍼센트가 토착 주민이었다. 3퍼센트는 세르비아인, 5퍼센트는 이슬람 주민이었다. Newspaper article from 1890, cited in Okey, *Taming*, 52.

42 Donia, "Proximate Colony," 69.

43 Aydin Babuna, "Nationalism and the Bosnian Muslims," *East European Quarterly* 33:2 (June 1999), 204. 이 예산 중에 5667파운드는 초등교육에, 12만 5974파운드는 경찰에 사용되

었다. Okey, *Taming*, 65-67. 여러 공동체는 다르게 대응했다. 유대인 아동은 64퍼센트가 학교를 다녔고, 가톨릭교인 아동 22퍼센트가 학교를 다녔지만, 정교도 주민 아동은 13퍼센트, 이슬람 주민 아동은 6퍼센트만 학교를 다녔다. Malcolm, *Bosnia*, 144-145; Feldman, "Kállay's Dilemma," 109; Donia, "Proximate Colony," 74.

44 1910년 비이슬람 지주(오스만 법률상 특별 권리를 가진 임대농민[크메트] 포함)는 전체의 8.85퍼센트였다. Babuna, "Nationalism," 211.

45 메트코비치에서 아드리아해에 이르는 지역에서 나렌타(Narenta) 규정은 농지를 크게 늘렸다. 1907년부터 1909년 사이 지주들은 세납을 완전히 지불하지 않는 농민들에 대한 민원을 5만 6000건 제출했다. 농민들이 부분적으로 소유권을 얻는 규정에도 불구하고 1910년까지 크메트의 농지 10.8퍼센트만이 이런 방식으로 매입되었다. Djordjević, "Die Serben," 765; Babuna, "Nationalism," 212; Friedrich Hauptmann, *Die österreichisch-ungarische Herrschaft in Bosnien* (Graz, 1983), 194.

46 칼라이는 "이 땅의 고대 전통을 보존하면서 현대적 아이디어로 생명을 불어넣고 순화시켰다." Donia, "Proximate Colony," 68-69. 농작물의 변화는 농민과 지주가 동의해야만 했다. 농민들은 자신들 농지를 개선하는 일을 할 수 없었고, 지주는 자신을 위해 농민의 소유지를 사용할 권리가 없었다. Karel Kadlec, "Die Agrarverfassung," in *Österreichisches Staatswörterbuch: Handbuch des gesamten österreichischen öffentlichen Rechts*, Ernst Mischler and Josef Ulbrich, eds., vol. 1 (Vienna, 1905), 113-116.

47 1910년 이슬람 주민은 크메트와 함께 지주의 91.15퍼센트를 차지했다. 이 중 크메트는 4.58퍼센트에 불과했다. 크메트의 73.92퍼센트는 세르비아인이었고, 21.49퍼센트는 크로아티아인이었다. Babuna, "Nationalism," 211; Djordjević, "Die Serben," 769.

48 Hoare, *History of Bosnia*, 72; Babuna, "Nationalism," 201; Djordjević, "Die Serben," 771.

49 Malcolm, *Bosnia*, 145.

50 분쟁과 문제가 일어났다. 로버트 도니아는 "식민 정착자와 식민지뿐 아니라 식민지 내의 주요 행위자 사이에도 이런 문제가 일어나 이중 제국 자체의 궁극적 쇠락에 이바지했다"라고 썼다. 다른 식민지 상황에서와 마찬가지로 "발전은 사회적 불평등과 인종적 분열을 완화시키기보다는 심화시켰다." Donia, "Proximate Colony," 67, 69.

51 베를린조약의 불가리아와 합의 사항 1조. Edward Hertslet, *The Map of Europe by Treaty*, vol. 4 (London, 1891), 2766; http://www.zeit.de/zeit-geschichte/2014/04/otto-von-bismarck-juden (accessed August 30, 2018).

52 1830년 2월 3일 체결된 런던의정서 3항에서 프랑스의 요구에 의해 그리스는 가톨릭 신앙 자유를 허용하고 가톨릭교회의 재산권을 존중할 것을 약속해야 했다. 종교에 상관없이 모든 그리스 시민은 모든 공직, 기능, 영예를 얻을 자격이 있고, 모든 교회, 민간, 정치 관계에서 완전한 평등 원칙에 따라 대우받게 되었다. Ernst Flachbarth, *System des internationalen*

Minderheitenschutzes (Budapest, 1937), 12. 베를린회의는 1815년 오스트리아 당국이 폴란드인들을 보호하고, 1830년 그리스를 보호한 것과 같은 이전 시기 국제 보호의 양과 질을 확대시켰다. Rainer Hofmann, "Menschenrechte und der Schutz nationaler Minderheiten," in *Zeitschrift für ausländisches öffentliches Recht und Völkerrecht* 65 (2005), 589.

53 Dan Diner, *Das Jahrhundert verstehen* (Munich, 1999), 30-31; Davide Rodogno, *Against Massacre: Humanitarian Interventions in the Ottoman Empire* (Princeton, NJ, 2012), 145.

54 불가리에서만 새로운 정부는 기독교 정부가 될 것이라고 언명되었지만, 언어는 동일했다. Flachbarth, *System*, 14. 오스만튀르크는 종교 자유를 존중하는 데 동의해야만 했다. 4조와 5조. Hertslet, *Map of Europe by Treaty*, 2769-2770; Manasek, "Empire Displaced," 236.

55 Cathie Carmichael, *A Concise History of Bosnia* (Cambridge, 2012), 43. 남아 있는 이슬람 주민들을 베오그라드에서 이주시키기로 한 합의가 1862년 서명되었다. Michael Schwartz, *Ethnische Säuberungen in der Moderne: globale Wechselwirkungen nationalistischer und rassistischer Gewaltpolitik im 19. und 20. Jahrhundert* (Munich, 2013), 240-241; Karpat, "Foundations," 404.

56 Manasek, "Empire Displaced," 226-227.

57 이것이 저자인 에밀리 제라드가 받은 인상이다. Emily Gerard, "Transylvanian Peoples," *The Living Age* 58 (April 1887), 135. 정착과 초기 국가성의 역사에 기초해 '불가리아 인종'의 기원은 서방 관측가들이 표현한 대로 훨씬 분명한 대비가 되었다. Review of Mr. and Mrs. John Eliah Blunt, *The People of Turkey* (London, 1878), *London Quarterly Review* 51 (1879), 415.

58 모든 민족은 신화와 관측할 수 있는 사회적 및 정치적 이익의 결합 위에 건설되었지만, 일부의 경우 신화는 좀 더 최근의 기원을 가지고 있고, 대중의 의식에 덜 뿌리잡고 있어서 이것이 믿어지게 만들기 위해 좀 더 의식적인 작업을 필요로 한다. 루마니아와 불가리아에서 민족 운동은 비교적 뒤에 부상했고, 불가리아의 경우 이 운동은 세르비아와 비잔티움제국처럼 오스만 통치 밑에 들어간 제국이었던 것으로 이해되는 지역에서 국가를 만드는 것은 좀 더 쉬운 일이었다. 루마니아에서 애국자들은 '루마니아'란 명칭도 갖지 못하고 제국과 종교의 영역을 넘어 1년간 존재했던 국가를 되살린다고 주장했다. 당연히 이들은 민족 통합이라는 기본적 문제에 멋진 변형(gyrations)을 물려줌으로써 이 문제를 '해결했다'. 여기에 대한 활발한 논의는 다음 자료를 참조하라. Lucian Boia, *History and Myth in Romanian Consciousness* (Budapest, 2001). 불가리아에 대해서는 다음 자료를 보라. Roumen Daskalov, *The Making of a Nation in the Balkans* (Budapest, 2004); Claudia Weber, *Auf der Suche nach der Nation: Erinnerungskultur in Bulgarien* (Berlin, 2006). 불가리아의 민족 운동과 문화, 교육, 무엇보다도 독립적 교회를 위한 투쟁에 대해서는 다음 자료를 보라. R. J. Crampton, *A Concise History of Bulgaria* (Cambridge, 1997), 46-76.

59 가족 이름 중 일부는 쿠자, 골레스쿠, 로세티, 브라티아누, 발세스쿠, 고칼니체아누이다.

Jelavich and Jelavich, *Establishment*, 95.

60 러시아는 피보호국을 보유했다. Keith Hitchins, *A Concise History of Romania* (Cambridge, 2014), 95-96. Also: Ioan Stanomir, "The Temptation of the West: The Romanian Constitutional Tradition," in *Moral, Legal and Political Values in Romanian Culture*, Michaela Czobor-Lupp and J. Stefan Lupp, eds. (Washington, DC, 2002).

61 R. W. Seton-Watson, *History of the Roumanians* (Cambridge, 1934), 230, 266-268.

62 당시 높은 문맹률을 고려하면 이런 결과는 희극이었지만, 이것은 강압에 의해 달성되었다. Jelavich, *History of the Balkans*, vol. 1, 293; Seton-Watson, *History of the Roumanians*, 301-309.

63 Hitchins, *Concise History*, x; Seton-Watson, *History of the Roumanians*, 310.

64 Jelavich and Jelavich, *Establishment*, 120; Jelavich, *History of the Balkans*, vol. 1, 294.

65 Frederick Kellogg, *The Road to Romanian Independence* (West Lafayette, IN, 1995), 13.

66 Jelavich and Jelavich, *Establishment*, 122-123.

67 '유용한 직업에 종사하지 않는 모든 유대인들은 제거될 수 있고' 더 이상 몰다비아에 들어올 수 없다. 이것이 몰다비아 기본법 3장 94조였다. Carol Iancu, *Jews in Romania* 1866-1919: *From Exclusion to Emancipation*, Carvel de Bussy, trans. (New York, 1996), 25. 1866년 헌법 7조는 국적은 기독교 신앙을 가지고 있는 외국인에게만 부여되었다. Jelavich and Jelavich, *Establishment*, 178. 이것은 기독교인만을 시민으로 간주했던 1830년대 중반의 기본법에 바탕을 둔 것이었다.

68 "1878년 총 21만 8304명의 유대인이 기록되었고, 1899년에는 26만 9015명이 기록되었는데, 이것은 전체 인구의 4.5퍼센트에 해당되었다." Leon Volovici, "Romania," in *YIVO Encyclopedia of Jews in Eastern Europe*, 2010, at http://www.yivoencyclopedia.org/article.aspx/Romania (accessed March 24, 2016); Isidore Singer, ed., *Jewish Encyclopedia* (New York, 1906), vol. 7, 77; vol. 3, 413; Jelavich and Jelavich, *Establishment*, 178.

69 Kellogg, *Road to Romanian Independence*, 45-46, 53.

70 Stephen Fischer-Galati, "Romanian Nationalism," in *Nationalism in Eastern Europe*, Peter Sugar and Ivo Lederer, eds. (Seattle, 1969), 385-386; Carole Fink, *Defending the Rights of Others: The Great Powers, the Jews, and International Minority Protection, 1878-1938* (Cambridge, 2004), 14.

71 Seton-Watson, *History of the Roumanians*, 349; Kellogg, *Road to Romanian Independence*, 49, 58.

72 다음 자료에 소개된 1879년 2월 논문에서 인용함. Dieter Müller, *Staatsbürger auf Widerruf: Juden und Muslime als Alteritätspartner im rumänischen und serbischen Nationscode* (Wiesbaden, 2005), 67.

73 Kellogg, *Road to Romanian Independence*, 44, 49. 이 규칙을 증명한 자유주의 정치인 페트레 P. 카르프였다.

74 1878년 요안 슬라비치의 글과 1879년 에미네스쿠의 글. Müller, *Staatsbürger*, 68, 70-71; Kellogg, *Road to Romanian Independence*, 44.

75 그는 이온 브라티아누의 아버지(1927년 사망)였고, 헤오르헤 그라타나우(1953년 사망)의 할아버지였다. Radu Ioanid, *The Sword of the Archangel: Fascist Ideology in Romania* (New York, 1990), 31, 33; Müller, *Staatsbürger*, 66-67. 반유대주의를 주장한 추가적 유명 인사들에 대해서는 다음 자료를 보라. International Commission on the Holocaust in Romania, *Final Report* (Bucharest, 2004), 24-25, at https://www.ushmm.org/m/pdfs/20080226-romania-commission-holocaust-history.pdf (accessed October 26, 2016).

76 19세기 말 루마니아 지식인들 사이에는 '프랑스를 제외하고는 외국 것에 대한 부정적 평가'가 있었다. Emanuel Turczynski, "The Background of Romanian Fascism," in *Native Fascism in the Successor States*, Peter Sugar, ed. (Santa Barbara, CA, 1971); 106. Albert S. Lindemann, *Esau's Tears: Modern Anti-Semitism and the Rise of the Jews, 1870-1933* (New York, 1997), 307, 312.

77 비스마르크의 은행가인 게르손 블라이 뢰더와 다른 투자자들은 루마니아 정부로부터 보상을 받고 싶어 했다. Müller, *Staatsbürger*, 61; On Bleichröder's personal interest: William O. Oldson, *A Providential Anti-Semitism* (Philadelphia, 1991), 32. Also: Jelavich and Jelavich, *Establishment*, 155-157, 178; Seton-Watson, *History of the Roumanians*, 352; Müller, *Staatsbürger*, 74, 81-82. On number of Jews: "Romania," in *Jewish Encyclopedia*, Singer, ed., vol. 9 (New York, 1909), 512-516.

78 "Die Judenfrage in Rumänien," *Das Ausland* 52:2 (1879), 610.

79 Ioanid, *Sword*, 31; Müller, *Staatsbürger*, 71-72.

80 "Romania," in *Jewish Encyclopedia*, Singer, ed., 512-516.

81 Carol Iancu, "The Struggle for the Emancipation of Romanian Jewry," in *The History of Jews in Romania*, Liviu Rotman and Carol Iancu, eds., vol. 2 (Tel Aviv, 2005), 136-137.

82 Josef Perwolf, *Die slavisch-orientalische Frage: eine historische Studie* (Prague, 1878). 이 존중은 민족의 권리에 대한 폴란드의 요구를 용인하는 것으로 확장되지 않았다. William W. Hagen, *Germans, Poles, and Jews: The Nationality Conflict in the Prussian East* (Chicago, 1980).

83 Leopold Kammerhofer and Walter Prenner, "Liberalismus und Außenpolitik," in *Studien zum Deutschliberalismus in Zisleithanien 1873-79*, Leopold Kammerhofer, ed. (Vienna, 1992), 219.

84 주권 국가에서 종교 관행에 대한 보호를 의무화하는 조약에는 새로운 것이 없었다. 새로운

것은 세르비아, 불가리아, 몬테네그로 또는 루마니아의 기독교가 주권의 기원이 된다고 말한 것이었다. Eric D. Weitz, "From the Vienna to the Paris System: International Politics and the Entangled Histories of Human Rights, Forced Deportations, and Civilizing Missions" *American Historical Review* 113:5 (2008), 1317.

85 Hoare, *History of Bosnia*, 64.

86 Malcolm, *Bosnia*, 149.

87 Helmut Rumpler, *Eine Chance für Mitteleuropa: bürgerliche Emanzipation und Staatsverfall in der Habsburgermonarchie* (Vienna, 1997), 450.

88 "제국 군대가 보스니아-헤르체고비나에 진주한 후 6개월 뒤 베를린조약에 대해 112명의 자유주의자가 반대투표를 한 것은 정부의 권력 남용에 대한 항의의 상징이었다. … 자유주의 반대당과 분열은 … 프란츠 요제프로 하여금 이들을 신뢰할 수 없는 정부 지지 세력으로 간주하게 만들었다." Kwan, *Liberalism*, 98.

9장 민족사회주의의 기원: 세기말 헝가리와 보헤미아

1 Zdeněk David and Robert Kann, *Peoples of the Eastern Habsburg Lands* (Seattle, 1984), 303; C. A. Macartney, *The Habsburg Empire 1790-1918* (London, 1969), 554, 583-584; Wereszycki, *Historia*, 238.

2 '제국의 첫 기병'이라는 별명이 붙음. Macartney, *Habsburg Empire*, 571.

3 "이들이 생활양식, 교육, 문화에서 독일과 더 닮아갈수록, 독일 언론에서 이들에 대한 묘사가 더 적대적이고 비하적이 되었다." Peter Bugge, "Czech Nation-Building, National Self-Perception and Politics, 1780-1914" (PhD dissertation, University of Aarhus, 1994), 165; Macartney, *Habsburg Empire*, 612. 보헤미아와 모라비아에서 선거 조작의 상세한 내용에 대해서는 다음 자료를 보라. Kwan, *Liberalism*, 79.

4 1882년 피쉬호프가 말한 것임. Kwan, *Liberalism*, 133.

5 R. Charmatz, *Adolf Fischhof. Das Lebensbild eines österreichischen Politikers* (Berlin and Stuttgart, 1910), 320ff.

6 Hugo Hantsch, *Geschichte Österreichs* (Graz, Austria, 1953), 438; Macartney, *Habsburg Empire*, 612; A. J. P. Taylor, *The Habsburg Monarchy: 1809-1918* (Chicago, 1976), 157.

7 Bugge, "Czech Nation-Building," 158ff; David and Kann, *Peoples*, 305.

8 Bugge, "Czech Nation-Building," 161, 163.

9 그의 정부는 학생을 너무 많이 배출한다는 이유로 체코어 중등학교를 폐쇄한 입법이 통과되도록 했다. 이 정부는 1886-1887년 타협 재협상에서 체코의 경제적 이익을 고려하지 못

했다. Bugge, "Czech Nation-Building," 163.

10 Bugge, "Czech Nation-Building," 164; Hantsch, *Geschichte Österreichs*, 443. 사제와 대지주들로 구성된 '우파'와 폴란드인, 체코인, 다른 슬라브 민족 집단의 의원 수는 190명으로 늘어났고, 독일 자유주의 '좌파'는 136명으로 줄어들었다. Macartney, *Habsburg Empire*, 614. 구체코당의 민주적 대안으로 청년체코당은 1860년대 체코민족당과 합병했고, 1874년 별도의 정당을 구성했다.

11 Kwan, *Liberalism*, 166.

12 Formulation of Helmut Rumpler, cited in Piotr Majewski, *Sudetští Němci: dějiny jednoho nacionalismu* (Brno, 2014), 78; Hoensch, *Geschichte Böhmens*, 368. For a contemporary German perspective ["Damit drang die tschechische Sprache auch in rein deutsche Bezirke"], Theodor Lindner, *Weltgeschichte seit der Völkerwanderung*, vol. 10 (Stuttgart, 1921), 168.

13 보헤미아에서의 독일인 부와 인구 감소에 대한 상세한 2권 분량 연구가 출간되었다. Heinrich Rauchberg, *Der nationale Besitzstand in Böhmen* (Leipzig, 1905). 다음도 보라. Bugge, "Czech Nation-Building," 166; Křen, *Konfliktgemeinschaft*, 175 (on "fearful anxiety").

14 Catherine Albrecht, "Rural Banks and Czech Nationalism in Bohemia," *Agricultural History* 78:3 (2004), 317, 322. 주민 절대다수가 독일인이었던 보헤미아 북서부 모스트/브뤽스 지역에서 19세기 말 독일인은 60퍼센트 증가했지만, 체코인은 300퍼센트 증가했다. Mark Cornwall, "The Struggle on the Czech-German Language Border," *English Historical Review* 109:433 (1994), 218. 독일 산업 노동계층의 쇠퇴가 보헤미아 북부 도시에서 진행되었다. Markus Krzoska, "Frieden durch Trennung?" in *Die Destruktion des Dialogs*, Dieter Bingen et al., eds., (Wiesbaden, 2007), 90-91.

15 Křen, *Konfliktgemeinschaft*, 177.

16 Helmut Rumpler, *Eine Chance für Mitteleuropa* (Vienna, 1997), 452-453.

17 1873년부터 1882년까지 24세가 넘는 남성의 6퍼센트만이 투표를 할 수 있었다.

18 Carl Schorske, *Fin de Siecle Vienna: Politics and Culture* (New York, 1981), 126-127; Peter Pulzer, *The Rise of Political Anti-Semitism in Germany and Austria* (Cambridge, MA, 1964), 147.

19 Schorske, *Fin de Siecle Vienna*, 126. 다음 자료도 보라. Bugge, "Czech Nation-Building," 164, 213; Macartney, *Habsburg Empire*, 653; Georg von Schönerer, "Aufruf zur Gründung einer deutschnationalen Partei," (1881 in *Österreichische Parteiprogramme 1868-1966*, Klaus Berchtold, ed. (Vienna, 1967), 192; "Das Friedjung-Programm," in Berchtold, *Österreichische Parteiprogramme*, 191.

20 Andrew Whiteside, *The Socialism of Fools: Georg Ritter von Schönerer and Austrian Pan-Germanism* (Berkeley, 1967), 97.

21 오스트리아의 기독교 사회주의에 대해서는 다음 자료를 보라. John W. Boyer, *Political Radicalism in Late Imperial Vienna: The Origins of the Christian Social Movement* (Chicago, 1981).

22 그는 체코인, 폴란드인, 슬로베니아인, 세르비아인, 크로아티아인, 우크라이나인의 지원을 바탕으로 가톨릭 중도파와 가톨릭인민당을 만들기 원했다. Johann Albrecht von Reiswitz, "Kasimir Graf von Badeni," *Neue Deutsche Biographie*, vol. 1 (Berlin, 1953), 511. 청년체코당이 1889년 선거에서는 다수파를 차지했고, 1891년 선거에서는 모든 지역구에서 승리하며 구체코당을 빈 의회의 체코 클럽에서 몰아냈다.

23 Douglas Dion, *Turning the Legislative Thumbscrew: Minority Rights and Procedural Change in Legislative Politics* (Ann Arbor, MI, 2001), 241-242; Michael John, "Vielfalt und Heterogenität," in *Migration und Innovation um 1900: Perspektiven auf das Wien der Jahrhundertwende*, Elisabeth Röhrich, ed. (Vienna, 2016), 45-46; "Rioters Killed in Prague," *New York Times*, December 3, 1897; Stefan Zweig, *The World of Yesterday* (Lincoln, NE, and London, 1964), 65.

24 계엄령은 1893년부터 발효 중이었다. Reiswitz, "Kasimir Graf von Badeni," 511; "Race Riots in Bohemia," *New York Times*, December 2, 1897.

25 1900년 유대인은 모라비아 인구의 1.82퍼센트, 보헤미아 인구의 1.47퍼센트를 차지했다. Arthur Ruppin, *Die Juden in Österreich* (Berlin, 1900), 7.

26 Reiswitz, "Kasimir Graf von Badeni," 511; Hantsch, *Geschichte Österreichs*, 469.

27 사실은 1901년까지 기존 관리들에게는 적용하지 않는다는 규정이 있었다. John Boyer, "Badeni and the Revolution of 1897," in *Bananen, Cola, Zeitgeschichte: Oliver Rathkolb und das lange 20. Jahrhundert*, Lucille Dreidemy et al., eds. (Vienna, 2015), 74. Silesian Polish deputy Jan Michejda (1853-1927 argued: you cannot hate a nation whose literature you know. Remarks of February 5, 1898, in *Offizielle stenographische Berichte über die Verhandlungen des schlesischen Landtags*, thirty-fifth session (Troppau, 1898), 427.

28 *Neue Freie Presse*, October 31, 1897, cited in Hugh LeCaine Agnew, *Czechs and the Lands of the Bohemian Crown* (Stanford, CA, 2004), 149; *Stenografické zprávy sněmu království Českého*, January 22, 1898 (Prague, 1898), 1583. 다른 독일인 대표들(Glöckner, Wolf, and Eppinger)도 마찬가지로 체코인이 독일인과 동등하다는 인식을 받아들일 수 없다고 생각했다. For Wolf 's comment: John, "Vielfalt," 45-46.

29 Jiří Kořalka, *Tschechen im Habsburgerreich und in Europa 1815-1914* (Vienna, 1991), 112.

30 Meeting of Bohemian parliament, in *Stenografické zprávy sněmu království Českého*, January 22, 1898, 1580.

31 Speech of Koldinský, in *Stenografické zprávy sněmu království Českého*, January 22, 1898, 1582.

32 실레시아 폴란드인인 얀 미헤이다가 독일 의원들에게 한 말을 참조하라 "당산들은 권력, 재산, 학교를 가지고 있다. 독일어만 사용하는 덕분에 당신들은 관공서와 법원을 가지고 있다. 당신들은 모든 정치를 장악하고 있고, 당신들의 권력 독점을 약화시킬 모든 개혁에 반대하고 있다." Remarks of February 5, 1898, *Offizielle stenographische Berichte über die Verhandlungen des schlesischen Landtags*, thirty-fifth session (Troppau, 1898), 424. 다음도 보라. the thoughts of the Young Czech Edvard Grégr, *Naše politika: otevřený list panu dr. Fr. L. Riegrovi* (Prague, 1876), 1-6. 학교 학생들의 민족성 유지를 놓고 보헤미아에서 진행된 전투에 대해서는 다음 자료를 보라. Tara Zahra, *Kidnapped Souls: National Indifference and the Battle for Children in the Bohemian Lands, 1900-1948* (Ithaca, NY, 2008).

33 Macartney, *Habsburg Empire*, 664-665: *Historia*, 249. Harold Frederic, "Germans or Czechs," *New York Times*, December 5, 1897; Maurice Baumfeld, "The Crisis in Austria-Hungary," *American Monthly Review of Reviews* 31 (January-June 1905), 446.

34 Nancy Wingfield, *Flag Wars and Stone Saints: How the Bohemian Lands Became Czech* (Cambridge, MA, 2007), 76.

35 Michael Wladika, *Hitlers Vätergeneration: Die Ursprünge des Nationalsozialismus in der k.u.k. Monarchie* (Vienna, 2005), 631.

36 Comments of Friedrich von Wieser in Robert A. Kann, *Multinational Empire*, vol. 1 (New York, 1950), 51-52; Peter Pulzer, *The Rise of Political Anti-Semitism in Germany and Austria* (Cambridge, MA, 1988), 142-155 and passim.

37 Zweig, *World of Yesterday*, 64.

38 Schorske, *Fin-de-siecle Vienna*, 117.

39 Kořalka, *Tschechen*, 114.

40 중유럽 현상학 맥락에서 마사리크의 작은 조치들에 대한 명쾌한 설명은 다음 자료를 보라. Michael Gubser, *The Far Reaches: Phenomenology, Ethics and Social Renewal in Central Europe* (Stanford, CA, 2014), 143.

41 1884년까지 그들은 '자연적 성장'으로 필젠과 체크케 부데요비체 의회에서 다수파가 되었으나, 프라하에 대해서는 여전히 노력하고 있었다. Josef Jakub Toužimský, "Rozhledy v dějinách současných," *Osvěta* 14:1 (1884 474-475; Catherine Albrecht, "Nationalism and Municipal Savings Banks in Bohemia," *Slovene Studies* 11:1/2 (1989), 57-64; Bugge, "Czech Nation-Building," 39.

42 상업, 경제 이익단체들이 보헤미아에서 인종적으로 되어가는 경향에 대해서는 다음 자료를 보라. Peter Heumos, "Interessensolidarität gegen Nationalgemeinschaft: deutsche und

tschechische Bauern in Böhmen, 1848-1918," in *Die Chance der Verständigung: Absichten und Ansätze zu übernationaler Zusammenarbeit in den böhmischen Ländern, 1848-1918*, Ferdinand Seibt, ed. (Munich, 1987), 87-99. 이에 대한 페테르 부그의 반대도 역시 진실이다. "1848년 오스트리아에 현대 입헌 정치가 도입된 순간부터 체코 민족주의 열망에 대한 어떠한 시도도 정치적 차원을 띠어야만 했다." 즉, 정치적 이익을 조직하기 위한 모든 시도는 민족적 성격을 띠어야 했다. Bugge, "Czech Nation-Building," 10.

43 Ivan T. Berend, *History Derailed: Central and Eastern Europe in the Long Nineteenth Century* (Berkeley, 2003), 184.

44 대영지는 보헤미아 농지의 40퍼센트, 폴란드 농지의 35퍼센트를 차지했다. Berend, *History Derailed*, 184

45 이 숫자는 그들의 가족도 포함한 것이다. László Kontler, "The Enlightenment in Central Europe," in *Discourses of Collective Identity*, Balázs Trencsényi and Michal Kopeček, eds., vol. 1 (Budapest, 2006), 39; Janos M. Bak, "Nobilities in Central and Eastern Europe," *History and Society in Central Europe*, 2 (1994), 164; Oszkár Jászi, *Dissolution of the Habsburg Monarchy* (Chicago, 1961), 299.

46 야노스 티사는 "그 시대의 가장 논란 많은 제도인 선거 제도를 책임지고 있었는데, 당시 제도는 유권자들에게 상당히 높은 재산 수준을 요구했다. 선거는 부패로 얼룩졌고, 종종 정부는 선거 간섭을 숨기려고 하지 않았다". Tibor Frank, "Hungary and the Dual Monarchy," in *History of Hungary*, Sugar et al., eds., 263; Laszlo Katus, "Die Magyaren," in *Die Habsburgermonarchie*, Adam Wandruszka and Peter Urbanitsch, eds., vol. 3 (Vienna, 1980), 470-472.

47 Janos, *Politics of Backwardness*, 130.

48 이 영향력이 큰 가족들은 '시장의 힘을 전복하고, 전통적 농지 소유권에 대한 제도적 지지를 복원하려는 목적을 가진 종업 압력 집단의 핵심'을 형성했다. 농업중산층, 소귀족, 하급귀족에 속하는 사람들은 농장을 떠나 관료주의에서 피난처를 찾았다. Janos, *Politics of Backwardness*, 121, 130-132.

49 선거인의 56.2퍼센트는 헝가리인이고, 11.2퍼센트는 루마니아인인 반면, 두 민족이 인구 전체에서 차지하는 비율은 각각 54.5퍼센트와 16.1퍼센트였다. András Gerö, *Modern Hungarian Society in the Making* (Budapest, 1995), 172-174, 177-179.

50 1899년부터 1913년 사이 산업의 총 마력은 세 배 이상 늘어났다. Janos, *Politics of Backwardness*, 132-136, 149-155.

51 마자르화된 유대인은 "아포니보다 좀 더 왕정 충성자이고, 우르곤보다 더 국수주의적이며, 이들은 마자르 노래를 만들고, 낭만주의적 시를 쓰고, 새로운 공장을 만들 때는 '조국의 이익을 위해' 그렇게 했다". Janos, *Politics*, 117, 131.

52 Janos, *Politics of Backwardness*, 115; Katus, "Die Magyaren," 465; Paul Lendvai, *The Hungarians: A Thousand Years of Victory in Defeat*, Ann Major, trans. (Princeton, NJ, 2003), 339.

53 Janos, *Politics of Backwardness*, 126.

54 Henry L. Roberts, *Rumania: Political Problems of an Agrarian State* (New Haven, CT, 1951), 6; Diana Mishkova, "The Uses of Tradition and National Identity in the Balkans," in *Balkan Identities: Nation and Memory*, Maria Todorova, ed. (New York, 2004), 272.

55 Gale Stokes, "The Social Origins of East European Politics," *East European Politics and Societies* 1:1 (1986), 56.

56 루마니아 노동력의 13.7퍼센트만이 산업, 상업, 재정 분야에 고용된 반면, 루마니아 유대인 노동력의 79.1퍼센트가 이 부문에서 일했다. Stokes, "Social Origins," 57.

57 Stokes, "Social Origins," 55; Daniel Chirot and Charles Ragin, "The Market, Tradition and Peasant Rebellion: The Case of Romania in 1907," *American Sociological Review* 40 (1975), 431.

58 Berend, *History Derailed*, 186-187. "1884년 법으로 그는 도시 전문직업인들의 힘을 강조하는 선거 제도를 만들었다. 그의 발전과 국가 형성 정책은 무시한 압제 받는 농민들보다는 전문직업인들 만들어내는 것이었다." Stokes, "Social Origins," 56.

59 Chirot and Ragin, "The Market," 434; Juliusz Demel, *Historia Rumunii* (Wrocław, 1970), 355.

60 이 단계는 다비트 미트라니가 제시한 것이다. Roberts, *Rumania*, 21; Demel, *Historia*, 356; Keith Hitchins, *Rumania: 1866-1945* (Oxford, 1994), 170, 172, 176, 180.

61 왈라키아에서 큰 폭력행위가 일어난 곳에서 농지를 소유한 비루마니아인 비율은 몰다비아에서보다 훨씬 낮았다. Chirot and Ragin, "The Market," 433; Raul Carstocea, "Anti-Semitism in Romania," European Centre for Minority Issues, ECMI Working Paper 81 (October 2014), 7; Demel, *Historia*, 355-356.

62 Stephan Fischer-Galati, *Twentieth Century Rumania* (New York, 1991), 22.

63 Mishkova, "Uses of Tradition and National Identity," 270-272; Ivan Bičík, "Land Use Changes in Czechia," in *Land Use Changes in the Czech Republic*, Ivan Bičík et al., eds. (Cham, Switzerland, 2015), 110.

64 Stokes, "Social Origins," 61.

65 Stokes, "Social Origins," 63; Sundhaussen, *Geschichte*, 200.

66 1914년 전쟁이 일어나기 전 국가는 222명의 학생을 교육시키는 3개의 농업학교를 개설했을 뿐이다. Stokes, "Social Origins," 64.

67 Stokes, "Social Origins," 64, 66.

68 Stokes, "Social Origins," 62-63.

69 Barbara Černič, "The Role of Dr. Janez Evangelist Krek in the Slovene Cooperative Movement," *Slovene Studies* 11:1/2 (1989), 75-81. 라디치의 농업 정치에 대해서는 다음 자료를 보라. Mark Biondich, *Stjepan Radić, the Croat Peasant Party, and the Politics of Mass Mobilization* (Toronto, 2000), 246.

70 Janko Pleterski, "Die Slowenen," in *Habsburgermonarchie*, Wandruszka and Urbanitsch, eds., vol. 3, 831.

71 17명은 독일인, 12명은 헝가리인이었다. 그러나 모든 곳에서 그 관계는 달랐다. 일례로 군사지대 지역에서 훨씬 많은 독립적 농장 소유와 공동체 농장 소유 사례가 있었다. Arnold Suppan, "Die Kroaten," in *Habsburgermonarchie*, Wandruszka and Urbanitsch, eds., vol. 3, 668-671. 규모가 작은 농지 소유 사례로 내려가면 헝가리에서 농지를 소유한 마자르인 비율은 낮아졌다. Katus, "Die Magyaren," 480.

10장 자유주의의 상속자들과 적들: 사회주의 대 민족주의

1 William O. McCagg, Jr., *A History of the Habsburg Jews 1670-1918* (Bloomington, IN, 1989), 198-199.

2 R. J. Crampton, *A Concise History of Bulgaria* (Cambridge, 1997), 124-127; Diana Mishkova, "The Interesting Anomaly of Balkan Liberalism," in *Liberty and the Search for Identity*, Iván Zoltán Dénes, ed. (Budapest, 2006), 401.

3 Carl E. Schorske, *Fin-de-Siecle Vienna: Politics and Culture* (New York, 1980), 116-120, 144.

4 R. R. Palmer and Joel Colton, *A History of the Modern World*, sixth edition (New York, 1984), 606-607.

5 Jonathan Kwan, *Liberalism and the Habsburg Monarchy* (Basingstoke, UK, 2013), 206.

6 사회주의는 진보의 이상에 기여한다면 비사회주의적인 개혁 사고도 띠었다. 다음 자료의 평가를 보라. Kazimierz Kelles-Kraus in Micińska, *Inteligencja na rozdrożach 1864-1918* (Warsaw, 2008), 121. 보통, 평등, 비밀, 직접 선거의 이상에 대해서는 다음을 보라. Wereszycki, *Pod berłem Habsburgów*, 260.

7 Schorske, *Fin-de-siecle Vienna*, 119.

8 Jakub Beneš, "Social Democracy, František Soukup, and the Habsburg Austrian Suffrage Campaign 1897-1907," *Centre. Journal for Interdisciplinary Studies of Central Europe in the 19th and 20th Centuries* 2 (2012), 14.

9 Karl Marx and Frederick Engels, *The German Ideology*, C. J. Arthur., ed. (London, 2004), 58. 장 조레 같은 일부 사회주의자들은 공산당 선언에서 "노동자에게는 조국이 없다"는 구절에 유감을 가졌다. 그는 이것이 냉소적으로 쓰였을 수 있다고 생각했다. 엥겔스는《공산당선언》의 여러 판본에 서론을 썼지만, 마르크스는 이를 바로잡으려고 하지 않았다. Marek Waldenberg, *Kwestie narodowe w Europie Środkowo-Wschodniej: dzieje, idee* (Warsaw, 1992), 186-187.

10 Friedrich Engels, "Der magyarische Kampf," *Neue Rheinische Zeitung*, January 13, 1849, in Karl Marx and Friedrich Engels, *Werke*, vol. 6 (Berlin, 1959), 165-176; Kořalka, *Tschechen*, 221-223; Hans Magnus Enzensberger, ed., *Gespräche mit Marx und Engels* (Frankfurt, 1973), 709ff.

11 Engels, "magyarische Kampf," 175; Friedrich Engels, "What Have the Working Classes to Do with Poland," in Karl Marx, *Political Writings*, vol. 3 (Harmondsworth, UK, 1974), 383. On Poland: Hubert Orlowski, *"Polnische Wirtschaft": Zum deutschen Polendiskurs der Neuzeit* (Wiesbaden, 1996), 276.

12 From February 1869. Kořalka, *Tschechen*, 224.

13 폴란드 사회주의자인 유제프 피우수트스키는 이 의제에 기초한 폴란드 독립 선언을 채택하려고 시도했다. Waldenberg, *Kwestie narodowe*, 166; Eduard Bernstein, *Die heutige Sozialdemokratie in Theorie und Praxis* (Munich, 1905), 42.

14 František Modráček, "K národnostní otázce," *Revue socialistická Akademie* 3 (1899), 337-344.

15 Kořalka, *Tschechen*, 224; Józef Chlebowczyk, *O prawie do bytu małych i młodych narodów* (Katowice, Poland, 1983), 377, n. 14; Pech, *Czech Revolution*, 300.

16 Kořalka, *Tschechen*, 244-245.

17 Waldenberg, *Kwestie narodowe*, 168. 1907년 선거에서 체코인당은 38만 9497표, 폴란드인당은 7만 7131표, 이탈리아인당은 2만 1370표, 루테니아인당은 2만 9957표, 슬로베니아인당은 5310표를 득표했다. Kořalka, *Tschechen*, 235.

18 Waldenberg, *Kwestie narodowe*, 168-169. 오스트리아 사회민주당 창설자들은 오스트리아 영토 내의 모든 노동자를 대표한다고 주장하고, '민족에 관계없이 민중'의 경제, 정치 권리를 위해 투쟁한다고 약속했다. From the Hainfeld Programm, January 1889. Berchtold, *Österreichische Parteiprogramme; Wingfield, Flag Wars and Stone Saints*, 66; Hantsch, *Geschichte Österreichs*, 471-472.

19 Okey, *Habsburg Monarchy*, 309. 이것은 헝가리의 자유주의자 요제프 외트뵈스, 슬로베니아 사회민주주주의자 에트빈 크리스탄에 이르는 많은 저자들의 사고였지만, 오스트리아 독일인인 칼 렌너와 가장 관계가 깊었다. Waldenberg, *Kwestie narodowe*, 170.

20 Antonín Němec, "Die tschecho-slawische sozialdemokratische Arbeiterpartei in Österreich," in *Die sozialistische Arbeiter-Internationale: Berichte der sozialdemokratischen Organisationen Europas, Australiens, und Amerikas an dem internationalen Sozialistenkongress zu Stuttgart* (Berlin, 1907), 165.

21 Okey, *Habsburg Monarchy*, 309; Otto Bauer, *Nationalitätenfrage und die Sozialdemokratie* (Vienna, 1907), 452; Jakub S. Beneš, *Workers and Nationalism: Czech and German Social Democracy in Habsburg Austria, 1890-1918* (Oxford, 2016), 202-204.

22 이것은 '공동으로 사용하는 언어'에 기반한 공식 숫자였다. 그러나 체코어 옹호자들은 출생 지역에 근거해 이 숫자를 25만 명으로 주장했다. Maureen Healy, *Vienna and the Fall of the Habsburg Empire* (Cambridge, 2004), 151-152; Hans Mommsen, "Otto Bauer, Karl Renner, und die sozialdemokratische Nationalitätenpolitik in Österreich von 1905 bis 1914," in *Studies in East European Social History*, Keith Hitchins, ed., vol. 1 (Leiden, 1977), 22.

23 Hans Mommsen, *Arbeiterbewegung und nationale Frage* (Göttingen, 1979), 72, 76-78.

24 체코인은 65퍼센트였지만, 세금 납부 영수증 상으로는 45퍼센트였다. Hoensch, *Geschichte Böhmens*, 395-396; Waldenberg, *Kwestie narodowe*, 172.

25 Kořalka, *Tschechen*, 235; Waldenberg, *Kwestie narodowe*, 173; Hans Mommsen, *Arbeiterbewegung und nationale Frage*, 209; Mommsen, "Otto Bauer, Karl Renner," 21. 체코인 정당에서 가톨릭교도인 안톤 데르모타는 반교회주의를 반대하고, 민족 문제에 대해 선제적인 입장을 취할 것을 촉구했다. Trencsényi et al., *History of Modern Political Thought*, 453.

26 독일 출판사들은 워즈, 자그레브, 부다페스트, 사라예보 등 다양한 지역에서 출판 활동을 했기 때문에 어떤 면에서 마르크스주의 계획은 이 지역에서 나온 셈이다. František Modráček, "Odpověď Prof. Masarykovi," Akademie revue socialistická 3 (1899), 390.

27 Wereszycki, *Pod berłem Habsburgów*, 258.

28 Otto Urban, *Česká společnost 1848-1918* (Prague, 1982), 540-541; Beneš, *Workers and Nationalism*, 226.

29 Kann, "Zur Problematik der Nationalitätenfrage," in Wandruszka and Urbanitsch, eds., *Habsburgermonarchie*, vol. 3, 1324, 1330.

30 Wereszycki, *Pod berłem Habsburgów*, 272-273; Kořalka, *Tschechen*, 171.

31 Brian Porter-Szücs, *When Nationalism Began to Hate* (Oxford, 2000), 79; Leonard Szymański, *Zarys polityki caratu wobec szkolnictwa ogólnokształcącego w Królestwie Polskim w latach 1815-1915* (Wrocław, 1983), 47; Piotr Paszkiewicz, *Pod berłem Romanowów: sztuka rosyjska w Warszawie 1815-1915* (Warsaw, 1991).

32 Tadeusz Łepkowski, "Naród bez państwa," 414-416; Danuta Waniek, *Kobiety lewicy w polskim doświadczeniu politycznym* (Poznań, 2010), 34.

33 Szymański, *Zarys polityki*, 60-61; Jerzy Jedlicki, *A Suburb of Europe: Nineteenth-Century Approaches to Westerm Civilization* (Budapest, 1999), 236-237.

34 도시에 대해서는 다음 자료를 보라. Łepkowski, "Naród bez państwa," 410. 도서관과 자조적 협회에 대해서는 다음 자료를 보라. William W. Hagen, *Germans, Poles, and Jews: The Nationality Conflict in the Prussian East, 1772-1914* (Chicago, 1980), 142; Patrice M. Dabrowski, *Commemorations and the Shaping of Modern Poland* (Bloomington, IN, 2004), 160. 폴란드어는 아동들이 독일어만으로 학습이 가능해질 때까지 저학년에서 사용될 수 있었다. Wandycz, *Lands of Partitioned Poland*, 234-235

35 이 잡지는《목소리(Głos)》다. 민족주의자 지그문트 발리츠기가 후에 이 잡지의 편집 작업을 했고, 그 후에는 사회주의자 볼레스와프 리마노프스키가 편집을 맡았다. 오스트리아에서 후에 좌파와 우파의 격렬한 반대자들은 처음에는 선거권, 민족 권리 같은 많은 요구 사항을 공유했고, 분열이 발생한 이후에도 협력을 계속했다. Porter-Szücs, *When Nationalism Began to Hate*, 135-143. 좀 더 분명히 말하면 '엔데차'는 하나의 운동으로서 민족민주주의를 말하고, '엔데크'는 민족민주당 당원을 지칭한다.

36 그러나 이 운동은 주민과 함께 성장해서 1863년 500만 명에서 1897년 940만 명으로 늘었다. 첫 운동(프롤레타리아)의 지도자, 루드비크 바린스키는 1883년 체포되어 1889년 사망했다. 초기 지도자 네 명은 1886년 1월 교수형 당했다. R. F. Leslie, ed., *The History of Poland since 1863* (Cambridge, 1983), 45, 52-53.

37 Łepkowski, "Naród bez państwa," 400; Leslie, *History of Poland*, 57; Adam Ciołkosz, *Róża Luksemburg a rewolucja rosyjska* (Paris, 1961), 103.

38 Joshua D. Zimmerman, *Poles, Jews, and the Politics of Nationality* (Madison, WI, 2004), 206. 분트는 1897년 빌노에서 리투아니아령 폴란드와 러시아 유대인총연맹으로 상설되었고, 3만 명의 회원을 보유했다. 다른 시온주의 사회주의 조직들도 있었다. Waldenberg, *Kwestie narodowe*, 177.

39 이것이 베즈다니 공격이다. Davies, *God's Playground*, vol. 2, 54-55; Wandycz, *Lands of Partitioned Poland*, 326-327; Józef Krzyk, "Socjalista i terrorysta: lata Piłsudskiego w PPS," *Gazeta Wyborcza*, May 11, 2015. 그는 베즈다니 공격 전 다음과 같이 썼다. "나는 별채에 살 수는 없었다. … 노예가 아닌 위엄을 가진 사람은 누구나 그렇듯이 나는 이것에 모욕감을 느낀다." Adam Michnik, *Letters from Prison* (Berkeley, 1985), 209-211. 피우수트스키는 이혼한 여인과 결혼하기 위해 1899년 개신교로 개종했지만, 1916년 가톨릭으로 돌아왔다.

40 M. B. B. Biskupski, *Independence Day: Myth, Symbol, and the Creation of Modern Poland* (Oxford, 2012), 6-7. 그는 1914년 폴란드 소총부대 병사들로 자신의 병단을 구성했다. 다음을 보라. Andrew Michta, *Red Eagle: The Army in Polish Politics, 1944-1988* (Stanford, CA, 1990), 26.

41 Leslie, *History of Poland*, 59.

42 M. K. Dziewanowski, "The Making of a Federalist," *Jahrbücher für die Geschichte Osteuropas* 11:4 (1963), 551; Michal Śliwa, *Obcy czy swoi* (Kraków, 1997), 70.

43 민족민주당은 1897년 창당되었고, 1893년 로만 드모프스키의 지도하에 창설된 민족연맹이 모태가 되었다. Leslie, *History of Poland*, 54-56.

44 Brian Porter-Szücs, *When Nationalism Began to Hate* (Oxford, 2000), 155.

45 Piotr Wandycz, *The Price of Freedom: A History of East Central Europe from the Middle Ages to the Present* (London, 2001), 173; Bogumił Grott, *Dylematy polskiego nacjonalizmu: Powrot do tradycji czy przebudowa narodowego ducha* (Warsaw, 2014), 87.

46 Leslie, *History of Poland*, 71.

47 이것이 독일 우파에서 본 고난에 대한 페테르 프리체의 요약이다. Peter Fritzsche and Jochen Hellbeck, "The New Man in Stalinist Russia and Nazi Germany," in *Beyond Totalitarianism: Stalinism and Nazism Compared*, Michael Geyer and Sheila Fitzpatrick, eds. (Cambridge, 2008), 314.

48 독일 민족주의 저술의 변환에 대해서는 다음 자료를 보라. Christhard Hoffmann, *Juden und Judentum im Werk deutscher Althistoriker des 19. und 20. Jahrhunderts* (Leiden, 1988), 68.

49 Wandycz, *Price of Freedom*, 173.

50 가족의 기원에 대해서는 다음 자료를 보라. *Neue Deutsche Biographie*, vol. 3 (Berlin, 1957), 152. 그의 개종에 대해서는 다음 자료를 보라. Joseph Marcus, *Social and Political History of the Jews in Poland 1919-1939* (Berlin, 1983), 211; Kathrin Krogner-Kornalik, *Tod in der Stadt: Religion, Alltag und Festkultur in Krakau 1869-1914* (Göttingen, 2015), 122.

51 Andrzej Żbikowski, *Żydzi* (Wrocław, 1997), 92-93; Danuta Zamojska-Hutchins, "Form and Substance in Norwid's Poetry," *Polish Review* 28:4 (1983), 39. 폴란드 언론의 방대한 반유대 보도에 대해서는 다음 자료를 보라. Alix Landgrebe, *"Wenn es Polen nicht gäbe, dann müsste es erfunden werden"* (Wiesbaden, 2003), 255-268.

52 Leopold Caro, *Nowe drogi z przedmowa X. Arcybiskupa Teodorowicza* (Poznan, 1908), 1-2; Leopold Caro, "Idea gospodarcza Polski," *Przegląd Powszecny* 180 (1928), 163; Leopold Caro, *Die Judenfrage: eine ethische Frage* (Leipzig, 1892), 10-14.

53 Andrzej Brożek, "Die Nationalbewegung in den Teilungsgebieten," in *Die Entstehung der Nationalbewegung in Europa 1750-1849*, Heiner Timmermann, ed. (Berlin, 1993), 85, 87-88; František Graus, *Die Nationbildung der Slawen im Mittelalter* (Sigmaringen, West Germany, 1980), 64; Tadeusz Łepkowski, *Polska — narodziny nowoczesnego narodu, 1764-1870* (Warsaw, 1967), 508-509.

54 "Podiven" (Peter Pithart, Milan Otáhal, Peter Příhoda), *Češi v dějinách nové doby — pokus o*

zrcadlo (Prague, 1991).

55 Keely Stauter-Halsted, "Jews as Middleman Minorities in Rural Poland: Understanding the Galician Pogroms of 1898," in *Anti-Semitism and Its Responses*, Robert Blobaum, ed. (Ithaca, NY, 2005), 39-59; Keely Stauter-Halsted, *The Nation in the Village* (Ithaca, NY, 2001), 134; Włodzimierz Borodziej, *Geschichte Polens im 20. Jahrhundert* (Munich, 2010), 16.

56 Stauter-Halsted, *Nation in the Village*, 1, 4, 245.

57 Śliwa, *Obcy czy swoi*, 33.

58 크로아티아 농민당의 공동창설자인 안테 라디치의 불만에 대해서는 다음 자료를 보라. 1903년 다음 자료에서 인용. Božidar Murgić, ed., *Život, rad i misli Dra Ante Radića* (Zagreb, 1937), 83.

59 Fischer-Galati, "Romanian Nationalism," 386.

60 1905년부터. 다음 자료에서 인용. Grott, *Dylematy*, 54. On Ledóchowski, see Wandycz, *Lands of Partitioned Poland*, 234.

61 Leslie, *History of Poland*, 72.

62 Grott, *Dylematy*, 57-58; David Nirenberg, *Anti-Judaism: The Western Tradition* (New York, 2013).

63 이들이 오스트리아-헝가리군 예비역 장교의 상당 부분을 차지했다(전체의 18퍼센트). 이 중 일부는 독일군에 소속되었다. Erwin A. Schmidl, *Habsburgs jüdische Soldaten* (Vienna, 2014).

64 이러한 거부 후에도 그는 결연하게 '독일인'으로 남았고, 시온주의가 유대인으로 하여금 독일을 더욱 사랑하게 만들기를 희망했다. Jacqueline Rose, *The Question of Zion* (Princeton, NJ, 2005), 110.

65 Karlheinz Rossbacher, *Literatur und Bürgertum: fünf Wiener jüdische Familien von der liberalen Ära* (Vienna, 2003), 297-300.

66 John Efron, "The Politics of Being Jewish," in *The Jews: A History*, John Efron, Steven Weitzman, and Matthias Lehmann (London, 2008), 319-322.

67 Max Brod, *Streitbares Leben: Autobiographie* (Munich, 1960), 42-45.

68 체코 운동에 대해서는 다음 자료를 보라. Michael W. Dean, "'What the Heart Unites, the Sea Shall Not Divide,' Claiming Overseas Czechs for the Nation" (Ph.D dissertation, University of California, Berkeley, 2014). 오스만 측이 거절한 거래는 헤즐이 유대인 기금을 통해 오스만의 부채를 줄이도록 시도하고, 그 대가로 유대인들이 오스만 영토에 거주하게 허용하는 것이었다. 오스만 국가는 팔레스타인을 제외하고 자국 영토 어느 곳에나 유대인이 정착하는 것을 허용할 용의가 있었다. Isaiah Friedman, *Germany, Turkey, and Zionism 1897-1918* (New Brunswick, NJ, 1998), 100-102; Efron, "Politics of Being Jewish," 324.

69 프란츠 L. 카르스텐은, 1878년 베를린에 기독사회당을 설립한 스퇴거는 사회민주당에 처

참하게 패한 후 '반유대주의'를 무기로 발견했다고 말했다. Francis L. Carsten, *The Rise of Fascism* (London, 1967), 23. 페테르 풀저에 따르면 루에거는 반유대주의로 진지하게 전향한 증거를 보이지 않았고, 민주주의나 반유대주의 운동이 더 강해질 것인가를 기다리며 지켜본 것으로 보였다. Peter Pulzer, *The Rise of Political Anti-Semitism in Germany and Austria* (New York, 1964), 160-161.

70 Pulzer, *Rise of Political Anti-Semitism*, 162.

71 Kořalka, *Tschechen*, 199.

72 Bugge, "Czech Nation-Building," 270.

11장 농민 유토피아: 어제의 농촌과 내일의 사회

1 Johan Eelend, "Agrarianism and Modernization in Interwar Eastern Europe," in *Societal Change and Ideological Formation among the Rural Population of the Baltic Area 1880-1939*, Piotr Wawrzeniuk, ed., *Studia Baltica* 2 (2008), 35-56. 이어지는 일반적 주장은 휴 세톤-왓슨에 의존한 바 크다. Hugh Seton-Watson, *East Central Europe Between the World Wars* (Cambridge, 1945).

2 정치에서 카리스마적인 개인의 부상에 대한 명쾌한 논의는 다음 자료를 참조하라. Derek J. Penslar, "Theodor Herzl: Charisma and Leadership," in *The Individual in History*, ChaeRan Yoo Freeze et al., eds. (Waltham, MA, 2015), 13-27.

3 Bruce Berglund, *Castle and Cathedral in Modern Prague: Longing for the Sacred in a Skeptical Age* (Budapest, 2017), 50-51; T. G. Masaryk, *Der Selbstmord als sociale Massenerscheinung der modernen Civilisation* (Vienna, 1881).

4 히틀러에 대한 이용과 분석에 대해서는 다음 자료를 보라. Thomas Schirrmacher, *Hitlers Kriegsreligion*, vol. 1 (Bonn, 2007), 239-240.

5 Milan Hauner, "The Meaning of Czech History: Masaryk vs. Pekař," in *T. G. Masaryk (1850-1937)*, Harry Hanak, ed., vol. 3: *Statesman and Cultural Force* (Basingstoke, UK, 1989), 24-42.

6 Masaryk, *Selbstmord*, 156.

7 그와 샤롯데는 흄의 저작을 독일어로 번역했다. Roman Szporluk, *The Political Thought of T. G. Masaryk* (New York, 1981), 32-33.

8 H. Gordon Skilling, *T. G. Masaryk: Against the Current* (University Park, PA, 1994), 82.

9 Skilling, *T. G. Masaryk*, 84.

10 Skilling, *T. G. Masaryk*, 86-88, 93.

11 Skilling, *T. G. Masaryk*, 90, 92. 그는 유대인들이 문화적으로 체코화된 다음에도 체코 사회에서 별도의 집단으로 남을 것이라고 강하게 믿었다.

12 산업화가 다가오고 있었지만, 중농 농민 계층도 나타나고 있었다. 마사리크는 수정주의 마르크스주의자인 볼마르 및 다비드와 같은 입장을 취하고 권위가 넘치는 카우츠키는 반대했다. T. G. Masaryk, *Die philosophischen und sociologischen Grundlagen des Marxismus* (Vienna, 1899), 304-305.

13 페테르 호이모스의 저작에 기반한 이런 발견은 나의 책에서 더 발전되었다. J. Connelly, *Captive University* (Chapel Hill, NC, 2000), 271.

14 Karel Čapek, *Talks with T. G. Masaryk*, Dora Round, trans. (North Haven, CT, 1995), 175.

15 Bruce Garver, "Masaryk and Czech Politics," in *T. G. Masaryk*, Stanley B. Winters, ed., vol. 1 (London, 1990), 225-239; Szporluk, *Political Thought*, 111-119.

16 7월 오스트리아-헝가리는 수입이건 다른 곳에서의 판매용이건 막론하고 모든 육류 생산품에 문을 닫고, 세르비아 농산물에 가장 높은 관세를 부과했다. Sundhaussen, *Geschichte Serbiens*, 210; Macartney, *Habsburg Empire*, 773.

17 T. G. Masaryk, *Der Agramer Hochverratsprozess und die Annexion von Bosnien und Herzegowina* (Vienna, 1909), vii-ix.

18 역사적 귀족들이라는 의미에서.

19 Ante Starčević, *Politički spisy* (Zagreb, 1971), 30.

20 Mark Biondich, *Stjepan Radić, the Croat Peasant Party, and the Politics of Mass Mobilization, 1904-1928* (Toronto, 2000), 48.

21 Biondich, *Stjepan Radić*, 45, 33-34. "The peasants could no longer be neglected while the old patriots sang odes to the homeland."

22 1890년대 후반에 쓰임. Biondich, *Stjepan Radić*, 44, 50.

23 Biondich, *Stjepan Radić*, 58.

24 Biondich, *Stjepan Radić*, 45-46, 48.

25 Biondich, *Stjepan Radić*, 59.

26 Biondich, *Stjepan Radić*, 59.

27 John D. Bell, *Peasants in Power: Aleksander Stamboliski and the Bulgarian Agrarian Union 1899-1924* (Princeton, NJ, 1977), 69.

28 이 용어는 배링턴 무어가 다음 저작에서 인용한 것이다. Bell, *Peasants*, 52. 선언적인 신화는 '현재 상태에 무엇이 잘못되었고, 이것을 바로잡기 위해 무슨 일을 해야 하는지에 대한 설명'을 제공한다.

29 Bell, *Peasants*, 59.

30 한 마을에서 시장은 '교사들이 자신의 적이기 때문에 자신의 아들을 학교에 보내고 싶어 하는

가장만을 위한 공직자 기능'을 수행했다. Bell, *Peasants*, 9.

31 Bell, *Peasants*, 60, 65.

32 Bell, *Peasants*, 83. 그들은 의원들이 머리에 아무 것도 쓰지 않고 앉아 있는 동안 왕관을 쓰는 것을 거부했다.

33 Bell, *Peasants*, 57.

34 Bell, *Peasants*, 94, 98.

35 Steven Constant, *Foxy Ferdinand, Tsar of Bulgaria* (London, 1979), 292.

36 David G. Winter, *Roots of War: Wanting Power, Seeing Threat, Justifying Force* (Oxford, 2018), 109-110.

37 Okey, *Habsburg Monarchy*, 376.

38 고우초프스키는 1901년 폴란드에 대해 다음과 같이 말했다. "정치적으로 완전한 무질서 상태에 있고, 재정적으로 파산 직전에 있으며, 군사적으로 아무 쓸모없고 연약한 이 나라는 우리의 힘 안에 많이 놓여 있기 때문에 앞으로 항상 우리에게 의존하게 될 것이다." Okey, *Habsburg Monarchy*, 362. 하인리히 칸네르는 오스트리아를 '불구 국가(Krüppelstaat)'로 남겨 놓는 세르비아의 '땅속 요정 국가(Zwergstaat)'를 혐오하는 운동에 대해 썼다. Heinrich Kanner, *Kaiserliche Katastrophenpolitik: Ein Stück zeitgenössischer Geschichte* (Leipzig, 1922), 58. 다음도 보라. Hans Hautmann, "K.u.k. Mordbrenner," *Junge Welt* (Berlin), July 28, 2014.

39 Igor Despot, "Croatian Public Opinion toward Bulgaria during the Balkan Wars," *Études Balkaniques* 46:4 (2010), 147-148.

40 Joachim Remak, *Sarajevo: The Story of a Political Murder* (New York, 1959), 65.

41 게일 스토크는 이것을 '발전이 없는 정치'라고 불렀다. John Lampe, *Yugoslavia as History: Twice There Was a Country* (Cambridge, 1996), 55.

42 Hoensch, *Geschichte Böhmens*, 400.

43 Pavlina Bobič, *War and Faith: The Catholic Church in Slovenia, 1914-1918* (Leiden, 2012), 12-14.

44 Charles Arthur Ginever, *The Hungarian Question: From a Historical, Economical and Ethnographical Point of View*, Ilona De Győry Ginever, trans. (London, 1908), 45.

45 Solomon Wank, "The Nationalities Question in Habsburg Empire," Working paper 93-3, Center for Austrian Studies, University of Minnesota, April 1993, 3. 1907년 이후 언어법을 이용해 크로아티아인들이 만든 장애에 대해서는 다음 자료를 보라. Robert A. Kann, *A History of the Habsburg Empire, 1526-1918* (Berkeley, 1974), 448.

46 Macartney, *Habsburg Empire*, 792, 799. Jan Křen, *Integration oder Ausgrenzung: Deutsche und Tschechen* (Bremen, 1986), 17.

47 그는 아직 20세가 채 되지 않았다. 20세 이상인 사람은 교수형에 처해졌다. Cathie Carmichael,

Concise History of Bosnia (Cambridge, 2015), 55-56.

48 William Carr, *History of Germany, 1815-1945* (New York, 1979), 219. 로빈 오케이가 쓴 것처럼 "수동적인 군주정을 포위한 소요를 일으키는 공격적인 적이라는 범슬라브주의 개념은 군주정으로 하여금 전쟁에 돌입하도록 만들었다". Okey, *Habsburg Monarchy*, 378-379.

49 Victor Mamatey, "The Establishment of the Republic," in *A History of the Czechoslovak Republic 1918-1948*, Victor Mamatey and Radomir Luža, eds. (Princeton, NJ, 1973), 10-11.

50 오스트리아군이 작은 세르비아 영토를 장악하지 못하고 세계 다른 곳에서 제국의 잘못된 모험을 상기시켰기 때문에 복수는 더욱 격렬했다. Hans Hautmann, "k.u.k. Mordbrenner"; *Krvavi trag Velikog rata. Zlocini Austrougarske i njenih savenznika 1914-1918*, Hans Hautmann and Milos Kazimirovic, eds. (Novi Sad, Serbia, 2015).

51 그들은 합스부르크가에 충성을 표현했지만, '자치'에 대해서도 말했다. 19세기 후반 자유주의적 민족 엘리트에 대해서는 다음 자료를 보라. Otto Urban, "Czech Liberalism," in *Liberty and the Search for Identity*, Ivan Zoltan Denes, ed. (Budapest, 2006), 304.

52 McCagg, *History of Habsburg Jews*, 163.

12장 1919년: 새로운 유럽과 오래된 문제들

1 1917년 구성된 제헌의회에는 370명의 사회혁명당원, 40명의 좌파 사회혁명당원, 170명의 볼셰비키, 34명의 멘셰비키와 기타 다른 정파 대표 100명이 참여했다. Nicholas V. Riasanovsky, *A History of Russia* (New York, 1993), 476-477; Scott B. Smith, *Captives of Revolution: The Socialist Revolutionaries and the Bolshevik Dictatorship* (Pittsburgh, PA, 2011).

2 전후 동원에 대한 접근법은 다음 네 가지 혁명 노선을 대표한다. 평화주의자, 사회주의자(공산주의자를 의미), 민족주의자, 농민이다. 이들은 러시아에서 가장 성공적으로 나왔다. Tibor Hajdu, "Socialist Revolution in Central Europe," in *Revolution in History*, Roy Porter and Mikuláš Teich, eds., (Cambridge, 1986), 101-118.

3 만일 사회주의자들이 압제 받는 민족들의 권리를 위해 일어나는 데 실패했다면, 노동계급을 포함한 이 민족주의자들은 애국주의를 부르짖는 부르주아의 속임수에 넘어가서 사회주의 혁명을 반대했을 것이다. V. I. Lenin, "The Socialist Revolution and the Right of Nations to Self-Determination," February 1916, in *Collected Works*, vol. 5 (New York, 1935), 272.

4 1917년 12월 29일 성명문. Derek Heater, *National Self-Determination: Woodrow Wilson and His Legacy* (New York, 1994), 36-37.

5 '평화를 위한 연맹(A League for Peace)'. Address to the US Senate of January 22, 1917, in 64

Congress, 2 Session, Senate Document no. 685 (Washington, DC, 1918).

6 1918년 5월 18일 윌슨은 자유를 갈망하는 '전 세계 억압받고, 도움을 받지 못하는 민족들'을 위해 기치를 들었다. Ray Stannard Baker, ed., *Woodrow Wilson and World*, vol. 1 (New York, 1923), 16. 합스부르크 국가에 대한 그의 연구에 대해서는 다음 자료를 보라. Woodrow Wilson, *The State: Elements of Historical and Practical Politics* (Boston, 1889), 334-365.

7 August Schwan, "Permanent Peace," *The Survey*, March 6, 1915, 623; *Supplement to the Messages and Papers of the Presidents Covering the Second Term of Woodrow Wilson* (New York, 1921), 8667.

8 "Reply of President Wilson to the Austrian Proposal," October 18, 1918, in *Official Statements of War Aims and Peace Proposals*, James Brown Scott, ed. (Washington, DC, 1921), 427-428.

9 Ivo Banac, *The National Question in Yugoslavia: Origins, History, Politics* (Ithaca, NY, 1984), 98. 수필로는 1916년 위원회가 세르비아 중앙주의에 대해 싸움을 벌이도록 남겨둔 채 런던의 요양소에서 심장마비로 사망했다. Ahmet Ersoy et al., eds., *Modernism: The Creation of Nation-States*, vol. 1 (Budapest, 2007), 250.

10 Alan Sharp, *The Versailles Settlement* (New York, 1991), 130-131.

11 Z. A. B. Zeman, *The Break-Up of the Habsburg Empire* (New York, 1961), 113; Macartney, *Habsburg Empire*, 829.

12 István Deák, *Beyond Nationalism: A Social and Political History of the Habsburg Officer Corps* (Oxford, 1990), 201. 군 지휘부가 더 위엄한 상황에서 이들을 사용했기 때문에 사망자 숫자는 독일인이나 헝가리인보다 더 높았다.

13 Włodzimierz Borodziej, *Geschichte Polens im 20. Jahrhundert* (Munich, 2010), 87.

14 Zeman, *Break-Up of the Habsburg Empire*, 169. 반슬라브 고정관념에 바탕을 둔 비난이 넘쳐난 것에 대해서는 다음 자료를 보라. Martin Moll, "Mentale Kriegsvorbereitung," in *Die Habsburgermonarchie und der erste Weltkrieg*, Helmut Rumpler, ed., vol. 11, part 1 (Vienna, 2016), 196; Jürgen Angelow, "Der Erste Weltkrieg auf dem Balkan," in *Durchhalten: Krieg und Gesellschaft im Vergleich*, Arnd Bauerkämper et al., eds. (Göttingen, 2010), 183. 헝가리에서 기초 훈련을 받은 체코인들은 자신들의 상사가 불복종으로 사형 언도를 받는 것을 보았다. 그들은 얀 후스의 순교를 기념하는 〈7월 6일〉을 불렀다. "Story of a Czechoslovak Private," *Czechoslovak Review*, December 1918, 206.

15 Zeman, *Break-Up of the Habsburg Empire*, 126, 128. 국가의 자연권에 대한 요구는 마사리크의 진보당 강령의 핵심이었다.

16 Otto Bauer, *Die österreichische Revolution* (Vienna, 1923), 110; Zeman, *Break-Up of the Habsburg Empire*, 145.

17 에밀 스트라우스에 의하면, 이것은 이 지역을 처음 강타한 혁명 선동이었다. Emil Strauss, *Die Entstehung der tschechoslowakischen Republik* (Prague, 1934), 229-230; Bogumil Vosnjak, "Jugoslavia: A Commonwealth in the Making," *The Nation*, July 13, 1918, 36; Edward James Woodhouse, *Italy and the Jugoslavs* (Boston, 1920), 147.

18 반란은 5월 13일 유덴부르크에서 일어났고, 5월 20일에는 펙스, 5월 21일에는 룸부르크, 5월 23일 크라쿠프, 6월 2일 크라구예바츠(여기에서는 44명의 병사가 처형되었다), 6월 16일 크라쿠프, 7월 2일 뵈르글, 7월 4일 자모시치에서도 일어났다. Jaroslav Pánek, *A History of the Czech Lands* (Prague, 2009), 389; Robert Foltin, *Herbst 1918* (Vienna, 2013), 171; Manfred Scheuch, *Historischer Atlas Österreich* (Vienna, 2008), 212; Wolfdieter Bihl, *Der Weg zum Zusammenbruch. Österreich-Ungarn unter Karl I.(IV.), in Österreich* 1918-1938. *Geschichte der Ersten Republik*, Erika Weinzierl and Kurt Skalnik, eds., vol.1 (Vienna, 1983), 35; Borodziej, *Geschichte*, 88; Strauss, *Die Entstehung*, 229-230.

19 이것은 할레 사건의 일부였다. Peter Broucek, "Seidler von Feuchtenegg, Ernst," in *Österreichisches biographisches Lexikon 1815-1950*, vol. 12 (Vienna, 2001-2005), 131-132.

20 Okey, *Habsburg Monarchy*, 392, 394.

21 사회주의자들은 그 전 주에 자신들의 폴란드 정부를 구성했다.

22 10만 명 이상의 사람들이 이 회의에 참석한 것으로 추정되었다. Keith Hitchins, *Rumania 1866-1947* (Oxford, 1994), 283.

23 Karel Zmrhal, *Armáda ducha druhé mile* (Chicago, 1918).

24 Derek Sayer, *The Coasts of Bohemia: A Czech History* (Princeton, NJ, 1998), 86; Josef Harna and Rudolf Fišer, *Dějiny českých zemi*, vol. 2 (Prague, 1995), 136; *Pilsner Tagblatt*, October 29, 1918, 1.

25 Zdeněk Kárník, *České země v éře první republiky*, vol. 1 (Prague, 2000), 37.

26 Stanisław Kutrzeba, *Polska odrodzona* (Kraków, 1988), 74, 77, 78; Borodziej, *Geschichte*, 91; Davies, *God's Playground*, vol. 2, 289.

27 Davies, *God's Playground*, vol. 2, 391.

28 이것은 오스카르 야시가 언명한 것이다. Lendvai, *Hungarians*, 367; Tibor Hajdú and Zsuzsa Nagy, "Revolution, Counterrevolution, Consolidation," in *History of Hungary*, Sugar et al., eds., 303.

29 Ivan T. Berend, *Decades of Crisis: Central and Eastern Europe before World War II* (Berkeley, 1998), 127.

30 그러나 이와 동시에 그의 정부는 사회적 입법, 일례로 실업 수당과 주 48시간 노동 등의 사회 입법도 진행했다. Berend, *Decades of Crisis*, 128.

31 이 칙령은 공화국 붕괴 2주 전인 1919년 7월 17일 발표되었다. György Borsányi, *The Life of a Communist Revolutionary: Béla Kun*, Mario Fenyo, trans. (New York, 1993), 198.

32 Raphael Patai, *The Jews of Hungary: History, Culture, Psychology* (Detroit, 1996), 468.

33 쿤과 42명의 그의 인민위원은 유대인이었다. Robert Paxton, *The Anatomy of Fascism* (New York, 2004), 25.

34 폴란드에서 사망한 유대인 수에 대한 가장 낮은 추정치는 400명이고, 높은 추정치는 532명이다. William W. Hagen, *Anti-Jewish Violence in Poland, 1914-1920* (Cambridge, 2018), 512. 러시아 내전 상황에서 우크라이나에서만 1500번 이상의 포그롬이 일어났다. 대부분은 희생자는 백군이나 우크라이나군이 통제하는 지역에서 발생했지만, 적군을 포함한 모든 군대가 유대인을 희생양으로 삼았다. Oleg Budnitskii, *Russian Jews between the Reds and the Whites* (Philadelphia, 2012), 1, 216-217, 367-369.

35 Ezra Mendelsohn, *The Jews of East Central Europe between the World Wars* (Bloomington, IN, 1987), 98-99.

36 Reflections of Ján Smrek, *Sborník mladej slovenskej literatúry*, Ján Smrek, ed. (Bratislava, 1924), 298.

37 3월 15일 커너 의정서. Lawrence E. Gelfand, *The Inquiry: American Preparations for Peace* (New Haven, CT, 1963), 219. 헝가리 지리학자인 페렌츠 포도르(1887-1962)는 이와 동시에 슬로바키아인들과 체코인들은 같은 민족이 아니고, 슬로바키아인들과의 경쟁에서 마자르인들이 승리한 것이 카르파티아산맥 지역에 대한 헝가리의 자연적 영유권을 제공한다고 주장했다. Ferenc Fodor, *The Geographical Impossibility of the Czech State* (Budapest, 1920), 7-8.

38 James Felak, "The Slovak Question," in *The Czech and Slovak Experience*, John Morison, ed. (London, 1992), 141; Brent Mueggenberg, *The Czecho-Slovak Struggle for Independence* (Jefferson, NC, 2014), 243; Stephen Bonsal, *Suitors and Suppliants: The Little Nations at Versailles* (New York, 1946), 160. 1925년 흘린카의 인민당원 수는 48만 9111명이었고, 이것은 슬로바키아 투표의 34.4퍼센트를 득표하는 결과로 나타나 슬로바키아에서 가장 큰 정당이 되었다. Joseph Rothschild, *East Central Europe between the Two World Wars* (Seattle, 1974), 110.

39 Marcus Tanner, *Croatia: A Nation Forged in War* (New Haven, CT, 1997), 120.

40 Carol Skalnik Leff, *National Conflict in Czechoslovakia* (Princeton, NJ, 1988), 135-136.

41 Samuel Ronsin, "Police, Republic, and Nation: The Czechoslovak State Police," in *Policing Interwar Europe: Continuity Change and Crisis*, G. Blaney, ed. (New York, 2007), 154. Václav Beneš, "Czechoslovak Democracy and Its Problems," in *History of the Czechoslovak Republic*, Mamatey and Luža, eds., 77.

42 Leff, *National Conflict*, 138.

43 자치 약속에 대해서는 다음 자료를 보라. David and Kann, *Peoples of the Eastern Habsburg Lands*, 324.

44 Rothschild, *East Central Europe*, 89; "Summary," in *History of the Czechoslovak Republic*, Mamatey and Luža, eds., 462. 슈로바르는 소수파인 개신교 주민에서 민족 의회에 참가하는 슬로바키아 대표 절반과 7명의 체코인을 선발했다(전체의 약 12퍼센트). Beneš, "Czechoslovak Democracy," 57, 92-94.

45 Lucian Boia, *History and Myth in Romanian Consciousness* (Budapest, 2001), 43; Katherine Verdery, *Transylvanian Villagers: Three Centuries of Poltical, Economic, and Ethnic Change* (Berkeley, 1983), 273, 278.

46 Stephen Fischer-Galati, *Twentieth Century Rumania* (New York, 1991), 27; Caius Dobrescu, "Conflict and Diversity in East European Nationalism," *East European Politics and Societies* 17:3 (2003), 398.

47 Rothschild, *East Central Europe*, 287. 1931년까지 헝가리왕국과 이 지역에서 온 11명의 관리가 트란실바니아 고등법원에서 일했지만, 지역 검찰에는 트란실바니아인이 한 명도 없었다. 이런 상황은 경찰, 교육, 세관 관리 구성에서도 유사했다. Florian Kührer-Wielach, *Siebenbürgen ohne Siebenbürger? Zentralstaatliche Integration und politischer Regionalismus nach dem Ersten Weltkrieg* (Munich, 2014), 241-249.

48 Banac, *National Question*, 233.

49 이것은 우리 시대 우파 포퓰리스트에 대한 유권자들의 불만이기도 하다. Stephen Holmes, "How Democracies Perish," in Cass Sunstein, *Can It Happen Here? Authoritarianism in America* (New York, 2018), 327-428.

50 Sherman Spector, *Rumania at the Paris Peace Conference* (New York, 1962), 234.

51 John Maynard Keynes, *Economic Consequences of the Peace* (New York, 1920), 52, 249.

52 Jeremy King, *Budweisers into Czechs and Germans: A Local History of Bohemian Politics, 1848-1948* (Princeton, NJ, 2002), 157.

53 Bonsal, *Suitors and Suppliants*, 150-151, Detlev Brandes, "Die Tschechoslowakei," in *Versailles* 1919: *Ziele, Wirkung, Wahrnehmung*, Gerd Krumeich, ed. (Essen, Germany, 2001), 177. 네덜란드 특파원이 마사리크에게 왜 독일의 의사를 거슬리며 300만 명의 독일인을 체코슬로바키아에 포함시켰는지 묻자, 그는 "천만 명의 인구를 가진 민족이 50만 명을 잃는 것보다 독일인처럼 7000만 명의 인구를 가진 민족은 훨씬 쉽게 300만 명을 잃을 수 있다"라고 대답했다. Roman Szporluk, *The Political Thought of Tomáš G. Masaryk* (New York, 1981), 136. 이 총살에 대해서는 다음 자료를 보라. Rothschild, *East Central Europe*, 79.

54 이것은 다음 자료에 인용된 1918년 12월 20일 일기 내용이다. D. Perman, *The Shaping of the*

Czechoslovak State: A Diplomatic History of the Boundaries of Czechoslovakia (Leiden, 1962), 139.

55 Perman, *Shaping*, 139; "Big Fleet to Meet Wilson," *New York Times*, December 4, 1918, 3.

56 그의 동료들은 커너의 친슬라브적인 편견에 대해 불평했지만, 그의 언어적 기술은 너무나 독보적이어서 계속 그를 붙잡아두었다. Gelfand, *Inquiry*, 45, 58, 131. 1919년 조사의 임시 보고에 기록된 독일인 숫자는 25만 명이었다. Gelfand, *Inquiry*, 204.

57 다른 경험 많은 외교관들이 이 위원회에서 일했다. Perman, *Shaping*, 133.

58 Perman, *Shaping*, 134-135.

59 Hugh Seton-Watson, *Eastern Europe between the Wars* (Cambridge, 1945), 198; Rothschild, *East Central Europe*, 89.

60 다음 지도도 참조하라. Paul Robert Magosci, *Historical Atlas of Central Europe* (Seattle, 2002), 149.

61 Zsuzsa L. Nagy, "Revolution, Counterrevolution, Consolidation," in *History of Hungary*, Sugar et al., eds., 314.

62 Margaret Macmillan, *Paris 1919: Six Months That Changed the World* (New York, 2003), 260; Hitchins, *Rumania*, 284.

63 트란실바니아와 베사라비아에서 주민투표를 실시해야 한다는 요구가 있었고, 미국인들이 특히 이를 요구했다. 그러나 루마니아인들은 이에 강력히 반대했고, 갈리시아의 폴란드인들도 마찬가지였다. 루마니아인들에 대해서는 다음 자료를 보라. Spector, *Rumania at the Paris Peace Conference*.

64 이때가 프레드리히 빌헬름이 동프로이센의 주권을 취소한 해였다. 유사한 지역인 알렌슈타인/올슈틴을 포함한 바르미아는 1772년까지 폴란드에 남아 있었다. Robert I. Frost, *After the Deluge States: Poland-Lithuania and the Second Northern War* (Cambridge, 2004), 97-98.

65 Piotr Wandycz, *The United States and Poland* (Cambridge, MA, 1980), 142-143.

66 Davies, *God's Playground*, vol. 2, 398-399.

67 반디츠는 이것을 민족민주 평화라고 불렀다. *The United States and Poland*, 156.

68 Andrzej Micewski, *Roman Dmowski* (Warsaw, 1971), 296.

69 젤리고우스키의 행동은 피우수트스키의 통제를 벗어난 반란으로 간주되었지만, 실제는 피우수트스키가 조직한 것이었다. Antony Polonsky, "The Emergence of an Independent Polish State," in *History of Poland*, Leslie, ed., 138. 브와디스와프 그라프스키는 스파에서 이 약속을 했다. Borodziej, *Geschichte*, 119.

70 좀 더 인종적으로 순수한 폴란드에 대한 제안인 영국 외무장관 조지 커즌이 제안한 경계선도 수백만 명의 폴란드인을 제외시켰고, 모든 폴란드 정당이 이에 반대했다. Borodziej, *Geschichte*, 119. 영국 대중은 이 '커즌 라인'을 독일 민족에서 공평한 경계선으로 여겼다. 세톤-

왓슨의 시각에 대해서는 다음 자료를 참조하라. Hugh and Christopher Seton-Watson, *The Making of a New Europe* (London, 1981), 407.

71 Wandycz, *The United States and Poland*, 157.

72 그는 폴란드 의회 조사 후 모든 혐의를 벗었다. Alina Cała, *Ostatnie pokolenie: autobiografie polskiej młodzieży żydowskiej okresu międzywojennego* (Warsaw, 2003), 137; Agnieszka Knyt, ed., *The Year 1920: The War between Poland and Bolshevik Russia* (Warsaw, 2005).

73 국제적 항의가 일어나자 수용소는 폐쇄되었지만, 유대인 병사들에 대한 차별은 계속되었다. Tomasz Stanczyk, "Internowani w Jabłonnie," *Rzeczpospolita* (Warsaw), July 28, 2008. 폴란드의 목표에 대한 유대인들이 지지에 대해서는 다음 자료를 보라. Janusz Szczepański, *Społeczeństwo Polski w walce z najazdem bolszewickim 1920 roku* (Warsaw, 2000), 242-247. 특히 시온주의자와 정교회 공동체는 자신들의 구성원들이 '폴란드 국가의 독립을 위해서' '자신들의 애국적 의무를 수행할 수 있도록' 요구했다. 그러나 특히 동부에는 폴란드 국가성과 자신을 일치시키지 않는 많은 유대인들이 있었다. Szczepański, *Społeczeństwo Polski*, 243, 246. Andrzej Krzysztof Kunert, *Polacy — Żydzi 1939-45: wybór źródeł* (Warsaw, 2006), 9.

74 이곳은 격렬한 전투 후 폴란드군이 장악했다(이곳에서도 몇 번의 포그롬이 있었고, 1918년 11월 일어난 최악의 포그롬으로 150명의 유대인이 사망했다). William W. Hagen, "The Moral Economy of Popular Violence: The Pogrom in Lwów, November 1918," in *Antisemitism and Its Opponents in Modern Poland*, Robert Blobaum, ed. (Ithaca, NY, 2005 129.

75 March 18, 2014.

76 Paul Robert Magocsi, *Historical Atlas of Central Europe* (Seattle, 2002), 140.

77 J. W. Bruegel, *Czechoslovakia before Munich* (Cambridge, 1973), 60; King, *Budweisers into Czechs and Germans*, 169.

78 Daniel Stone, ed., *The Polish Memoirs of William John Rose* (Toronto and Buffalo, NY, 1975), 104.

79 King, *Budweisers into Czechs and Germans*, 160; Szporluk, *Political Thought*, 135. 마사리크는 "인류와 민족은 서로를 필요로 한다"라고 말했다. H. Gordon Skilling, *T. G. Masaryk: Against the Current, 1882-1914* (University Park, PA, 1994), 147.

80 Robin Okey, *Eastern Europe, 1740-1985: Feudalism to Communism* (Minneapolis, MN, 1982), 165.

81 오스틴 체임벌린은 "소수민족 조약과 그에 의거한 임무 종료를 하는 위원회의 목적은 보호와 정의 조치를 통해 소수민족들이 자신들이 속한 민족 공동체로 점차적으로 부상하도록 돕는 것이다"라고 말했다. Hans Rothfels, *Bismarck, der Osten , und das Reich* (Darmstadt, 1960), 16; C. A. Macartney, *National States and National Minorities* (London, 1934), 275, 277.

82 Helke Stadtland, "Sakralisierte Nation und Säkularisierte Religion," in *Beyond the Balkans: Toward an Inclusive History of Southeastern Europe*, Sabine Rutar, ed. (Vienna, 2014), 190; 그리고 여러 자료에 대해서는 다음 사이트를 참조하라. Nikolaus Barbian, *Auswärtige Kulturpolitik und Auslandsdeutsche in Lateinamerika* (Osnabrück, 2013), 67; Matthias Lienert, *Zur Geschichte des DAI* (Berlin 1989), 7.

13장 민족자결주의의 실패

1 영국 학자 제임스 브루스는 1921년 자신의 중요한 저술《현대 민주주의(Modern Democracies)》에서 '정상적이고 자연적인 형태의 정부로서 민주주의의 보편적 수용'에 대해 논했다. 다음 자료에서 인용함. Mark Mazower, *Dark Continent: Europe's Twentieth Century* (New York, 1999), 4.
2 그래서 코르푸 선언은 새로운 국가는 "입헌적이고, 민주주의적인 의회 전제정이다"라고 선언했다. 헌신적 민주주의자인 니콜라 파쉬치는 세르비아인들을 일어나게 만든 민주적 정신은 슬로베니아인과 크로아티아인에게도 자리 잡았다라고 전제했다. Alex N. Dragnich, *The First Yugoslavia: The Search for a Viable Political System* (Stanford, CA, 1983), 7-8.
3 Stone, *Polish Memoirs*, 77.
4 이것은 독일인이 되기를 거부한, 전쟁 중 만난 한 폴란드 사람의 영감이었다. William John Rose, "A New Idealism in Europe," *New Europe*, December 12, 1918, 197.
5 Carlton Hayes, *A Brief History of the Great War* (New York, 1920), 388, 395; G. K. Chesterton, "Edward Benes—Central Europe's Peacemaker," *Current History* 16 (1922), 575. "전반적으로 전후 대중의 담론은 열성적인 해석이 지배했다. … 보통선거권은 만병통치약 같은 치유력을 가지고 있는 것처럼 보였다." Sorin Radu, "Peasant Democracy," in *Politics and Peasants in Interwar Romania* (Newcastle upon Tyne, UK, 2017), 30-34.
6 Rose, "New Idealism," 198-199.
7 투표권은 1922년 29.5퍼센트로 감소되었다. 1922년부터 1935년 사이 치러진 네 번의 총선에서 정부 집권당은 980석 중 628석(64.1퍼센트)을 얻었고, 이 중 578석은 사실상 공개 투표가 진행된 선거구에서 승리한 것이다. Andrew Janos, *The Politics of Backwardness in Hungary* (Princeton, NJ, 1982), 212-213.
8 David Mitrany, *Rumania: Her History and Politics* (London, 1915), 29-30.
9 대(大) 루마니아에 대한 미트라니의 사고에서는 마자르인이 트란실바니아에 속한다는 사고는 전혀 없었다. 이곳은 루마니아 땅으로 제시되었다. David Mitrany, *Greater Rumania: A Study in National Ideals* (London, 1917), 15, 20. 그의 이후 시각에 대해서는 다음 자료

를 보라. David Mitrany, "Human Rights and International Organization," *India Quarterly* 3 (1947), 402-430.

10 루마니아는 1929년 이를 따랐고, 유고슬라비아는 2차 세계대전 후 이를 따랐다.

11 카를 황제는 1922년 망명 중 사망했다.

12 Hajdú and Nagy, "Revolution, Counterrevolution, Consolidation," 312-313.

13 C. A. Macartney, *Hungary: A Short History* (Edinburgh, 1962), 211.

14 1921년 4월 19일 정부 선언문에서. Margit Szöllösi-Janze, *Die Pfeilkreuzlerbewegung in Ungarn* (Munich, 1989), 78. 민주주의에 대한 베들렌의 접근에 대해서는 다음 자료를 보라. Janos, *Politics of Backwardness*, 210-211.

15 Mária Ormos, "The Early Interwar Years," in *History*, Sugar, ed., 320; Zsolt Nagy, *Great Expectations and Interwar Realities: Hungarian Cultural Diplomacy 1918-1941* (Budapest, 2017), 48-49.

16 이것은 인구의 54.8퍼센트가 투표할 수 있었던 1919-1920년에서 한 발 퇴보한 것이다. Paul A. Hanebrink, *In Defense of Christian Hungary: Religion, Nationalism, and Anti-Semitism* (Ithaca, NY, 2006), 109.

17 Macartney, *Hungary*, 213, 218. 약 29만 8000명의 수혜자가 있었다.

18 Seton-Watson, *Eastern Europe between the Wars*, 190.

19 Ormos, "Early Interwar Years," 321, 324.

20 반대파는 사회민주당, 기독사회당, 다른 부르주아 정당 구성원들로 구성되었다. Ormos, "Early Interwar Years," 320.

21 베들렌-페예르조약(Bethlen-Peyer Pact)으로 불린 이 합의는 1921년 이루어졌다. Janos, *Politics of Backwardness*, 234-235; Dylan Riley, *The Civic Foundations of Fascism in Europe* (Baltimore, 2010), 176.

22 Seton-Watson, *Eastern Europe between the Wars*, 191.

23 Rothschild, *East Central Europe*, 297.

24 그 이유는 국왕이 먼저 정부를 지명하고, 그런 다음 정부의 통제하에 있는 행정기구의 도움을 받아 선거를 '만드는' 과제를 위임했기 때문이다. Henry L. Roberts, *Rumania: Political Problems of an Agrarian State* (New Haven, CT, 1951), 102; Stephen Fischer-Galati, *Twentieth Century Rumania* (New York, 1991), 35.

25 Fischer-Galati, *Twentieth Century Rumania*, 35-36; Rothschild, *East Central Europe*, 297. 이들은 헝가리인보다 훨씬 더 토지 개혁을 잘 했지만 이 개혁은 철저히 정치적이었다.

26 Roberts, *Rumania*, 100-101.

27 Rothschild, *East Central Europe*, 301.

28 Rothschild, *East Central Europe*, 306-308; Rebecca Haynes, "Reluctant Allies? Iuliu Maniu

and Corneliu Zelea Codreanu against King Carol II of Romania," *The Slavonic and East European Review* 85:1 (2007), 109; "Rumania: Its People Await Hitler's Drive," *Life*, January 9, 1939, 49.

29 Roberts, *Rumania*, 134; Hitchins, *Romania*, 415.

30 Rothschild, *East Central Europe*, 332, 336; Seton-Watson, *Eastern Europe between the Wars*, 243.

31 Richard Busch-Zantner, *Bulgarien* (Leipzig, 1943), 136.

32 R. J. Crampton, *A Concise History of Bulgaria* (Cambridge, 1997), 151; Misha Glenny, *The Balkans: Nationalism, War, and the Great Powers* (New York, 2000 397.

33 Crampton, *Concise History*, 154; Rothschild, *East Central Europe*, 337.

34 Alan Palmer, *The Lands Between: A History of Eastern Europe* (London, 1970), 179.

35 변호사들은 의회나 지역 의회와 다른 공적 기관에 자리를 차지하는 것이 금지되었다. Crampton, *Concise History*, 152.

36 Rothschild, *East Central Europe*, 334-335; Seton-Watson, *Eastern Europe between the Wars*, 243; Crampton, *Concise History*, 154; Glenny, *The Balkans*, 398.

37 이 합의가 니슈협약(Niš convention)이다. Crampton, *Concise History*, 155.

38 IMRO는 이 지역을 오스만 통치에서 해방하기 위해 1893년 창설되었고, 전간기 중 지역적 연계망이자 게릴라군이 되어 크로아티아 우스타샤와 협력했다. Seton-Watson, *Eastern Europe between the Wars*, 244; Busch-Zantner, *Bulgarien*, 139.

39 Crampton, *Concise History*, 155; Seton-Watson, *Eastern Europe between the Wars*, 245.

40 Crampton, *Concise History*, 156; C. A. Macartney and A. W. Palmer, *Independent Eastern Europe: A History* (London, 1962), 227.

41 Frederick B. Chary, *History of Bulgaria* (Santa Barbara, CA, 2011), 71-72; Busch-Zantner, *Bulgarien*, 141; Seton-Watson, *Eastern Europe between the Wars*, 246; Crampton, *Concise History*, 157.

42 Paul Robert Magosci, *Historical Atlas of Central Europe* (Seattle, 2002), 141; Rothschild, *East Central Europe*, 202.

43 Rothschild, *East Central Europe*, 82.

44 이것은 슬로바키아인민당 재창설회의에서 일어난 일이었다. James Mace Ward, *Priest, Politician, Collaborator: Jozef Tiso and the Making of Fascist Slovakia* (Ithaca, NY, 2012).

45 다음 자료에서 인용함. Ante Cuvalo, "Stjepan Radić: His Life, His Party, His Politics," *American Croatian Review* 5:3-4 (1998), 36-40.

46 그는 1924년 자신의 당을 코민테른, 농민인터내셔널과 연합시켰다가 1925년 농민당 지도부 전체와 함께 체포되었다. Markus Tanner, *Croatia: A Nation Forged in War* (New Haven,

CT, 1997), 121.

47 Tim Judah, *The Serbs: History, Myth, and the Destruction of Yugoslavia*, second edition (New Haven, CT, 2000), 110. 국왕은 이 제안을 스베토자르 프리비체비치를 통해 전달했다. "우리는 평화롭게 함께 살 수 없기 때문에 스웨덴과 노르웨이처럼 갈라지는 것이 더 낫다."

48 그 당도 마찬가지로 유명한 크로아티아 인물들을 보유하지 못했다. 이 연정은 '농민 민주 연정'이라고 불렸다. Dejan Djokić, *Elusive Compromise: A History of Interwar Yugoslavia* (New York, 2007), 65-68.

49 1929년 1월 6일 선언에서 그는 "맹목적인 정치적 열정이 의회제도를 남용하고 있어서 … 국가 내에서 과실 있는 일을 하는 데 방해가 될 정도가 되었다"라고 말했다. Snežana Trifunovska, *Yugoslavia through Documents: From Its Creation to Its Dissolution* (Dordrecht, 1994), 191.

50 Peter Haslinger, "The Nation, the Enemy, and Imagined Territories: Slovak and Hungarian Elements in the Emergence and Decline of a Czechoslovak National Narrative 1890-1938," in *Creating the Other. The Causes and Dynamics of Nationalism, Ethnic Enmity, and Racism in Eastern Europe*, Nancy Wingfield, ed. (Providence, RI, 2003), 169-182.

51 페트카는 이 사건 직후인 1920년 가을 결성되었다. Zdeněk Kárník, *České země v éře První republiky, 1918-1938* (Prague, 2000), 140-142; Victor S. Mamatey, "The Development of Czechoslovak Democracy," in *History of the Czechoslovak Republic, 1918-1948*, Victor S. Mamatey and Radomir Luza, eds. (Princeton, NJ, 1973), 108.

52 Antony Polonsky, *The Little Dictators: A History of Eastern Europe since 1918* (Abington-on-Thames, UK, 1975), 120; Mamatey, "Development," 127. 새 교회는 몇 년 안에 약 80만 명의 신도를 거느리게 되었다. 이 교회는 체코어로 예배를 진행하고, 후스파 관행(Hussite practices)에 따른 자체 의례를 개발하려고 시도했다. Martin Schulze Wessel, "Die Konfesionalisierung der tschechischen Nation, in Heinz-Gerhard Haupt and Dieter Langewiesche, eds., *Nation und Religion in Europa* (Frankfurt, 2004), 146.

53 Polonsky, *Little Dictators* 120.

54 영국의 데이비드 로이드 조지 수상은 테쉰이 어디에 있는지 무엇인지를 말할 수 없었다. Stone, *Polish Memoirs*, ix; R. H. Bruce Lockhart, *Retreat from Glory* (London, 1934). 동유럽 국가들의 교역 감소에 대해서는 다음 자료를 보라. Ivan T. Berend, *Decades of Crisis* (Berkeley, 1998), 241-242.

55 세르비아인들은 세르비아, 보스니아, 오스트리아-헝가리에서 왔고, 폴란드인들은 독일, 오스트리아, 러시아에서 왔다.

56 그는 폴란드를 자신의 오랜 러시아 동지들에게 팔 준비가 되어 있었던 것으로 보였다. Borodziej, *Geschichte*, 117; Adam Michnik, "Naganiacze i zdrajcy," *Gazeta Wyborcza*, September 28, 2006.

57 1924년 즐로티가 마르크화를 대신했고 금과 연동되었다. 즐로티는 1925년 평가절하되었지만 1926년 늦게 1924년 가치의 72퍼센트로 다시 안정화되었다. "Zloty Will Replace Polish Mark," *New York Times*, May 19, 1924; Barry Eichengreen, *Monetary Regime Transformations* (Aldershot, UK, 1992), 161.

58 Piotr Wróbel, "The Rise and Fall of Parliamentary Democracy in Interwar Poland," in *The Origins of Modern Polish Democracy*, M. B. B. Biskupski et al., eds. (Athens, OH, 2010), 135. 폴란드 대학의 유대인 학생 수는 1925년 25퍼센트에서 1937-1938년 8.2퍼센트로 감소되었다. Yfaat Weiss, *Deutsche und polnische Juden vor dem Holocaust* (Munich, 200), 113. 합스부르크 통치 시기 동부 러시아에는 2612개의 우크라이나 초등학교가 있었지만, 1928년이 되자 단 700개만 남았다. Wenzel Jaksch, *Europe's Road to Potsdam* (New York, 1964), 255.

59 다음 자료에 나온 대로 언론 전체는 1916년 이전 정치체제의 대안을 요구하는 듯 보였다. Borodziej, *Geschichte*, 144-145.

60 Borodziej, *Geschichte*, 145.

61 Andrzej Garlicki, *Przewrót majowy* (Warsaw, 1979), 388; Antony Polonsky, "The Emergence of an Independent Polish State," in Leslie, ed., *History*, 155.

62 "Gave a Cue for Revolt: Pilsudski Began Movement through Democratic Newspapers," *New York Times*, May 15, 1926. 흥미롭고 혼란스런 비유의 혼란이 좌파와 우파에서 나왔다. 다음 자료를 보라. Rothschild, *East Central Europe*, 53-55.

63 Rothschild, *East Central Europe*, 57.

64 Ferdynand Zweig, *Poland between Two Wars* (London, 1944), 13.

65 Andrzej Jezierski, *Historia Gospodarcza Polski* (Warsaw, 2010), 253.

66 Jezierski, *Historia*, 253.

67 다음 자료에 인용된 전후 초기 연설에서 인용. Radu, "Peasant Democracy," 32.

68 Roberts, *Rumania*, 134-136, 174-175.

69 "Rumanian Revolt Hinted," *New York Times*, June 30, 1935, 13.

70 이 명단에는 스탐볼리스키의 불가리아 농업당, 라디치의 크로아티아 농민당, 마니우의 루마니아 민족농민당과 피아스트, 폴란드의 비즈볼레니에당이 포함되었다. Palmer, *The Lands Between*, 178. 그 역사가는 한스 렘베르크이다. 이 지적에 대해 요아킴 폰 푸트카머에게 감사한다.

71 George Orwell, *Homage to Catalonia* (Boston, 2015), 69.

72 헝가리 영지의 약 29.9퍼센트는 575헥타르 이상이었고, 계획된 과정은 자영농 지주의 숫자를 크게 늘리지 못했다. "사회의 구조는 사실상 변하지 않은 상태로 그대로 남았다." "토지 분배의 구조는 대영지와 작은 토지로 불건전하게 양극화되었다." Nagy, "Revolution," 317; Rothschild, *East Central Europe*, 190. 루마니아에서 헝가리의 대지주로부터 농지를

빼앗는 개혁은 훨씬 성공을 거두었다.

73 Rothschild, *East Central Europe*, 300-301.

14장 뿌리내리는 파시즘: 철위부대와 화살십자군

1 Ernst Nolte, *Der Faschismus in seiner Epoche* (Munich, 1963); Geoff Eley, "What Produces Fascism," *Politics and Society* 12:53 (1983), 77. 준군사조직의 역할, 초월의 혁명적 의제, 수화된 인종 사회 건설을 강조하는 파시즘의 정의는 다음 자료를 보라. Michael Mann, *Fascists* (Cambridge, 2000).

2 국가는 자유민주주의가 '건강한 사회의 분명한 기반'이라는 합의로 물러날 정도로 충분히 성숙하지 않았다. Roger Griffin, *The Nature of Fascism* (New York, 1991), 211.

3 Robert Paxton, "The Five Stages of Fascism," *Journal of Modern History* 70:1 (1998), 14.

4 Eugen Weber, *The Hollow Years: France in the 1930s* (New York, 1994), 119.

5 Paxton, "Five Stages," 17

6 Charles S. Maier, *The Unmasterable Past: History, Holocaust, and National Memory* (Cambridge, MA 1988), 112.

7 대학에서 유대인 학생 입학을 제한하는 법률은 1920년 통과되었지만 베들렌 정부는 그 영향을 축소시켰다. 그래서 5퍼센트까지 떨어진 유대인 학생 수는 1930년이 되자 10퍼센트로 다시 늘어났다(그러나 이 비율은 전쟁 중 30퍼센트에 비해 훨씬 낮은 것이었다). 유대인 사업 공동체는 그 어느 때보다도 부유해졌다. Janos, *Politics of Backwardness*, 225-226.

8 Janos, *Politics of Backwardness*, 177.

9 재프 샤츠는 영향을 미친 좀 더 일반적 요인을 언급했다. "일정한 문자해독률, 교육, 사회 불의에의 노출을 고려하면 차별받는 소수민족의 구성원들은 다른 사람들보다 변화를 위한 좀 더 급진적 운동에 가입할 가능성이 높다." Jaff Schatz, "Jews and the Communist Movement in Interwar Poland," in *Dark Times, Dire Decisions*, Jonathan Frankel, ed. (Oxford, 2004), 32. 전간기 동안 폴란드 공산당에서 유대인 비율은 1930년 30퍼센트로 정점을 찍었다. Archie Brown, *The Rise and Fall of Communism* (New York, 2009), 129-130.

10 Alexander F. C. Webster, *The Romanian Legionary Movement: An Orthodox Christian Assessment of Anti-Semitism*, Carl Beck Papers No. 502 (Pittsburgh, PA, 1986), 43-44, 52; Corneliu Zelea Codreanu, *For My Legionaries* (London, 2015), 51. 이 지적에 대해 마리나 쿠네오에게 감사한다.

11 Paul A. Shapiro, "The German Protestant Church and Its Judenmission, 1945-1950," in *Anti-Semitism, Christian Ambivalence, and the Holocaust*, Keven Spicer, ed. (Bloomington,

IN, 2007), 139.

12 그는 1934년 투툴 펜트루 타라('국가를 위해 모든 것을')당을 설립했다. Stephen Fischer-Galati, *Twentieth Century Rumania* (New York, 1991), 53. 그는 1931년 의회 의석도 차지했다.

13 Nicholas M. Nagy-Talavera, *The Green Shirts and the Others* (Portland, OR, 2001), 77.

14 헝가리는 영토의 약 72퍼센트를 잃었고(영토 32만 5411평방킬로미터에서 9만 3073평방킬로미터로 축소됨), 인구는 1800만 명에서 800만 명으로 줄었다. Arpad von Klimo, "Trianon und der Diskurs über nationale Identität in 'Rumpf-Ungarn,'" in *Die geteilte Nation: Nationale Verluste und Identitäten im 20. Jahrhundert*, Andreas Hilger and Oliver Wrochem, eds. (Munich, 2013), 15; Raphael Vago, "Eastern Europe," in *The Social Basis of European Fascist Movements*, Detlef Mühlberger, ed. (London, 1987), 297-298.

15 Marcin Kula, *Narodowe i rewolucyjne* (Warsaw, 1991); Francis Carsten, "Interpretations of Fascism," in *Fascism: A Reader's Guide*, Walter Laqueur, ed. (London, 1976), 418; Vago, "Eastern Europe," 294.

16 유안 린츠는 파시스트당에 전반적으로 사무직 종사자, 전문직업인과 공무원이 많이 가담했지만, 루마니아에서는 학생들이 차지한 현저한 위치를 강조했다. "Comparative Study of Fascism," in Laqueur, *Fascism*, 63, 70; Radu Ioanid, *The Sword of the Archangel: Fascist Ideology in Romania*, Peter Heinegg, trans. (Boulder, CO, 1990), 27.

17 Vago, "Eastern Europe," 288-289.

18 루마니아에서 1930년대 농민당 정치인 발다와 기타 정치인들이 제시한 이러한 요구들은 정치적 지지를 받는 데 실했다. 이들이 사용한 용어는 '루마니아화'였고, 문제는 이러한 요구들이 소수민족 보호 의무조항을 침해하고, 소수민족들이 항의를 제기할 수 있다는 것이었다. Keith Hitchins, *Rumania, 1866-1947* (Oxford, 1994), 417; Dietmar Müller, *Staatsbürger auf Widerruf: Juden und Muslime als Alteritätspartner im rumänischen und serbischen Nationscode* (Wiesbaden, 2005), 404-405.

19 Henry Eaton, *The Origins and Onset of the Romanian Holocaust* (Detroit, 2013), 24. 이아시 의과대학의 유대인 교수 비율은 1923년부터 1930년 사이에는 43.3퍼센트였고, 1930년부터 1936년까지는 39.6퍼센트였다. 이아시의 유대인 대학생 비율은 1923년부터 1930년까지는 31.1퍼센트였고, 1930년부터 1936년까지는 29.6퍼센트였다. Lucian Nastasa, "Anti-Semitism at Universities in Romania," in *The Numerus Clausus in Hungary*, Victor Karady and Peter Tibor Nagy, eds. (Budapest, 2012), 222-223. 몰다비아, 베사라비아, 부코비나 대학의 상대적으로 많은 유대인 학생 수는 이 지역 도시 거주 문자해독 주민 중 유대인의 숫자가 많은 것과 연관이 있다. 1930년 몰다비아와 왈라키아 주민 44.2퍼센트는 읽고 쓰기를 하지 못했다. 문맹률의 높은 지역들은 '파시스트 조직에 집중적으로 투표한' 곳이었다. Ioanid,

Sword, 40, 64. 루마니아에서는 7세 이상 인구의 57.1퍼센트가 문자해독을 할 수 있었다. Rothschild, *East Central Europe*, 285.

20 Z. Barbu, "Rumania," in *Fascism Reader*, Aristotle Kallis, ed. (London, 2003), 199. "구성원 대부분은 중산층을 향해 상향 이동 사다리를 타고 올라갔다. 그러나 문제는 이들이 아직 거기에 도달하지 못했다는 점이다." Vago, "Eastern Europe," 256.

21 István Deák, "Hungary," in *The European Right*, Hans Rogger and Eugen Weber, eds. (Berkeley, 1965), 389. 코드레아누의 부친은 교사인 이온 젤렌스키였다. Vago, "Eastern Europe," 287; Barbu, "Rumania," 200.

22 Stanley Payne, *A History of Fascism* (Madison, WI, 1995), 276; Vago, "Eastern Europe," 293-294.

23 Hitchins, *Rumania*, 368-370; Rothschild, *East Central Europe*, 300.

24 이것은 1934년에 일어난 일이다. Hitchins, *Rumania*, 418.

25 István Deák, "Hungary," in Kallis, ed., *Fascism Reader*, 202-203; Jörg K. Hoensch, *A History of Modern Hungary: 1867-1994* (London, 1995), 126.

26 Deák, "Hungary," in Kallis, ed., *Fascism Reader*, 203; Hoensch, *Hungary*, 128.

27 그는 기본적으로 국가 행정기구 장악을 통해 이를 수행했다. Deák, "Hungary," in Kallis, ed., *Fascism Reader*, 205. 그는 독일계, 슬로바키아계, 아르메니아계였다. Paul Lendvai, *The Hungarians: A Thousand Years of Victory in Defeat*, Ann Major, trans. (Princeton, NJ, 2003), 415.

28 Hoensch, *Hungary*, 129.

29 Andrew C. Janos, *East Central Europe in the Modern World* (Stanford, CA, 2000), 288-291; Hoensch, *Hungary*, 127, 129; Deák, "Hungary," in *The European Right*, Rogger and Weber, eds., 380, 391; George Barany, "The Dragon's Teeth," in *Native Fascism in the Successor States, 1918-1945*, Peter Sugar, ed. (Santa Barbara, CA, 1971), 79.

30 Hoensch, *Hungary*, 131.

31 J. B. Hoptner, *Yugoslavia in Crisis, 1934-1941* (New York, 1962), 157; Frederick B. Chary, *The History of Bulgaria* (Santa Barbara, CA, 2011), 83-84; Rothschild, *East Central Europe*, 256; Marshall Lee Miller, *Bulgaria during the Second World War*, (Stanford, CA, 1975), 7.

32 Chary, *History of Bulgaria*, 89.

33 Janos, *Politics of Backwardness*, 302-303.

34 Janos, *East Central Europe*, 290. 이 말은 호르티가 아니라 야노스가 한 말이다.

35 "1938년 1만 평방킬로미터 이상의 경작지를 불과 80명의 영주가 소유했고, 1만 6000평방킬로미터 면적의 농지는 1000명의 소영주가 소유했다." Hoensch, *Hungary*, 131.

36 Stephen Fischer-Galati, "Fascism," in Sugar, *Native Fascism*, 118; Rothschild, *East Central Europe*, 294.

37 Payne, *History of Fascism*, 275. 다음 자료도 보라. Margit Szölösi-Janze, *Die Pfeilkreuzlerbewegung in Ungarn* (Munich, 1989), 134-147; Nagy-Talavera, *Green Shirts*, 94-155; Janos, *Politics of Backwardness*, 270-271; Deák, "Hungary," 380, 392.

38 Rothschild, *East Central Europe*, 296. 1939년 처형된 직업이 확인된 96명의 철위부대원 중 33명은 학생이었다. 나머지 거의 모두는 14명의 변호사를 포함해서 중산층 출신이었다. Payne, *History of Fascism*, 287.

39 Rothschild, *East Central Europe*, 310; Fischer-Galati, *Twentieth Century Rumania*, 56-57; Eugen Weber, "Romania," in *European Right*, Weber and Rogger, eds., 549; Radu Ioanid, "The Sacralised Politics of the Romanian Iron Guard," *Totalitarian Movements and Political Religions* 5:3 (2004): 419-453.

40 Radu Ioanid, "The Sacralised Politics of the Romanian Iron Guard," in *Fascism, Totalitarianism and Political Religion*, Roger Griffin, ed. (New York, 2005), 155; Deák, "Hungary," 392.

41 다음 자료에서 인용됨. Deák, "Hungary," 392.

42 Deák, "Hungary," 388-394.

43 Constantin Iordachi, "Fascism in Southeastern Europe," in *Entangled Histories of the Balkans*, Roumen Daskalov and Diana Mishkova, eds., vol. 2 (Leiden, 2014), 382; Mircea Platon, "The Iron Guard and the Modern State, Iron Guard Leaders Vasile Marin and Ion I. Mota, and the 'New European Order'," *Fascism: Journal of Comparative Fascist Studies* 1 (2012): 67.

44 이것은 유진 이오네스쿠가 투도르 비나우에게 보낸 편지에서 나온 것이다. Marta Petreu, *An Infamous Past: E. M. Cioran and the Rise of Fascism in Romania*, Bogdan Aldea, trans. (Chicago, 2005), 58-59. 젊은 지식인 집단은 '기준(Criterion)' 집단이라고 불렸고, 여기에는 Cioran, Eliade, Haig Acterian, Marietta Sadova, Dan Botta 등이 포함되었다. Petreu, *Infamous Past*, 60. 다음 자료도 보라. Matei Calinescu, "Romania's 1930s Revisited," *Salmagundi* 97 (1993): 133-151.

45 Petreu, *Infamous Past*, 67. "In the Aryan world of self-reliance," 조지 모세는 "민족 공동체에서 자유와 자립심은 가장 중요한 것으로 여겨졌다"라고 썼다. George Mosse, *Toward the Final Solution: A History of European Racism* (New York, 1978), 49.

46 Emile Cioran, *On the Heights of Despair* (1934), Ilinca Zarifapol-Johnston, trans. (Chicago, 2003), 6.

47 Petreu, *Infamous Past*, 60, 63; Barbara Jelavich, *History of the Balkans*, vol. 2 (Cambridge, 1983), 205. 남자들이 철위부대를 지배했지만(전위대원들은 '남자의 의무'를 수행하는 남성

이었다), 전위대는 여성들과 젊은이들을 위한 '둥지(nests)'와 '요새(fortresses)'도 만들었다. 이 조직은 가능한 모든 방법으로 남성전위대를 지원하는 역할을 맡았다. Roland Clark, *Holy Legionary Youth: Fascist Activism in Interwar Romania* (Ithaca, NY, 2015), 115.

48 Alfred Läpple, *Kirche und Nationalsozialismus in Deutschland und Österreich* (Aschaffenburg, Germany, 1980), 32.

49 Ioanid, *Sword*, 141. 이뿐 아니라 마리아 루수는 성모 마리아와 대화를 하기 시작했고, 치료를 받으려는 사람들이 그녀에게 몰려들었다.

50 Goergetta Pana, "Religious Anti-Semitism in Romanian Fascist Propaganda," *Occasional Papers on Religion in Eastern Europe* 26:2 (2006), 3; Deák, "Hungary," 394; Weber, "Romania," 535. On Mussolini: Denis Mack Smith, *Mussolini* (New York, 1982), 8, 15.

51 Webster, *Romanian Legionary Movement*, 38-39; Petreu, *Infamous Past*, 63-64.

52 Z. Barbu, "Rumania," 200; Ioanid, *Sword*, 140, 142.

53 Weber, "Romania," 542, 545.

54 Clark, *Holy Legionary Youth*, 157.

55 From the journal *Libertatea*, April 1936, cited in Clark, *Holy Legionary Youth*, 156.

56 추정치는 다양하지만, 아민 하이넨은 캠프의 수는 1934년 4개에서 1936년 50개로 늘었고, 약 500개의 더 작은 캠프가 있었다고 주장한다. Clark, *Holy Legionary Youth*, 156.

57 Clark, *Holy Legionary Youth*, 163-164.

58 Platon, "Iron Guard," 69.

59 Vago, "Eastern Europe," 290; William Totok: "Meister des Todes. Über die Wiederbelebungsversuche des Kultes von Moța und Marin/Maeștrii morții. Despre încercarea de reînviere a cultului Moța și Marin," *Apoziția* 7 (2007), 396-422; Ioanid, *Sword*, 89.

60 Barany, "Dragon's Teeth," 77.

61 그들은 15.5퍼센트를 득표했다. Clark, *Holy Legionary Youth*, 216.

62 Payne, *History of Fascism*, 284; Deák, "Hungary," 391; Fischer-Galati, *Twentieth Century Rumania*, 55, 57.

15장 동유럽의 반파시즘

1 Piotr Wilczek, Letters to the Editor, *New York Times*, August 31, 2018; responding to Paul Krugman, "It Can Happen Here," *New York Times*, August 27, 2018.

2 Michael Mann, *Fascists* (Cambridge, 2004), 13.

3 Antony Polonsky, *The Little Dictators: A History of Eastern Europe since 1918* (Abington-on-Thames, UK, 1975), 120-121; Andrea Orzoff, *Battle for the Castle: The Myth of Czechoslovakia in Europe* (Oxford, 2009).

4 Joseph Zacek, "Czechoslovak Fascisms," in Sugar, *Native Fascism*, 61.

5 그는 이러한 언어를 사용한 유일한 주요 정치 지도자였다. 그러나 관료제는 마치 국가가 체코인들을 위해 만들어진 것처럼 행동했다. 그의 당은 1020년 의회 선거에서 6.25퍼센트를 득표했지만 이후 쇠락했다. 1926년 그는 이탈리아 파시즘의 질서 유지 능력을 찬양했고, 의회가 국가를 해롭게 하는 경우 의회해산을 옹호했다. Hans Lemberg, "Gefahrenmomente für die demokratische Staatsform der Ersten Tschechoslowakischen Republik," in *Die Krise des Parlamentarismus is Ostmitteleuropa zwischen den beiden Weltkriegen*, Han-Erich Volkmann, ed. (Marburg, 1967), 115. 1935년 선거에서 파시스트 '공동체'는 2퍼센트, 민족민주당은 5.6퍼센트를 득표했다. Jaroslav Krejčí, *Czechoslovakia at the Crossroads* (New York, 1990), 150.

6 Rothschild, *East Central Europe*, 125. 지도자들은 가이다가 여름 프라하에서 열리는 소콜 대회를 이용해 쿠데타를 일으키지 않을까 염려했다. Orzoff, *Battle*, 101-102; Lemberg, "Gefahrenmomente," 116.

7 Zacek, "Czechoslovak Fascisms," 61.

8 H. Gordon Skilling, "Gottwald and the Bolshevization of the Communist Party of Czechoslovakia," *Slavic Review* 20:4 (1961), 650.

9 이것이 1924년부터 코민테른 고위 관리 게오르기 디미트로프가 꾸민 계획이다. 1933년 독일에서 나치가 권력을 잡은 후 새로운 각성이 있었다. Jacques Rupnik, *Histoire du parti communiste tchécoslovaque: des origines a la prise du pouvoir* (Paris, 1981), 89-90, 98.

10 Ladislav Cabada, *Intellectuals and the Communist Idea: The Search for a New Way*, Zdeněk Benedikt, trans. (Lanham, MD, 2010), 153. 상대적으로 실업자와 계절 노동자가 많은 프라하 외곽 지역에서도 지지가 강했다. Zdenek Kárník, "KSČ — úspěchy a neúspěchy," in *Bolševismus, komunismus a radikální socialismus v Československu*, Zdeněk Kárník and Michal Kopeček, eds., vol. 1 (Prague, 2003), 77-79; Josef Harna, *Krize evropské demokracie a Československo 30. let 20. století* (Prague, 2006), 115-117.

11 Lemberg, "Gefahrenmomente," 120; Jan Křen, *Bila místa v našich dějinách?* (Prague, 1990), 76-77.

12 프란티셰크 우드잘의 수상 재임기(1929-1932)와 얀 말리페트르의 수상 재임기(1932-1935)에 불만에 찬 노동자들과 농촌 노동자들의 파업과 기타 소요가 자주 일어났고, 경찰의 잔인한 진압으로 사망자가 발생해서 지식인뿐만 아니라 대통령의 비판을 받았다. 다음도 보라. Harna, *Krize*, 118.

13 폴란드어 자료임. 다음 자료를 보라. Lucian Leustean, "Economy and Foreign Relations in

Europe in the Early Inter-War Period—The Case of Hungary's Financial Reconstruction," *Eastern Journal of European Studies* 4:1 (June 2013), 45; Lemberg, "Gefahrenmomente," 119.

14 다음 자료를 보라. Cynthia Paces, *Prague Panoramas: National Memory and Sacred Space* (Pittsburgh, PA, 2009).

15 Mamatey, "Development," 146; Věra Olivová, *Doomed Democracy: Czechoslovakia in a Disrupted Europe, 1914-38* (London, 1972), 184.

16 Olivová, Doomed Democracy, 185-186; Mamatey, "Development," 146-147.

17 Eugen Steiner, *The Slovak Dilemma* (Cambridge, 1973), 30-31.

18 사회민주당원 중에는 오토 바우어도 있었다. 폰 호르바드는 빈에 거주하다가 후에 파리에 거주했지만, 그의 연극들은 프라하와 오스트라바에서 초연되었다. Bohumil Černý, *Most k novému životu: Německá emigrace v ČSR v letech 1933-1939* (Prague, 1967), 159-177.

19 Mamatey, "Development," 154; Rene Küpper, *Karl Hermann Frank: politische Biographie eines sudetendeutschen Nationalsozialisten* (Munich, 2010), Emil Hruška, *Boj o pohraničí: sudetoněmecký freikorps v roce 1938* (Prague, 2013). 비교적 자유롭게 치러진 1935년 선거에서 나치당은 59퍼센트를 득표했다. Ernst Sodeikat, "Der Nationalsozialismus und die Danziger Opposition," *Vierteljahrshefte für Zeitgeschichte* 12:2 (1966), 139-174.

20 Havránek, "Fascism in Czechoslovakia," in Sugar, *Native Fascism*. 콘라드 하인렌은 명예 게슈타포 요원이 되었다. Küpper, *Karl Hermann Frank*, 116; Mamatey, "Development," 154.

21 Blanka Soukupová, "Modern Anti-Semitism in the Czech Lands between the Years 1895-1989," *Lidé města = Urban People* (Prague 13:2 (2011), 242, 244.

22 사나차 내부에서도 주요 분파가 완전히 권위주의적인 국가를 만드는 것에 반대했다. Jerzy Borejsza, "East European Perceptions of Italian Fascism," in *Who Were the Fascists: Social Roots of European Fascism*, Stein Larsen et al., eds. (Bergen, Norway, 1980), 354.

23 자료 출처에 대해서는 다음 자료를 참조하라. Zbigniew Karpus et al., eds., *Zamach stanu Józefa Piłsudskiego i jego konsekwencje w interpretacjach polskiej myśli politycznej XX wieku* (Toruń, Poland, 2008), 154. 피우수트스키는 정치인들은 거의 존중하지 않았지만, '의회주의'를 유지하려고 의도했다고 말했다. Polonsky, *Little Dictators*, 37. 그는 또한 의원들의 역할은 동의를 위해 '손을 드는 것'으로 축소되었다고 말하기도 했다. Andrzej Chojnowski, *Piłsudczycy u władzy. Dzieje Bezpartyjnego Bloku Współpracy z Rządem* (Warsaw, 1986), 11.

24 "폴란드의 파시즘은 오랜 전통을 가진 폴란드의 이상인 자유, 개인주의, 관용에 반대하여 움직였다." Piotr S. Wandycz, "Fascism in Poland," in Sugar, *Native Fascism*, 97.

25 톰마시니는 (1923년 전 어느 시점에) "누군가 폴란드에서 이와 유사한 것을 찾으려 한다면, 타고난 지도자이고, 비범한 용기를 지닌 사람이고 정치에서 폭력적 변화를 받아들일 준비가 된 피우수트스키 추종자들 사이에서 찾아야 한다"라고 썼다. Borjesza, "East European

Perceptions," 355.

26 Polonsky, *Little Dictators*, 38-39.

27 Polonsky, *Little Dictators*, 59; Borjesza, "East European Perceptions," 358.

28 Borjesza, "East European Perceptions," 356.

29 Antony Polonsky, "The Emergence of an Independent Polish State," in *The History of Poland since 1863*, R. F. Leslie, ed. (Cambridge, 1983), 178.

30 이 블록에서 총 64명이 구금되었고, 동조자로 의심되는 수천 명도 구금되었다. 이 이야기가 다음해 알려지자, 사나차 내에서도 혐오가 일어났다. Polonsky, "Emergence," 174. 약 3000명이 2차 세계대전 발발 전 베레자에 수감되었다. Andrzej Garlicki, "Bereza, Polski obóz koncentracyjny," *Gazeta Wyborcza*, April 4, 2008; Polonsky in Leslie, History, 178, 180.

31 압제에도 불구하고 강력한 우크라이나 지식계층이 활발한 우크라이나 협동조합 운동과 함께 발전되었다. Rothschild, *East Central Europe*, 42-43.

32 Henryk Wereszycki, *Niewygasła Przeszłość* (Kraków, 1987), 401 ff.

33 Polonsky, "Emergence," 176.

34 Rothschild, *East Central Europe*, 60 "민족을 진정한 신념과 정치적 파트너십으로 격동시키기를 주저한 것을 고려하면 피우수트스키는 가장된 유사의회주의를 통해서 나라를 이끌기보다는 바로 다음날 쿠데타를 일으켜 명백한 독재를 수립하는 것이 더 나았을 것이다."

35 이 캠프는 이탈리아의 파시스트당을 모방했다. Borejsza, "East European Perceptions," 356.

36 Jerzy Holzer, "Polish Political Parties and Antisemitism," in *Jews in Independent Poland, 1918-1939*, Antony Polonsky, Ezra Mendelsohn, and Jerzy Tomaszewski, eds. (London, 2004), 199; 엔데크와의 대화 서술은 다음 자료를 보라. Alfred Döblin, *Reise in Polen* (Freiburg im Breisgau, 1968), 336.

37 이것은 그들의 '녹색프로그램'이었다. Holzer, "Polish Political Parties," 200.

38 Andrzej Garlicki, *Z dziejów Drugiej Rzeczypospolitej* (Warsaw, 1986), 244; Elżbieta Janicka, *Sztuka czy naród? Monografia pisarska Andrzeja Trzebińskiego* (Kraków, 2006), 36-38; Włodzimierz Borodziej, *Geschichte Polens im 20. Jahrhundert* (Munich, 2010), 176.

39 Borjesza, "East European Perceptions," 355.

40 이 기사는 *Przegląd Wszechpolski*, May 1926, 396에 실렸고, 다음 자료에 인용되었다. Krzysztof Kawalec, "Narodowa Demokracja wobec przewrotu majowego," in Z. Karpus et al., *Zamach Stanu*, 159.

41 Borejsza, "East European Perceptions," 355.

42 BBWR은 1935년 말에 해체되었다. Borodziej, *Geschichte*, 183; Holzer, "Polish Political Parties," 203.

43 해외 이주 프로그램이 외무부에서 작성되었다. Jolanta Żyndul, *Zajścia antyżydowskie w Polsce*

w latach 1935-1937 (Warsaw, 1994), 87.

44 Holzer, "Polish Political Parties," 203-205.

45 Borodziej, *Geschichte*, 179-180. 흘론드의 1936년 전원 서신 본문은 다음 사이트를 참조하라. Ronald Modras, *The Catholic Church and Antisemitism: Poland, 1933-1939* (Chur, Switzerland, 1994), 346. 그는 자신의 민족을 더 사랑하기 위해서는 유대인이 주인인 상점과 가판대를 피하는 것이 좋고, 유대인이 유대인으로 남아 있는 한 '유대인' 문제는 계속 될 것이라고 말했다.

46 1921년 대부분의 정당이 반유대주의를 거부한 데 반해, 1939년 대부분 정당은 그것을 받아들였다. Holzer, "Polish Political Parties," 205.

47 Andrzej Micewski, *Polityka staje się historią* (Warsaw, 1986), 114.

48 Andrzej Friszke, *Adam Ciołkosz : portret polskiego socjalisty* (Warsaw, 2011), 161-165. Czeslaw Brzoza, *Kraków miedzy wojnami* (Kraków, 1998), 319; Stanisław Piech, *W cieniu kościołów i synagog: życie religijne międzywojennego Krakowa 1918-1939* (Kraków, 1999), 136.

49 Włodzimierz Kalicki, "29 czerwca 1936 r.: General zmyka przed ludem," *Gazeta Wyborcza*, July 2, 2010; Zbigniew Moszumański, "Historia mało znana : Nowosielce 1936," *Gazeta : Dziennik Polonii w Kanadzie*, December 1, 2006. 스미글리 리즈는 논쟁의 대상이 되는 인물이다. 그는 비밀리에 폴란드에 돌아온 후 1941년 지하운동 음모에 의해 사망했지만, 폴란드를 파시즘에 가깝게 데려간 OMON의 지지자였고, 1938년 테쉰 지역을 체코슬로바키아에서 빼앗는 작업을 주도했다.

50 Stephanie Zloch, *Polnischer Nationalismus: Politik und Gesellschaft zwischen den beiden Weltkriegen* (Cologne, 2010), 437; Andrzej Garlicki, *Piękne lata trzydzieste* (Warsaw, 2008).

51 500명이 감옥형을 받았다. Micewski, *Polityka*, 115. Polonsky, "Establishment," 195.

52 Emanuel Melzer, *No Way Out: The Politics of Polish Jewry, 1935-1939* (Cincinnati, OH, 1997), 98; Michael Marrus, ed., *The Nazi Holocaust*, Part Five: *Public Opinion and Relations to the Jews in Nazi Europe* (Westport, CT, 1989), 263; Polonsky, "Establishment," 198.

53 세르비아 민주주의자들은 과거 합스부르크 지역에서 주요 세르비아 정당이었다. Rothschild, *East Central Europe*, 258.

54 Rothschild, *East Central Europe*, 202, 238; Holm Sundhaussen, *Geschichte Serbiens* (Vienna, 2007), 266.

55 유고슬라비아 정부의 909명의 고위 관리 중(내무부, 외무부, 교육부, 법무부, 교통부, 신탁은행과 총리실) 813명이 세르비아인이었다. Rothschild, *East Central Europe*, 278-279.

56 Sundhaussen, *Geschichte*, 267; Tihomir Cipek, "Die kroatischen Eliten und die Königsdiktatur in Jugoslawien," in *Autoritäre Regime in Ostmittel-und Südosteuropa*, Erwin Oberländer, ed. (Paderborn, Germany, 2017), 547. 이 외에도 암살로 희생된 사람으로는 크

로아티아 농민당 정치인 요시프 프레다베츠와 역사가 이보 필라르, 브라니미르 안줄로비치가 있다. Branimir Anzulović, *Heavenly Serbia: From Myth to Genocide* (New York, 1999), 199. 다음 기사를 보라. *New York Times*, February 20, 21, 1931; *The Nation* 132 (1931), 544; *The New Outlook* 158 (1931), 72; and *Current History* 34 (1931), 468.

57 합스부르크 지역에서 국가를 세운 세르비아인 스베토바르 프리비체비치는 1929년 체포되었지만, T. G. 마사리크가 손을 써서 해외로 이주하는 것이 허용되었다. Sundhaussen, *Geschichte*, 266.

58 1929년 1월에.

59 Alex N. Dragnich, *The First Yugoslavia* (Stanford, CA, 1983), 103.

60 Jovan Byford, "Willing Bystanders: Dimitrije Ljotić, Shield Collaboration, and the Destruction of Serbia's Jews," in *In the Shadow of Hitler: Personalities of the Right in Central and Eastern Europe*, Rebecca Haynes and Martyn Rady, eds. (London, 2011), 297-298. 필요한 경우 폭력을 동원해 민족의 이익을 추구하는 사고인 통합적 민족주의(integral nationalism)는 그것 자체가 목적이었다. Louis Snyder, *The New Nationalism* (Ithaca, NY, 1968), 52.

61 지지자들은 대부분 독일인 지역에서 나왔으며, 의사, 변호사, 판사, 공무원, 교사, 상인, 학생, 목사와 군 장교였다. Byford, "Willing Bystanders," 297, 299.

62 Avakumović, "Yugoslavia's Fascist Movements," in Sugar, *Native Fascism*; Byford, "Willing Bystanders," 299. 그와 추종자들은 나치 당국에 관여해 세르비아인들에 대한 보복을 줄이도록 만들었다. 그러나 이들은 유대인들을 석방시키는 데는 아무런 관심도 보이지 않았다. Byford, "Willing Bystanders," 305-306.

63 Rothschild, *East Central Europe*, 254; Dejan Djokić, " 'Leader' or 'Devil'? Milan Stojadinović, Prime Minister of Yugoslavia (1935-39), and His Ideology," in Haynes and Rady, *Shadow of Hitler*, 153; Avakumović, "Yugoslavia's Fascist Movements," 136.

64 Djokić, " 'Leader' or 'Devil'?," 157.

65 John Lampe, *Yugoslavia as History: Twice There Was a Country* (Cambridge, 1996), 182.

66 폴은 스토야디노비치의 독재적 조치에 대해 우려했다. Hoptner, *Yugoslavia*, 128.

67 Marcus Tanner, *Croatia: A Nation Forged in War* (New Haven, CT, 1997), 130. 인구의 18퍼센트는 정교도였고, 3.8퍼센트는 이슬람 교도였다. Veljko Vujačić, *Nationalism, Myth and the State in Russia and Serbia* (New York, 2015), 209.

68 달마티아에서 일어난 이 테러에 대해서는 다음 자료를 보라. Hugh Seton-Watson, *Eastern Europe between the Wars* (Hamden, CT, 1962), 236.

69 "So much for the notion that irreconcilable antagonisms had closed off all options for Serb-Croat reconciliation." Lampe, *Yugoslavia*, 180.

70 이 당은 1925년 유고슬라비아 선거에서 단 0.1퍼센트를 득표했다. *Statistika izbora narodnih*

poslanika Kraljevine SHS održanih 8. *februara 1925* (Belgrade, 1925).

71 Rothschild, *East Central Europe*, 246.

72 R. J. Crampton, *A Concise History of Bulgaria* (Cambridge, 1997), 158-159.

73 Barbara Jelavich, *History of the Balkans*, vol. 2 (Cambridge, 1983), 207-208. 즈베노는 1917년 결성되었고, 몇 명의 사회민주당원과 몇 명의 군인들을 가담시켰다. Chary, *History of Bulgaria*, 76-77.

74 Chary, *History of Bulgaria*, 77. 이것은 1934년, 5월 28일 자 발간본에 실렸다.

75 이 정파의 지향점은 자유주의였다. Alexander Velinov, "Religiöse Identität im Zeitalter des Nationalismus," (Phd dissertation, Cologne, 2001), 133.

76 Jelavich, *History*, vol. 2, 208; Chary, *History of Bulgaria*, 77, 87-89.

77 1934년 5월부터 1935년 1월까지 군사 정부가 집권했다.

78 Chary, *History of Bulgaria*, 81, 89.

79 Mary Neuburger, *Balkan Smoke: Tobacco and the Making of Modern Bulgaria* (Ithaca, NY, 2013), 131-132.

80 동원은 현대화의 결과이다. 그 이유는 '이들이 기본적 사회적 소통의 기술'을 습득하면, 사람들은 "지속적이고, 체계적이고 조직화된 정치 행동의 대상이 된다." Janos, *East Central Europe*, 140.

81 Armin Heinen, "Die Notwendigkeit einer gesamteuropäischen Perspektive auf den südosteuropäischen Faschismus," *East Central Europe* 37 (2010), 367-371.

82 Ian Kershaw, "Working toward the Führer: Reflections on the Nature of the Hitler Dictatorship," *Contemporary European History* 2:2 (1993), 103-118.

16장 히틀러의 전쟁과 독일의 적 동유럽

1 W. D. Smith, "Friedrich Ratzel and the Origins of Lebensraum," *German Studies Review* 3:1 (1980), 51-68; Gerhard Weinberg, *The Foreign Policy of Hitler's Germany*, vol. 1 (Chicago, 1970); Ian Kershaw, *Hitler*, vol. 1 (New York, 1998), 247-249.

2 이것은 1938년 5월 치러진 지역 선거였다. Piotr M. Majewski, *Sudetští Němci*1848-1949: *Dějiny jednoho nacionalismu* (Brno, 2014), 356; Jörg Osterloh, *Nationalsozialistische Judenverfolgung im Reichsgau Sudetenland 1938-1945* (Munich, 2006), 150.

3 이 주장과 체코슬로바키아에서 언어 사용에 대한 독일의 불만에 대해서는 다음 자료를 보라. Maria Dowling, *Czechoslovakia* (London, 2002), 47-49; 독일과 그 너머의 청중을 대상으로 한 나치의 반체코슬로바키아 선전에 대해서는 다음 자료를 보라. Katja Gesche, *Kultur*

als Instrument der Aussenpolitik totalitärer Staaten: Das Deutsche Ausland-Institut 1933-1945 (Vienna, 2006), 110-112. 민족 감정을 자극하는 민족주의자들의 힘에 대한 우아한 주장은 다음 자료를 보라. Pieter Judson, *Guardians of the Nation* (Cambridge, MA, 2006).

4 Igor Lukes, *Czechoslovakia between Stalin and Hitler: The Diplomacy of Edvard Beneš in the 1930s* (Oxford, 1996), 82-83. 최소한 두 경우에 핼리팩스 경은 런던의 어느 누구도 '세계가 지금과 같이 영원히 남아 있을 것'이라고 기대하지 않는다고 말했다.

5 다음 출처를 보라. https://www.gettyimages.com/detail/video/news-footage/mr00011324 (accessed January 1, 2019).

6 Petr Bednařík, "Antisemitismus v českém tisku v období druhé republiky," in *Židé v Čechách*, V. Hamáčková et al., eds. (Prague, 2007), 32-45; Zacek, "Czechoslovak Fascisms," 61. 히틀러의 위협은 새 외무장관 프란티셰크 크발코프스키에게 제기되었다. Theodor Prochazka, "The Second Republic," in Mamatey and Luža, eds., *History*, 263-264.

7 Jaroslav Čechura, *Historie českých spiknutí* (Prague, 2000), 156; Livia Rothkirchen, "The Protectorate Government and the 'Jewish Question'," *Yad Vashem Studies* 27 (1999), 331-362.

8 Vojtěch Mastný, *The Czechs under Nazi Rule: The Failure of National Resistance* (New York, 1970); Chad Bryant, *Prague in Black: Nazi Rule and Czech Nationalism* (Cambridge, MA, 2007). 체포된 학생 중 1185명은 사흐센하우젠으로 이송되었고, 9명은 총살당했다. John Connelly, *Captive University: The Sovietization of East German, Czech, and Polish Higher Education* (Chapel Hill, NC, 2001), 84.

9 Leni Yahil, *The Holocaust: The Fate of European Jewry, 1932-1945* (Oxford, 1990), 354.

10 *Ilustrowana Republika* (Łódź), June 14, 1934; Stefan Martens, *Hermann Göring; erster Paladin des Führers* (Paderborn, 1985), 60-61. 두 나라는 집중적인 문화 교류 프로그램을 시작했고, 그중 한 사례는 베를린에 독일-폴란드문화원 설립이었다. Karina Pryt, *Befohlene Freundschaft: die deutsch-polnischen Kulturbeziehungen, 1934-1939* (Osnabrück, Germany, 2010). 1930년대 폴란드 외교 정책에 대해서는 다음 자료를 보라. Henry L. Roberts, *Eastern Europe: Politics, Revolution, and Diplomacy* (New York, 1970), 138-177.

11 Ian Kershaw, *Hitler*, vol. 2 (New York, 2000), 155.

12 이 숫자는 다음 자료에서 나온 것이다. Gerd Ueberschär, *Wojskowe elity III Rzeszy* (Warsaw, 2004), 41. 또한, Alexander Rossini, *Hitler Strikes Poland* (Lawrence, KS, 2004).

13 서부 지역에서 나치는 전적으로 폴란드 영토와 단치히 서부 서프로이센으로 구성된 Warthland를 창설했다. 이 중 일부는 독일령 동프로이센에 속했다. 상부 실레시아에는 카토비체가 추가되었다.

14 '평화 행동(Befriedungsaktion)'으로 약 6만 명의 희생자가 발생했고, 그들 중 일부는 정복

된 폴란드 일반 정부 지역에서 끌려온 사람들이었다. 합병된 지역에서 총살된 사람 수는 1만 6000명이었다. 약4만명의 폴란드인이 일반정부지역으로 강제이주되었다. Andrzej Paczkowski, *Pół wieku dziejów Polski: 1939–1989* (Warsaw, 1996), 31–32; Phillip T. Rutherford, *Prelude to the Final Solution* (Lawrence, KS, 2007), 42–43; Rossini, *Hitler Strikes*, 58 ff.

15 Peter Longerich, *Heinrich Himmer: A Life*, Jeremy Noakes and Lesley Sharpe, trans. (Oxford, 2012), 451, 456–457; Paczkowski, *Pół wieku*, 35.

16 Paczkowski, *Pół wieku*, 34. 일반 정부에서 일한 독일 여성들에 대해서는 다음 자료를 보라. Elizabeth Harvey, *Women and the Nazi East: Agents and Witnesses of Germanization* (New Haven, CT, 2003).

17 Norman M. Naimark, *Stalin's Genocides* (Princeton, NJ, 2011), 90–92; Timothy Snyder, *Bloodlands: Europe between Hitler and Stalin* (New York, 2011), 149–151.

18 추방된 수는 32만 명에서 35만 명 사이로 추정된다. 13만 9794명이 처음으로 추방되었고, 이 중 1만 5000명이 사망했다. Snyder, *Bloodlands*, 129; Aleksander Wat, *My Century: The Odyssey of a Polish Intellectual*, transl. Richard Lourie (Berkeley, 1988), 104.

19 Stanisław Ciesielski, Wojciech Materski, and Andrzej Paczkowski, *Represje sowieckie wobec Polaków i obywateli polskich* (Warsaw, 2002).

20 Mark Mazower, *Hitler's Empire: How the Nazis Ruled Europe* (New York, 2008), 214. 그러나 동유럽의 넓은 지역에 정착할 독일인들을 찾아내기는 것이 어렵다는 것이 SS에게 분명해졌다. John Connelly, "Nazis and Slavs," *Central European History* 32:1 (1999), 29–30.

21 Alexander Werth, "Russland im Krieg," *Der Spiegel*, July 7, 1965.

22 Helmut Greiner, ed., *Kriegstagebuch des Oberkommandos der Wehrmacht*, vol. 1 (Frankfurt, 1965), 176.

23 영국은 무솔리니가 1939년 봄 알바니아를 정복한 후 그리스에 안전보장을 약속했다. Peter Calvocoressi and Guy Wint, *Total War: Causes and Consequences of the Second World War* (London, 1972), 84. 독일의 환심을 사기 위해 루마니아와 헝가리는 실제로는 먼저 서명을 하려고 경쟁했다. C. A. Macartney, *Hungary* (New York, 1956), 230.

24 Igor-Philip Matic, *Edmund Veesenmayer. Agent und Diplomat der nationalsozialistischen Expansionspolitik* (Munich, 2002), 125ff; Hoptner, *Yugoslavia*, 241.

25 이것이 여러 해 동안 독일의 희망이었다. Martin Van Crefeld, *Hitler's Strategy 1940–41: The Balkan Clue* (Cambridge, 1973), 7.

26 Hoptner, *Yugoslavia*, 236.

27 Hoptner, *Yugoslavia*, 255.

28 Aleksa Djilas, *Contested Country: Yugoslav Unity and Communist Revolution: 1919–1953* (Cambridge, MA, 1991), 137; Hoptner, *Yugoslavia*, 259.

29 Jozo Tomasevich, *The Chetniks* (Stanford, CA, 1975), 45.

30 Germany, Auswärtiges Amt, *Documents on German Foreign Policy* (Washington, DC, 1962 Series D, vol. 12, docs. 219, 383; Hoptner, *Yugoslavia*, 258-259; Branko Petranović, *Srbija u Drugom svetskom ratu*, 1939-1945 (Belgrade, 1992), 94ff.

31 Germany, Auswärtiges Amt, *Documents on German Foreign Policy*, vol. 12, docs. 217, 373.

32 Tomasevich, *Chetniks*, 87; Germany, Auswärtiges Amt, *Documents on German Foreign Policy*, vol. 12, docs. 217, 373.

33 4월 6일과 7일 베오그라드 폭격으로 인한 민간인 사망자 수는 약 2300명에 달했다. Lampe, *Yugoslavia*, 199-200.

34 Djilas, *Contested Country*, 140; Arnold Suppan, *Hitler, Beneš, Tito: Konflikt, Krieg, und Völkermord in Ostmittel-und Südosteuropa* (Vienna, 2014), 939; Ladislaus Hory and Martin Broszat, *Der kroatische Ustascha-Staat* (Stuttgart, 1964), 52-53; Tomasevich, *Chetniks*, 109. 네디치는 자신의 정권을 민족구원정부라고 불렀다. 이 정부에는 체트니크 요원들이 많이 가담했다.

35 Djilas, *Contested Country*, 137. 크로아티아 정규군인 '조국전위대(Dombran)'와 이 부대 요원들이 기회주의자들의 종이라는 주장에 대한 자기 방어에 대해서는 다음 자료를 보라. Nikica Barić, "Domobranstvo Nezavisne Države Hrvatske," in *Nezavisne Države Hrvatske 1941-1945*, Sabrina P. Ramet, ed. (Zagreb, 2009), 67-86. 독일만이 크로아티아의 독립과 '태양 속에 위치'를 보장할 용의가 있는 것으로 보였다.

36 독일이 무자비한 테러가 폴란드인들이 저항을 자제할 이유를 만들지 못했다는 주장에 대해서는 다음 자료를 보라. Jan T. Gross, *Polish Society under German Occupation: The Generalgouvernement* (Princeton, NJ, 1978).

37 Alexander Prusin, *Serbia under the Swastika: A World War II Occupation* (Champaign, IL, 2017), 97; Tim Judah, *The Serbs: History, Myth, and the Destruction of Yugoslavia* (New Haven, CT, 1997), 101; Mark Cornwall, "Introduction," in Andrej Mitrovic, *Serbia's Great War* (West Lafayette, IN, 2007), vii.

38 독립크로아티아 국가 영토 내 세르비아인 인구는 총 인구 630만 명 중 190만 명이었다. Noel Malcolm, *Bosnia: A Short History* (New York, 1994), 176. 서면화되지 않은 계획은 세르비아인 3분의 1을 개종시키고, 3분의 1을 추방하여 나머지를 살해하는 것이었다. Ivo Goldstein, *Croatia: A History* (London, 1999), 137. 살해된 숫자는 미국 홀로코스트 기념박물관에서 나온 것이다. http://www.ushmm.org/wlc/en/article.php?ModuleId=10005449. 개종된 숫자는 다음 자료에 나온다. Stevan K. Pavlowitch, *Hitler's New Disorder: The Second World War in Yugoslavia* (New York, 2008), 135-36.

39 Slavko Goldstein, *1941: The Year That Keeps Returning* (New York, 2013), 88.

40 Goldstein, *1941*, 177.

41 "우리를 환영한 크로아티아 국민들의 열성은 사실상 아무 것도 남지 않았다"라고 한 독일 정보 장교가 보고했다. "도덕적이나 정치적 의미에서 존재할 권리가 전혀 없는 정권을 독일이 지원하기 때문에 독일에 대한 불신이 이 나라에 팽배했다." "이것은 우리가 상상한 독립 크로아티아가 아니다"가 2차 세계대전 후 크로아티아인들이 쓴 회고에 공통적으로 나타난 자제된 표현이다. Goldstein, *1941*, 178.

42 700이란 숫자에 대해서는 다음 자료를 보라. Tanner, *Croatia; Jozo Tomasevich, War and Revolution in Yugoslavia* (Stanford, CA, 2001), 337. 우스타샤는 자신들이 4만 명의 추종자를 가지고 있다고 생각했다.

43 인종으로 호소하는 것은 시급했다. 왜냐하면 다른 유럽 사람들은 크로아티아인들을 국가가 아니라 유고슬라비아라는 더 큰 전체 속으로 사라질 운명을 가진 지역 집단으로 보았기 때문이다. John Connelly, "Language and Blood," *The Nation*, September 9, 2014.

44 Stevan K. Pavlowitch, *Hitler's New Disorder: The Second World War in Yugoslavia* (New York, 2008), 133.

45 이 '한드슈라르 부대(Handschrar Division)'는 최종적으로 약 2만 1000명의 병력으로 구성되었고, 주로 다른 NDH 부대에서 전출된 남자들로 구성되었다. 이슬람 엘리트의 일부는 처음에는 이 부대가 자신들의 민족적 목표를 달성하는 데 이용될 수 있다고 생각했지만, 병사들이 보스니아-헤르체고비아 외부에서 훈련을 받고 이슬람 마을들을 방어할 수 없게 되자 이에 실망했다. 이 부대가 프랑스 남부에 배치되자 부대원 일부는 반란을 일으켰다. 다른 병력은 1944년 2월부터 독일 명령에 의해 유고슬라비아 영토에 배치되어 세르비아인에 대한 잔학행위에 가담했다. 전쟁 후반 일부 병사들은 다른 NDH 부대와 함께 파르티잔 부대로 이탈했다. Emily Greble, *Sarajevo 1941-1945. Muslims, Christians, and Jews in Hitler's Europe* (Ithaca, NY, 2011), 149-178; Marko Attila Hoare, *Bosnian Muslims in the Second World War* (Oxford, 2014), 53-54, 117, 194. 인종에 대한 우스타샤의 사고에 대해서는 다음 자료를 보라. Nevenko Bartulin, *The Racial Idea in the Independent State of Croatia* (Leiden, 2014).

46 이러한 '청소 작업'은 '세르비아 마을과 세르비아 주민들을 공격한 무슬림들의 공격적 행동'으로 정당화되었다. Tomasevich, *Chetniks*, 258. 노엘 말콤은 8000명의 노인, 여성, 아동이 1942년 8월 체트니크 사령관 중 한 명인 자하리아 오스토이비차의 지도하에 살해되었다. Malcolm, *Bosnia*, 188.

47 Malcolm, *Bosnia*, 178; Vujačić, *Nationalism*, 221.

48 일부 관측가들은 우슈타샤의 멸절 정책과 체트니크의 보복 사이의 중요한 차이점을 주장한다. Vujačić, *Nationalism*, 218-220.

49 5만 명 이상의 인구를 가진 도시 네 곳이 더 있었다. Rothschild, *East Central Europe*, 204.

50 Rothschild, *East Central Europe*, 213.

51 여성 숫자는 전체 전력의 약 6분의 1인 약 10만 명으로 추산된다. Jelena Batinić, *Women and Yugoslav Partisans: A History of World War II Resistance* (Cambridge, 2015), 2. 파르티잔들은 동부 보스니아에서 초기에 강력한 지지를 받았으나 독일군-이탈리아군 합동 작전인 '트리오 작전'을 피해 1942년 3월 포차로 이동했다. Kenneth Morrison, *Nationalism, Identity and Statehood in Post-Yugoslav Montenegro* (London, 2018), 15.

52 공식 유고슬라비아 공산당 역사연구는 파르티잔과 독일군 사이에 아무런 접촉이 없었던 것처럼 행동했다. 그러나 밀로반 질라스를 포함한 고위 대표단이 포로 교환 문제를 논의하기 위해 독일 장교들을 만났다(1943). Milovan Djilas, *Wartime* (New York, 1980), 229-245; Walter R. Roberts, *Tito, Mihailović, and the Allies, 1941-1945* (New Brunswick, NJ, 1973), 106-113. 앞의 자료는 파르티잔들이 체트니크와의 전투에 집중하기 위해 독일군과 휴전을 제안했다는 독일 자료를 인용했다. 이 제안은 크로아티아의 독일 당국에 의해서는 지지되었지만, 베를린의 외무부가 최종적으로 거부했다.

53 이것은 의사 전체의 절반에 해당한다. F. W. D. Deakin, *The Embattled Mountain* (London, 1971), 38, 42, 50.

54 일례로 5번째 공세 때 이탈리아인들을 들 수 있다. Djilas, *Wartime*, 268.

55 Djilas, *Wartime*, 340, 355. 이 운동은 '인민'이라는 말을 가로챘고, 마을 주민들과 소도시 주민들에게는 이 행동의 뒤에 공산당이 있다는 말은 하지 않았다. Franklin Lindsay, *Beacons in the Night: With the OSS and Tito's Partisans in Wartime Yugoslavia* (Stanford, CA, 1993), 110.

56 Vujačić, *Nationalism*, 228; Djilas, *Wartime*, 321.

57 Djilas, *Wartime*, 165-166.

58 "그들과 보낸 그 며칠로 나는 전설적인 몬테네그로 영웅주의가 여전히 살아 있다는 것을 다시 확신시켜주었다." Djilas, *Wartime*, 170; Vujačić, *Nationalism*, 224.

59 "사병이 한 편에서 다른 편으로 이동하는 것은 이념에 사로잡힌 사람이 이해할 수 있는 것보다 훨씬 쉬웠다." Djilas, *Wartime*, 251, 305.

60 인종적으로 단일한 크로아티아에서 진전은 더뎠다. 이것은 이곳의 주민들이 우스타샤 정권을 받아들이지 않은 상황에서도 그랬다. Djilas, *Wartime*, 310-313, 323.

61 티모시 스나이더가 다음 자료에서 서술함. Timothy Snyder, *Black Earth: The Holocaust as History and Warning* (New York, 2015), 47; Deakin, *Embattled*, 80.

62 Paczkowski, *Pół wieku*, 84; Norman Davies, *Rising '44: The Battle for Warsaw* (London, 2003), 183. 전체적으로 공산인민군대에는 1944년 봄 2만 명의 전사가 있었고, 조국군대는 약 40만 명의 전사를 가지고 있었다.

63 Piotr Stachiewicz, *"Akcja Koppe": Krakowska akcja Parasola"* (Warsaw, 1982); Paczkowski, *Pół wieku*, 89.

64 약 11만 명의 폴란드인들이 이 지역에서 제거되었다(원 계획에는 40만 8000명이 예정되

어 있었다). 9000명에서 1만 2000명의 독일인들이 정착했다. Włodzimierz Borodziej, *Der Warschauer Aufstand* (Frankurt, 2001), 64; Joseph Poprzeczny, *Odilo Globocnik: Hitler's Man in the East* (London, 2004), 190, 251. 약 3만 명의 아동이 부모로부터 탈취되었고, 약 1만 명이 살아남지 못했다. Agnieszka Jaczyńska, *Sonderlaboratorium SS Zamojszczyzna* (Lublin, 2012); Werner Röhr, "Speerspitze der Volkstumspolitik," *Junge Welt*, November 28, 2002.

65 Borodziej, *Geschichte*, 233. 이 부처들에는 외교 정책, 전후 계획, 사회 보장 문제를 담당한 사람들이 포함되어 있었다. '비밀 국가'는 지하 연락병인 얀 카르스키가 쓴 용어이다. 다음 자료를 보라. Jan Karski, *The Secret State* (New York, 1944).

66 Krystyna Kersten, *The Establishment of Communist Rule in Poland*, John Micgiel and Michael Bernhard, trans. (Berkeley, 1991), 50-51.

67 이것은 '폭풍 작전'의 일부였다. 폴란드인들은 성으로 폴란드 국기를 보냈지만, 이 깃발은 하강되고 적기로 대체되었다.

68 Borodziej, *Warschauer Aufstand*, 120-123.

69 Paczkowski, *Pół wieku*, 90.

70 Borodziej, *Geschichte*, 234.

71 12퍼센트는 이동 중 사라진 것으로 장부에 기록되었다. Borodziej, *Geschichte*, 233.

72 Borodziej, *Geschichte*, 234, "폴란드인들이 상시적으로 시달린 위협으로 설명할 수 있다."

73 Paczkowski, *Pół wieku*, 92.

74 Kilian Kirchgessner, "Ende des Verdrängens," *Jüdische Allgemeine*, January 26, 2017.

75 이것은 라울 힐버그가 만든 구별이다. Raul Hilberg, *The Destruction of the European Jews* (Chicago, 1961), 474. 나치가 주도한 동유럽에서의 살상 정책에 대해서는 다음 자료를 참조하라. Peter Longerich, *Holocaust: The Nazi Persecution and Murder of the Jews* (Oxford, 2010), 313ff; Mazower, *Hitler's Empire*, 368ff; Saul Friedländer, *The Years of Extermination* (New York, 2007).

17장 단테가 예상하지 못한 것: 동유럽의 홀로코스트

1 John Connelly, "Nazis and Slavs," *Central European History* 32:1 (1999), 1-33. For a contrasting approach: Jerzy W. Borejsza, "Racisme et antislavisme chez Hitler," in *La politique nazie d'extermination*, François Bédarida, ed. (Paris, 1989), 57-84; Jerzy W. Borejsza, *Antyslawizm Adolfa Hitlera* (Warsaw, 1988).

2 예외는 크라쿠프였다. 1945년 1월 소련군의 공격이 너무 신속히 전개되어 독일군은 크라쿠프를 파괴할 시간이 없었다. 2차 세계대전으로 약 600만 명의 폴란드인이 희생되었고, 이 중

절반은 유대인이었다.

3 주요한 예외는 1943년 '아리아인' 여성과 결혼한 유대인 남성의 목숨을 구하기로 한 결정이었다. 이 결정은 이러한 여인 수백 명이 청원을 제기한 후 내려졌다. Nathan Stolzfus, *Resistance of the Heart* (New York, 1996).

4 John Lukacs, *The Hitler of History* (New York, 1997), 123; Saul Friedländer, *Nazi Germany and the Jews*, vol. 1 (New York, 1997), 95-104; Eberhard Jäckel, *Hitler's World View* (Cambridge, MA, 1981), 47-66; Gerhard Weinberg, *The Foreign Policy of Hitler's Germany* (Chicago, 1970), 1-25.

5 Hilberg, *Destruction*, 32 and passim.

6 Jean Ancel, "The German Romanian Relationship and the Final Solution," *Holocaust and Genocide Studies* 19:1 (2005), 252.

7 파벨리치의 차석자인 디도 크바테르니크는 1941년 7월 독일이 전쟁에서 이길 수 있을까를 의심했고, 부정할 수 없는 없는 현장의 사실들을 모으기로 결정했다. Tomasevich, *War and Revolution*, 408.

8 Hannah Arendt, *Elemente und Ursprünge totalitärer Herrschaft* (Munich, 2006), 624.

9 Janina Bauman, *Winter in the Morning: A Young Girl's Life in the Warsaw Ghetto and Beyond* (New York, 1986).

10 게토에서 사망한 사람의 총수는 약 50만 명으로 추산되었다. Longerich, *Holocaust*, 160-161, 167; Friedländer, *Years of Extermination*, 38; Alon Confino, *A World without Jews: The Nazi Imagination from Persecution to Genocide* (New Haven, CT, 2014), 167.

11 Christopher Browning with contributions by Jürgen Matthäus, *The Origins of the Final Solution: The Evolution of Nazi Jewish Policy, September 1939-March 1942* (Lincoln, NE, 2004); Paul Hanebrink, *A Spectre Haunting Europe: The Myth of Judeo-Bolshevism* (Cambridge, MA, 2018).

12 Jan T. Gross, *Neighbors: The Destruction of the Jewish Community in Jedwabne, Poland* (Princeton, NJ, 2000); Dieter Pohl, *Nationalsozialistische Judenverfolgung in Ostgalizien 1941-1944: Organisation und Durchführung eines staatlichen Massenverbrechens* (Munich, 1997). 20곳 이상에서 폴란드 주민들은 독일군에 의해 살해에 참여하도록 강제되지는 않았지만 고무되었다. K. Persak and P. Machcewicz, eds., *Wokół Jedwabnego* (Warsaw, 2002). 친위대 장군 발터 스타흘레커는 '자체 정화 작전'을 시작하라는 명령을 내렸다. 이것은 지역 주민들이 '독일군의 명령이 보이지 않게 스스로 나서서' 살상에 나선 것처럼 만들라는 명령이었다. *Trial of the Major War Criminals before the International Military Tribunal*, vol. 37 (Nuremberg, 1949), 682.

13 이후 여러 날 동안 우크라이나 민병대의 지원을 받은 친위대 살상부대는 추가로 4000명

의 유대인을 살해한 것으로 추산된다. Hannes Heer, "Blutige Ouvertüre. Lemberg, 30. Juni 1941: Mit dem Einmarsch der Wehrmachttruppen beginnt der Judenmord," *Die Zeit*, June 21, 2001, 90.

14 Longerich, *Holocaust*, 255.

15 Reviel Netz, *Barbed Wire: An Ecology of Modernity* (Middletown, CT, 2004), 225. 마이다네크와 아우슈비츠에서만 지클론 B를 사용했고, 다른 수용소들은 일산화탄소 가스를 사용했다. 나치는 1941년 후반부터 병합한 폴란드 영토(바르테가우) 안에 있는 체움노의 다른 수용소를 이용하여 '가스 트럭'으로 이동시킨 워즈의 유대인들을 살해했다. Longerich, *Holocaust*, 290.

16 Christopher Browning, cited in Inga Clendinnen, *Reading the Holocaust* (Cambridge, 1998), 131.

17 Zygmunt Klukowski, *Diary from the Years of Occupation*, George Klukowski, trans. (Urbana, IL, 1993), 195-196.

18 생존자는 5만-6만 명으로 추산된다. 이 숫자는 다음 자료에서 나온 것이다. Barbara Engelking, cited in Jarosław Kurski, "Życie w polskich rękach," *Gazeta Wyborcza*, January 9, 2011. '사냥(Judenjagd)'은 당시에 사용된 용어이다. 다음 자료를 보라. Jan Grabowski, *Hunt for the Jews* (Bloomington, IN, 2013). 다음도 보라. Barbara Engelking, *Jest taki piękny słoneczny dzień: losy Zydow szukających ratunku na wsi polskiej* (Warsaw, 2011).

19 이웃 중 일부는 자신들이 보호하던 24명의 유대인을 살해하는 것을 도왔다. Grabowski, *Hunt*, 152-153.

20 새로운 질문과 시각을 제시하는 주요한 인물은 얀 그로스이다. 여기에 인용된 사고에 대해서는 다음 자료를 보라. Jan T. Gross, "A Tangled Web: Confronting Stereotypes Concerning Relations between Poles, Germans, Jews, and Communists," in *The Politics of Retribution in Europe*, István Deák, Jan T. Gross, Tony Judt., eds., (Princeton, NJ, 2000), 80-87. 여기에 인용된 사례에 대해서는 다음 자료를 보라. Joanna Beata Michlic, *Poland's Threatening Other: The Image of the Jew from 1880 to the Present* (Lincoln, NE, 2006), 190. 그 사람은 에마뉴엘 타나이이고, 그의 회고는 다음 자료에 들어 있다. in Marian Turski, ed., *Losy żydowskie : świadectwo żywych* (Warsaw, 1996-1999), 66.

21 Bauman, *Winter in the Morning*, 141.

22 Gross, *Neighbors*, 161.

23 슬로바키아 유대인 요제프 라니크의 회고록. Jozef Lánik, *Co Dante neviděl* [What Dante Did Not See] (Bratislava, 1964).

24 이 사람은 엘리 골르슈테인이었다. Barbara Engelking et al., eds., *Sny chociaż mamy wspaniale: okupacyjne dzienniki z okolic Mińska Mazowieckiego* (Warsaw, 2016).

25 이 논문들 중 일부로 다음 자료들이 포함된다. Stanislav Nikolau, "Židovská otázka," *Národní Politika*, November 20, 1938; Dr. Karel Strejček, "Nove Úkoly, Odstraňovat Kazy," *Venkov*, December 22, 1938; Jaroslav Arnošt Trpák, "Evropě asi nezbude než vytvořit svaz států na ochranu proti židovstvu," *Večer*, December 28, 1938; Miloš Krejza: "Udělejme si pořádek!" *Lidové listy*, October 12, 1938. 다른 저자로는 다음 인물들을 들 수 있다. - Václav Kubásek, Rudolf Halik, Antonin Pimper, and Dr. Vladimir Mandel. 영국의 지원 약속에 대해서는 다음 자료를 보라. Miroslav Kárný, *Konečné řešení: Genocida českých židů v německé protektorátní politice* (Prague, 1991), 22-24. 뮌헨회담을 수용한 체코슬로바키아 엘리트의 유독한 분위기에 대해서는 다음 자료를 보라. Livia Rothkirchen, *The Jews of Bohemia and Moravia: Facing the Holocaust* (Lincoln, NE, 2005), 83-85; Wolf Gruner, *Die Judenverfolgung im Protektorat Böhmen und Mähren* (Göttingen, 2016), 23-33.

26 Jan Láníček, *Czechs, Slovaks, and the Jews* (London, 2013), 28. 1938년 말 유대인 작가, 배우, 지식인에 대한 개인적 공격에 대해서는 다음 자료를 보라. Rothkirchen, *The Jews*, 90.

27 Kárný, *Konečné řešení*, 26-33.

28 Kárný, *Konečné řešení*, 12; Jan Gebhart and Jan Kuklik, *Velké dějiny zemí Koruny české*, vol. 15 (Prague, 2007), 198.

29 Láníček, *Czechs*, 30.

30 유대인 이주 중앙사무소(Zentralstelle für jüdische Auswanderung)라고 불렸다.

31 James Mace Ward, *Priest, Politician, Collaborator: Jozef Tiso and the Making of Fascist Slovakia* (Ithaca, NY, 2013).

32 Jean-Marc Drefes and Eduard Nižňanský, "Aryanization: France and the Slovak State," in *Facing the Catastrophe: Jews and Non-Jews in Europe during WWII*, Beata Kosmala et al., eds. (Oxford, 2011), 20-21.

33 Christian Gerlach, *The Extermination of the European Jews* (Cambridge, 2016), 94; Longerich, *Holocaust*, 294.

34 Gerlach, *Extermination*, 94; Ivan Kamenec, "The Slovak State, 1939-1945," in *Slovakia in History*, Mikuláš Teich et al., eds. (Cambridge, 2011), 188-191.

35 Longerich, *Holocaust*, 365; Ivo Goldstain and Slavko Goldstain, *The Holocaust in Croatia* (Pittsburgh, PA, 2016).

36 Longerich, *Holocaust*, 300-301; Lucy Dawidowicz, *The War Against the Jews: 1933-1945* (New York, 1975), 392.

37 Hilberg, *Destruction*, 32 and passim.

38 Frederick B. Chary, *The History of Bulgaria* (Santa Barbara, CA, 2011), 83-84. 불가리아가 독일로부터 수입한 수입품 비율은 25.9퍼센트(1932)에서 65.5퍼센트(1939)로 늘어났다.

39 1934년 그리스, 튀르키예, 루마니아, 유고슬라비아는 발칸 협상국 동맹(Balkan Entente) 조약을 체결했고, 영토적 현상 유지를 목표로 했다. 1938년 7월 협상국은 노이유수르센조약을 무시하고 불가리아가 재무장하는 것을 허락했다. Dennis P. Hupchick, *The Balkans: From Constantinople to Communism* (New York 2002), 349.

40 Crampton, *Concise History*, 169.

41 독일에서 그 규칙은 한 유대인 조부모는 2등급 혼혈을 만들어내고, 두 조부모는 1등급 혼혈을 만들어내며, 이에 따른 권리 제약이 있었다. Karl A. Schleunes, *The Twisted Road to Auschwitz: Nazi Policy toward German Jews* (Urbana, IL, 1990), 128-130; Hilberg, *Destruction*, 476; James Frusetta, "The Final Solution in Southeastern Europe: Between Nazi Catalysts and Local Motivations," in *The Routledge History of the Holocaust*, Jonathan C. Friedman, ed. (New York, 2011), 271; Crampton, *Concise History*, 170.

42 재무부가 설명한 대로 유대인들은 불가리아에서 '60년 이상을 착취한' 빚이 있었다. 이것은 재산의 20퍼센트에 해당하는 20만 레바($2430) 이상이었고, 이 중 25퍼센트는 300만 레바 이상이었다. Frederick B. Chary, *The Bulgarian Jews and the Final Solution, 1940-1944* (Pittsburgh, PA, 1972), 43.

43 유대인들은 이제 군대에 들어갈 수 없었지만 독일군이 불만을 표시하기 전까지 이 부대에서 불가리아 군복을 입었다. 집시 주민들의 권리에 대한 제약도 도입되었다. Hilberg, *Destruction*, 478.

44 Crampton, *Concise History*, 171.

45 Hilberg, *Destruction*, 480; Frusetta, "Final Solution," 271.

46 "이것은 유대인 대부분의 생명을 희생시킨 결정이었다." Crampton, *Concise History*, 176. 1942년 6월 새로운 지방에서 시민권을 획득하는 새 규정이 도입되었지만, 이것은 유대인에게는 적용되지 않았다. Hilberg, *Destruction*, 482.

47 Chary, *Bulgarian Jews*, 51.

48 "뒷문이 열려 있어서 탈출로를 확보하는 것이 그들에게는 중요했다. … 그들은 이익을 얻기는 하지만 손실을 감당할 필요가 없는 방법으로 게임하기를 원했다." Hilberg, *Destruction*, 474-475.

49 그는 처음에는 독일에서 훈련 받은 15명의 파일럿이 독일을 위해 참전하여 북아프리카에서 싸우는 데 동의했다. 그러나 곧 이 허가는 취소되었다. Crampton, *Concise History*, 175; Marshall Lee Miller, *Bulgaria during Second World War* (Stanford, CA, 1975), 73.

50 1942년 10월까지 불가리아 거주 유대인 20퍼센트에게만 유대인별이 지급되었다. 이것은 동유럽에서 가장 적은 비율이었다. Neuburger, *Balkan Smoke*, 149; Hilberg, *Destruction*, 478, 482.

51 여기에는 농촌 지역에서 유대인 가족과 같이 살 약 2만 명의 유대인이 포함되었다. Hilberg,

Destruction, 483-484.

52 Chary, *History of Bulgaria*, 145-148. 이 간섭의 결과로 유대인은 불가리아 국경 밖으로 보내지지 않을 것이라는 연락이 보리스의 랍비에게 전달되었다. 유대인들이 소피아에서 자신들을 추방시키는 계획을 알았을 때 그들은 이것을 국경 밖으로 이주시키는 것으로 생각했다.

53 Tzvetan Todorov, *The Fragility of Goodness: Why Bulgaria's Jews Survived the Holocaust* (Princeton, NJ, 2001), 104-105.

54 그의 시각에 두 나라, 즉 미국과 소련이 승리자가 될 것으로 보였다. Chary, *Bulgarian Jews*, 46.

55 Chary, *Bulgarian Jews*, 139-140, 158; Hilberg, *Destruction*, 484.

56 6월에 루마니아는 베사라비아와 부코비나를 상실했고, 8-9월에는 북부 트란실바니아와 남부 도브루자를 상실했다.

57 1940년 9월 6일부터 1941년 1월 23일까지. 안토네스쿠는 카롤 왕의 폐위 이틀 후 수상을 임명되었다.

58 International Commission on the Holocaust in Romania (Wiesel Commission), *Final Report* (Bucharest, 2004), 114.

59 June 27. International Commission, *Final Report*, 121.

60 Hilberg, *Destruction*, 491; International Commission, *Final Report*, 124, 126; Christopher Browning, *The Origins of the Final Solution: The Evolution of Nazi Policy*, with contributions by Jürgen Matthäus (Lincoln, NE, 2004), 276-277; Edward Zuckerman, "God Was on Vacation," *New York Times*, October 4, 2018.

61 1941년 6월 27일 그가 콘스탄틴 루푸 대령에게 내린 명령에서. "이아시에서 유대인 인구를 철수시키는 것은 매우 중요하고, 여자와 아동을 포함해서 모든 사람에게 시행되어야 한다." International Commission, *Final Report*, 121.

62 Browning, *Origins*, 277; International Commission, *Final Report*, 122.

63 Victoria Gruber, *Partidul National Liberal (Gheorghe Brataniu)* (PhD dissertation, Universitatea "Lucian Blaga" din Sibiu, 2006), chapter six.

64 International Commission, *Final Report*, 127.

65 International Commission, *Final Report*, 128.

66 International Commission, *Final Report*, 128.

67 '루마니아인들이 비전문적이고 가학적인 방법으로 처형을 수행하는 것을 막는 것'이 1941년 8월 30일 티히나협약에 이어 루마니아가 공식으로 부코비나, 베사라비아와 트란니스트리아를 장악할 때까지 부속부대 D(Einsatzgruppe D)의 임무였다. Browning, *Origins*, 277; International Commission, *Final Report*, 129, 133-134.

68 베사라비아/부코비나에서 이 지역으로의 추방은 1941년 가을 진행되었다. 라울 힐버그는

18만 5000명 전체가 트란스니스트리아의 수용소로 강제이주된 것에 대해 말하고 있다. Hilberg, *Destruction*, 495; International Commission, *Final Report*, 137, 140 (about 150,000).

69 Hilberg, *Destruction*, 496; Christian Hartmann et al., eds., *Verbrechen der Wehrmacht: Bilanz einer Debatte* (Munich, 2005), 95.

70 일부 추정치는 25만 명에서 41만 명에 달한다. Hartmann et al., *Verbrechen der Wehrmacht*, 95; Mark Mazower, *Hitler's Empire: How the Nazis Ruled Europe* (New York, 2008), 337-338.

71 Mazower, *Hitler's Empire*, 332-333.

72 Hilberg, *Destruction*, 493, 498.

73 International Commission, *Final Report*, 170.

74 Hilberg, *Destruction*, 501-502; International Commission, *Final Report*, 172. 루카는 1944년 체포되었을 때 약 2000금화와 60개의 금시계를 가지고 있었다. Radu Ioanid, *The Holocaust in Romania: The Destruction of Jews and Gypsies under the Antonescu Regime* (Chicago, 2000), 285.

75 Dennis Deletant, *Hitler's Forgotten Ally: Ion Antonescu and His Regime, Romania 1940-44* (New York, 2006), 208; AP report of August 21, 1942, *Lawrence (Kansas) Journal-World*, 3.

76 Deletant, *Forgotten Ally*, 207; Holly Case, *Between States: The Transylvanian Question and the European Idea during World War II*, (Stanford, CA, 2009), 188.

77 Deletant, *Forgotten Ally*, 207-208.

78 한 지도자는 애니 안더만이었다. 그녀는 1930년대 아동보호회(유대인 아동복지 기구임 루마니아 지부 회장이었다. 트란스니스트리아에 방치된 유대인 고아들의 고난에 대한 정보를 접한 안더만은 다른 여성들과 함께 이들의 모국 귀환 운동을 벌였다. 아동들이 안전하게 루마니아 땅에 귀환하지 이 여성들은 아동들을 팔레스타인으로 보내려고 시도했다. Anca Ciuciu, "Kinder des Holocaust: Die Waisen von Transnistrien," in *Holocaust an der Peripherie: Judenpolitik und Judenmord in Rumänien und Transnistrien 1940-1944*, Wolfgang Benz et al., eds. (Berlin, 2009), 187-193; Jon Meacham, *Franklin and Winston: an Intimate Portrait of an Epic Friendship* (New York, 2004), 192; Richard J. Evans, *The Third Reich at War* (New York, 2009), 393; International Commission, *Final Report*, 170-171; Obituary, *The Independent* (London), July 31, 2006.

79 Case, *Between States*, 188.

80 Ronit Fischer, "Transnistria" in Friedman, *Routledge History of the Holocaust*, 286.

81 Janos, *Politics of Backwardness*, 301.

82 Loránd Tilkovszky, "Late Interwar Years," in *A History of Hungary*, Peter Sugar et al., eds.

(Bloomington, IN, 1990), 340.

83 이런 복잡한 성격에 대해서는 다음 자료를 보라. András Bán, *Hungarian-British Diplomacy 1938-1941: The Attempt to Maintain Relations* (London, 2004), 56-59, 141-142; Browning, *Origins*, 209.

84 Janos, *Politics of Backwardness*, 306.

85 Frederick B. Chary, *The History of Modern Bulgaria* (Santa Barbara, CA 2011), 91; Jörg Hoensch, *A History of Modern Hungary* (London, 1988), 146-148.

86 Hoensch, *History*, 147.

87 이것은 2차 빈 영토 할양이었다. 슬로바키아를 헝가리에 제공한 1차 영토할양은 1938년 11월 진행되었다. Tilkovszky, "Late Interwar Years," 342-343.

88 Hoensch, *History*, 149; Tilkovszky, "Late Interwar Years," 343.

89 Hoensch, *History*, 150. 호엔시는 인용부호를 사용했다.

90 Hoensch, *History*, 150-151.

91 Rudolf Braham, *The Politics of Genocide: The Holocaust in Hungary* (Detroit, 1981), 33.

92 Browning, *Origins*, 291; Braham, *Politics of Genocide*, 34.

93 Arpad von Klimo, *Remembering Cold Days: The 1942 Massacre in Novi Sad* (Pittsburgh, PA, 2018).

94 Hilberg, *Destruction*, 521. 페케타할미-자이슬러는 재판이 시작되기 전에 독일로 탈출했다.

95 벨라 임레디는 친독일적이었고, 팔 텔리키는 그렇지 않았다. 라슬로 바로도시는 친독일적이었지만 미클로스 칼라이는 그렇지 않았다. 되메 스토자이는 친독일적이었지만, 게자 라카토스는 그렇지 않았다. 독일 당국은 최종적으로 1944년 자신들이 선택한 화살전위대 지도자 페렌츠 살라시를 수상으로 임명했다.

96 Janos, *Politics of Backwardness*, 302.

97 대영지는 거의 영향을 받지 않았고, 유대인들이 소유한 산업도 덜 영향을 받았다. 일부는 이 사회에 비유대인을 포함시켜야 한다는 2차 반유대인법에 의거한 인원 할당을 받았다. "이러한 편의적 조치로 대규모 산업 시설들은 유대인 소유주의 통제하에 남았고, 종종 이전과 마찬가지로 전쟁 중 동맹국의 전쟁 노력에 큰 기여를 했다." Janos, *Politics of Backwardness*, 303, 305.

98 Rothschild, *East Central Europe*, 196; Hilberg, *Destruction*, 514-515.

99 유대인은 많은 상업 부문에서 완전히 밀려났다. 일례로 시멘트 판매, 식당, 달걀과 유제품 판매, 지방과 돼지고기 판매에서 배제되었다. Hilberg, *Destruction*, 516.

100 Braham, *Politics of Genocide*, 42, 49; Hilberg, *Destruction*, 517-518.

101 1944년 나치가 호르티를 제거한 후 그는 헝가리 왕정위원회에 자신은 "유대인들이 히틀러의 뜻에 따라 대량 학살당하는 것을 허락하지 않을 책임을 져왔다"고 말했다. Hilberg,

Destruction, 524, 527.

102 István Deák, *Essays on Hitler's Europe* (Lincoln, NE, 2001), 156.

103 Hoensch, *History*, 156. Janos speaks of eleven divisions. *Politics of Backwardness*, 308.

104 이 위원회는 1944년 4월 22일 칙령에 의해 만들어졌다. Kinga Frojimovics, "The Special Characteristics of the Holocaust in Hungary," in Friedman, *Routledge History of the Holocaust*, 255.

105 Frojimovics, "Special Characteristics," 256-257; Christian Gerlach and Götz Aly, *Das letzte Kapitel: Der Mord an den ungarischen Juden* (Stuttgart, 2002), 274; Lendvai, *Hungarians*, 422.

106 〈브르바 보고서〉는 슬로바키아 유대인 루돌프 브르바가 작성했다. 그는 수용소를 탈출한 후 1944년 6월부터 스위스 신문에 자신의 회고담(4월에 작성)을 실었다. 교황 비오 12세는 6월 25일 개인적 청원을 제기했고, 루즈벨트는 6월 26일, 스웨덴 국왕은 6월 30일에 청원을 제기했다. 미국 대통령은 강제이주와 모든 반유대인 조치의 즉각적 중단을 요구하고, 그렇지 않는 경우 보복 행위를 위협했다. 미 항공기는 7월 2일 부다페스트를 공습했다. Braham, *Politics of Genocide*, 161.

107 Braham, *Politics of Genocide*, 161.

108 Keith Hitchins, *Rumania 1866-1947* (Oxford, 1994).

109 Macartney, *Hungary*, 234.

110 Hoensch, *History*, 157.

111 화이네는 독일군과 친위대가 모르게 이런 일을 했다. Heinrich August Winkler, *The Age of Catastrophe: A History of the West* (New Haven, CT, 2015 835; Heidi Eisenhut, "Im Leben etwas Grosses vollbringen," *Appenzellische Jahrbücher* 140 (213), 44-65.

112 Tilkovszky, "Late Interwar Years," 353.

113 Zoltán Vági et al., eds., *The Holocaust in Hungary: Evolution of a Genocide* (Lanham, MD, 2013), 330.

114 2차 세계대전 전 루마니아의 유대인 인구는 75만 7000명이었다. International Commission, *Final Report*, 179.

115 통계 숫자는 다음 사이트에 나와 있다. www .yadvashem.org (accessed October 6, 2018).

116 80,000명이 처형당한 것으로 추산된다. Gruner, *Judenverfolgung*, 289.

117 Browning, *Origins*, 291; Hoensch, *History*, 157.

118 Helen Fein, *Accounting for Genocide* (New York, 1979), 33. 전쟁 중 사라예보의 이슬람 주민, 가톨릭 크로아티아인, 정교회 세르비아인 주민들은 서로를 보호하기 위해 단합했다. 그러나 도시에 거주하던 1만여 명의 유대인은 완전히 사라졌다. Emily Greble, *Sarajevo, 1941-1945: Muslims, Christians and Jews in Hitler's Europe* (Ithaca, NY, 2011), 114-115.

119 George Konrád, *A Guest in My Own Country: A Hungarian Life* (New York, 2007), 103.

120 Heda Margolius Kovaly, *Under A Cruel Star: A Life in Prague* (New York, 1986), 66; Gruner, *Judenverfolgung*, 260-263.

121 이것은 콘란드의 저작에 대한 뛰어난 서평을 쓴 이슈트반 데아크에 의해 강조되었다. István Deák, *The New Republic*, April 2, 2007.

122 Konrád, *Guest*, 113-114.

123 폴란드에 대해서는 다음 자료를 보라. Jan T. Gross, *Fear: Anti-Semitism in Poland after Auschwitz* (New York, 2006); Celia Stopnicka Heller, *On the Edge of Destruction: Jews of Poland between the Two World Wars* (Detroit, 1994), 296; Anna Bikont, *The Crime and the Silence* (New York, 2015), 442; Anna Cichopek-Gajraj, *Beyond Violence: Jewish Survivors in Poland and Slovakia in 1944-1948* (Cambridge, 2014); Yehoshua Büchler, "Slovaks and Jews after World War II," in *The Jews are Coming Back: The Return of Jews to Their Countries of Origin after WWII*, David Banker, ed., (Jerusalem, 2005), 257-276. 귀환한 유대인들에 대한 체코인들의 태도에 대해서는 다음 자료를 보라. Hana Kubátová and Jan Láníček, *The Jew in Czech and Slovak Imagination 1938-89* (Leiden, 2018), 115.

18장 인민민주주의: 전후 초기 동유럽

1 소련은 쾨니스버그(현 칼리닌그라드)를 포함한 동프로이센과 체코슬로바키아 동부, 많은 주민들이 우크라이나와 문화적 일체성을 느끼는 카르파티아산맥의 루테니아도 취했다.

2 '복사한 정권(Replica regimes)'은 케네스 조비트가 만든 공식이다. 다음 자료를 보라. Kenneth Jowitt, *New World Disorder: The Leninist Extinction* (Berkeley, 1991), xvii, 250.

3 소련군 병사들은 체코슬로바키아에서 1만-2만 명의 여성, 폴란드에서 4만 명의 여성을 강간한 것으로 추정된다. Anna Cichopek-Gajraj, *Beyond Violence: Jewish Survivors in Poland and Slovakia, 1944-1948* (Cambridge, 2014), 48. 부다페스트에서만 약 5만 명의 여성이 강간을 당했다. James Mark, "Remembering Rape: Divided Social Memory and the Red Army in Hungary," *Past and Present* 188 (2005), 133. 안도에서 공포와 불안으로 감정이 바뀐 것에 대해서는 다음 자료를 보라. Marcin Zaremba, *Wielka trwoga: Polska 1944-1947. Ludowa reakcja na kryzys* (Kraków, 2012), 153-154. 헝가리에서 소련군 병사들에 대한 시민들의 인식에 대해서는 다음 자료를 보라. Sándor Márai, *Memoir of Hungary 1944-48*, Albert Tezla, trans. (Budapest, 1996 독일의 소련군 점령 지역에 대해서는 다음 자료를 보라. Norman M. Naimark, *The Russians in Germany* (Cambridge, MA, 1996)

4 Cichopek-Gajraj, *Beyond Violence*, chapters 2-3; Samuel Herman, "War Damage and

Nationalization in Eastern Europe," *Law and Contemporary Problems* 16: 3 (Summer 1951), 507.

5 폴란드에서 개혁 조치로 1919년부터 7년 보통 교육제도가 (1948-1949년부터) 7년 초등교육과 4년 중등교육의 두 단계 제도로 바뀌었다. Jerzy Wyrozumski, *Pińczów i jego szkoły w dziejach* (Kraków, 1979), 221. 집중 교육제도와 고등교육에 대해서는 다음 자료를 보라. John Connelly, *Captive University: The Sovietization of East German, Czech, and Polish Higher Education* (Chapel Hill, NC, 2000).

6 Jörg Hoensch, *A History of Modern Hungary* (London, 1988), 160.

7 From 1946. Norman Naimark, "Revolution and Counterrevolution" in *The Crisis of Socialism in Europe*, Christiane Lemke and Gary Marks, eds. (Durham, NC, 1992), 67.

8 Peter Kenez, *Hungary from the Nazis to the Soviets: The Establishment of the Communist Regime in Hungary, 1944-1948* (Cambridge and New York, 2006), 120-124.

9 베네시 대통령은 소련은 "우리 국가들을 볼셰비키화하기를 원하지 않는다"고 덧붙였다. Igor Lukes, *On the Edge of the Cold War* (Oxford, 2012), 30, 40, 166.

10 Mark Pittaway, "The Politics of Legitimacy and Hungary's Postwar Transition," *Contemporary European History* 13:4 (2004), 466.

11 Bradley F. Abrams, *The Struggle for the Soul of the Nation: Czech Culture and the Rise of Communism* (Lanham, MD, 2004), 316, note 62.

12 노동자 불만의 형태와 결과에 대해서는 다음 자료를 보라. Andrew Port, *Conflict and Stability in the German Democratic Republic* (Cambridge, 2007); Padraic Kenney, *Rebuilding Poland: Workers and Communists* (Ithaca, NY, 1997); Jeffrey Kopstein, *The Politics of Economic Decline in East Germany* (Chapel Hill, NC, 1997); Adrian Grama, *Laboring Along: Industrial Workers and the Making of Postwar Romania* (Berlin, 2019); Mark Pittaway, *The Workers' State: Industrial Labor and the Making of Socialist Hungary* (Pittsburgh, PA, 2012). 개괄적 설명은 다음 자료를 보라. Peter Heumos, "Workers under Communist Rule," *International Review of Social History* 55:1 (2010), 83-115.

13 일례로 헤다 마르골리우스 코발리의 회고를 보라. Heda Margolius Kovaly, *Under a Cruel Star: A Life in Prague, 1941-1968* (New York, 1997).

14 아담 미츠니크는 1945년 반나치 지하운동 음모의 부상에 대해서, 비카는 새 정권을 받아들이거나 거부할 시간이 없었고, 단순히 자신의 일을 계속했다고 말했다. Adam Michnik, "Polski rachunek sumienia," *Gazeta Wyborcza*, April 12, 2010. 유기적 작업에 대해서는 10장을 보라

15 Sebastian Drabik, "Komuniści i społeczeństwo PRL wobec śmierci Stalina," *Arcana*, March 5, 2011, at http://www.portal.arcana.pl/Komunisci-i-spoleczenstwo-prl-wobec-smierci-

stalina,845 .html (accessed December 19, 2018).

16 Marta Markowska, *Wyklęci. Podziemie zbrojne 1944-1963* (Warsaw, 2013). 공산당의 힘에 대해서는 21장 각주 47을 보라.

17 Abrams, *Struggle*, 116. 폴란드에서 변증법의 인기는 헤겔이 쏘는 것(Hegelian sting)이라고 불렸다. 다음 자료를 보라. Jan Kott, *Theater of Essence* (Evanston, IL, 1984), 203.

18 Abrams, *Struggle*, 116.

19 Bradley Abrams cited in E. A. Rees, "Intellectuals and Communism," *Contemporary European History* 16:1 (2007), 145.

20 이것이 요제프 마추레크의 시각이었다. Rees, "Intellectuals," 145.

21 Lukes, *On the Edge*, 30-31.

22 Eugenio Reale, *Raporty. Polska 1945-1946*, Paweł Zdiechowski, trans. (Paris, 1968), 104. From December 1945.

23 동독은 1950년 오데르-나이세 경계를 인정했고, 서독은 1970년 이것을 '파기'할 수 없는 것으로 인정했지만, 평화조약이 체결되는 경우 변경 가능한 상태로 있는 것으로 생각했다. Dieter Blumenwitz, "Oder-Neisse Linie," in *Handbuch zur deutschen Einheit*, Werner Weidenfeld and Karl-Rudolf Korte, eds. (Frankfurt, 1999), 586-597.

24 Czesław Miłosz, *The Captive Mind*, Jane Zielonko, trans. (New York, 1955), 98; Adam Michnik, *Polskie pytania* (Warsaw, 1993), 96.

25 루마니아의 요청에 대해서는 다음 자료를 보라. Henry L. Roberts, *Rumania: Political Problems of an Agrarian State* (New Haven, CT, 1951), 259.

26 이것은 전 독일 외무장관 요슈카 피셔의 사회주의 정의이다. Steven Erlanger, "What's a Socialist," *New York Times*, July 1, 2012.

27 Stefano Bottoni, "Reassessing the Communist Takeover in Romania: Violence, Institutional Continuity, and Ethnic Conflict Management," *East European Politics and Societies* 24:1 (2010), 65.

28 저자인 마리아 동브로브스카는 이러한 사고 경향의 대변자이다. Jacek Kuroń and Jacek Żakowski, *PRL dla początkujących* (Wrocław, 1996), 42-43.

29 1944년 9월 쿠데타 이후 불가리아에서 즉결 처형을 당한 사람의 정확한 숫자는 알려지지 않았지만, 수천 명에 달할 것으로 추정되고, 장군, 신문 발행인. 변호사, 관리들이 처형되었다. Pol» Meshkova and Din¼ Sharlanov, *Bŭlgarskata gilotina : taĭnite mekhanizmi na Narodniia sŭd* (Sofia, 1994), cited in Maria Slavtscheva, *Auf der Suche nach dem Modernen: Eine komparatistische Verortung ausgewählter bulgarischer Lyriker* (Stuttgart, 2018), 115.

30 18장을 보라. 직접 처형으로 죽은 사람은 약 6만 명에 달했다. 이 작전 중 하나는 '지식인화(Intelligenzaktion)'라는 암호가 붙었다. 다음 자료를 보라. Snyder, *Bloodlands*, 149-

151; Maria Wardzyńska, *Byl rok* 1939: *Operacja niemieckiej policji bezpieczeństwa w Polsce. Intelligenzaktion* (Warsaw, 2009).

31 "Rozporządzenie z dnia 1 sierpnia 1944 r. Krajowej Rady Ministrów o utracie obywatelstwa przez Niemców," *Dziennik Ustaw Rzeczpospolitej Polski*, August 2, 1944, part 3, position 7, 17.

32 "Dekret z dnia 13 września 1946 r. o wyłączeniu ze społeczeństwa polskiego osób narodowości niemieckiej," *Dziennik Ustaw Rzeczpospolitej Polski*, November 8, 1946, no. 55, position 310, 632.

33 바츨라프 바르치코프스키와 브와디스와프 고무우카의 연설. *Wiadomości Mazurskie* (Olsztyn, Poland), November 12, 1946, 2.

34 Jan Błoński, *Miedzy literaturą a światem* (Kraków, 2003), 238; Stanisław Krajewski, *Tajemnica Israela a tajemnica kościoła* (Kraków, 2007), 67; Teresa Torańska, *Śmierć spóźnia się o minutę* (Warsaw, 2010), 150. 비유대인이 유대인 재산을 탈취한 것에 대해서는 다음 자료를 보라. Jan Gross and Irena Grudzińska-Gross, *Golden Harvest: Events at the Periphery of the Holocaust* (New York, 2012).

35 전쟁 전 310만 명이 넘는 인구 중 약 14만 5000명의 유대인이 폴란드 땅에서, 23만 2000명은 소련 땅, 4만 명은 다른 지역에서 살아남았다. Cichopek-Gajraj, *Beyond Violence*, 10, 44.

36 이 사항에 대해서는 다음 자료를 보라. Cichopek-Gajraj, *Beyond Violence*, 145. 1944년부터 1946년까지 폴란드에서 유대인 희생자 총 숫자에 대한 추정치는 650명에서 1200명이다. Cichopek-Gajraj, *Beyond Violence*, 117. 포그롬에 대해서는 다음 자료를 보라. Jan T. Gross, *Fear: Anti-Semitism in Poland after Auschwitz* (New York, 2006).

37 다음 사이트를 참조하라. http://www.yivoencyclopedia.org/article.aspx/poland/poland_since_1939. The peak number of Jews in postwar Poland was 240,489 in June 1946. Cichopek-Gajraj, *Beyond Violence*, 44.

38 Bernhard Chiari, "Limits to German Rule: Conditions for and Results of the Occupation of the Soviet Union," in *Germany and the Second World War*, Jörg Echternkamp, vol. 9/2 (Oxford, 2014), 964.

39 Helga Hirsch, "Nach dem Hass das Schweigen," *Die Zeit*, April 16, 1993; Jerzy Lukowski and Hubert Zawadzki, *Concise History of Poland* (Cambridge, 2006), 279.

40 Bottoni, "Reassessing," 74. 1948년부터 1952년까지 13만 명이 이스라엘로 떠났다.

41 독일인들의 시민권은 1948년 복원되었다. 헝가리어를 주요 교육언어로 하는 대학이(볼리아이 야노스 대학) 클루이에서 운영되었고, 수백 개의 고등학교, 전문학교, 다른 직업학교의 연계망을 지원했다. Bottoni, "Reassessing," 72-73.

42 서방에서 활기를 띤 새로운 국제주의는 동유럽 전문가들로부터 시작되었다. 이들은 일례로

트리에스테 지역을 놓고 벌어진 갈등에서 영감을 받았다. 이들의 사고는 자신들의 조국에서 훨씬 뒤에 실행되었다. Glenda Sluga, *Internationalism in the Age of Nationalism* (Philadelphia, 2013), 81-85.

43 Zdeněk Radvanovsky, "The Social and Economic Consequences of Resettling Czechs into Northwestern Bohemia, 1945-1947," in *Redrawing Nations: Ethnic Cleansing in East-Central Europe, 1944-1948*, Philipp Ther and Ana Siljak, eds. (New York, 2001), 243, 251. 공산당 기구에서 지도적 위치에 있는 여성들이 숫자는 적은 상태였고, 위로 올라갈수록 감소했다. Sharon Wolchik, "The Status of Women in a Socialist Order: Czechoslovakia 1948-1978," *Slavic Review* 38:4 (1979), 583-602.

44 Josef Korbel, *The Communist Subversion of Czechoslovakia*, 1938-1948: *The Failure of Coexistence* (Princeton, NJ, 1959), 161-162.

45 Connelly, *Captive University*, 108-109.

46 이 점에 대해서는 전후 체코 민족사회당의 보고서를 보라. 이 보고서는 '인민의 힘'에 감히 대적하는 모든 사람들에 대한 체코 공산당 조직의 지속적이고 폭력적인 압력을 서술하고 있다. Authors' Collective, *Tři roky : přehledy a dokumenty k československé politice v letech 1945 až 1948*, 2 vols. (Prague, 1991).

47 공산주의자 장관인 바츨라프 코페츠키는 독일인과 헝가리인 모두를 추방하고, 루사티아 영토를 취하자는 요구에서 가장 급진적이었다. 그는 오래전에 슬라브인들이 베를린 지역에 정착했다고 주장했다. 1945년 6월 클레멘트 고트왈트는 '적대적 요소'가 접경 지역에서 영구히 제거되어야 한다고 말했다. 이것은 백산 전투(1620)에 대한 속죄이자 독일인 식민 정착자들을 보헤미아로 초청한 체코 왕들의 실책의 시정이었다. Tomáš Staněk, *Odsun Němců z Československa, 1945-1947* (Prague, 1991), 60.

48 František Čapka, *Sborník dokumentů ke studiu nejnovějších českých dějin* (Brno, 2002), 120-122.

49 From Sarah A. Cramsey, "Uncertain Citizenship: Jewish Belonging and the Ethnic Revolution in Poland and Czechoslovakia, 1938-1948" (PhD dissertation, University of Califoirnia, Berkeley, 2014), chapter two.

50 예외는 자유주의자 파벨 티그리트, 페르디난트 페로우트카, 바츨라프 체르니였다. 로마가톨릭은 인종주의에 반대하고 서구적 가치를 옹호하는 데 다른 비공산주의자들보다 더 용감히 나섰다. Abrams, *Struggle*, 163-167, 174.

51 Tomáš Staněk, *Persekuce* (Prague, 1996), 72.

52 역사적 기록과 대조되게 소련은 유럽이 1930년대 동유럽이 나치 침공 위협을 받았을 때 동유럽에 지원을 제공했다고 주장했다. Igor Lukes, *Between Stalin and Hitler: The Diplomacy of Edvard Beneš in the 1930s* (Oxford, 1996). 베사라비아가 주로 루마니아 인종적 성격을

가진 것에 대해서는 다음 자료를 보라. Henry L. Roberts, *Rumania: Political Problems of an Agrarian State* (New Haven, 1951), 32-33.

53 Elaine Kelly, *Composing the Canon in the GDR* (Oxford, 2014).

54 1955년 디자인된 민족인민군의 제복은 독일국방군의 제복을 모델로 했다. Rüdiger Wenzke, *Ulbrichts Soldaten: die Nationale Volksarmee 1956 bis 1971* (Berlin, 2013), 87-88, 96, 407. 프레데리크에 대해서는 다음 자료를 보라. Christoph Dieckmann, "Der König der DDR," *Die Zeit*, November 22, 2011.

55 Peter Fritzsche, *The Turbulent World of Franz Göll: An Ordinary Berliner Writes the Twentieth Century* (Cambridge, MA, 2011), 210; Günter Gaus, *Wo Deutschland liegt: Eine Ortsbestimmung* (Munich, 1986).

56 이 사항이 대중의 지지를 이끌어냈다. Stephen Fischer-Galati, *Twentieth Century Rumania* (New York, 1991), 92. 소련으로 이송된 루마니아령 독일인 숫자는 7만 5000명에서 8만 명 사이이다. 대부분은 1949-1950년 풀려났지만, 일부는 더 오래 감금되었다. Anneli Ute Gabanyi, *Die Deutschen in Rümanien* (Bonn, 1988), 34; Bottoni, "Reassessing," 79-80. 토지를 받은 사람들은 신청한 사람의 4분의 3에 달했다.

57 천 명이 모든 농지의 4분의 1을 차지했고, 가톨릭교회는 약 50만 헥타르를 소유했다.

58 Hoensch, *History*, 169-170; N. G. Papp, "The Political Context of the Hungarian Land Reform of 1945: A Reassessment," *Historian* 46:3 (May 1984), 385-387, 395.

59 Kenez, *Hungary*, 107.

60 Papp, "Political Context," 392. Retroactive to January 1, 1946. 다시 말해 이 시기 전에 분배된 토지에 대한 어떤 항의도 불가능했다.

61 Kenez, *Hungary*, 112; Papp, "Political Context," 388.

62 Papp, "Political Context," 388-389.

63 1945년 가을 소지주들은 농지 개혁의 전횡에 대해 항의했고, 특히 공산당이 지배하는 농지 분배위원회의 조치에 항의했다. Papp, "Political Context," 391.

64 이런 모습에 대해서는 다음 자료를 보라. Andrzej Paczkowski, *Zdobycie władzy: 1945-1947* (Warsaw, 1993), 30.

65 Abrams, *Struggle*, passim.

66 Connelly, *Captive University*, 75.

67 불행하게도 이들이 행진한 거리인 네루도바 거리는 좁아서, 경찰이 이들을 제지하고 성으로 가는 것을 막기가 쉬웠다. Peter Demetz, *Prague in Gold and Black: The History of a City* (London, 1998), 367; Zdeněk Pousta, "Smuteční pochod za demokracii," in *Stránkami soudobých dějin. Sborník stadií k pětašedesátinám historika Karla Kaplana*, Karel Jech, ed. (Prague, 1993), 198-207.

68 Abrams, *Struggle*, 115.

69 Abrams, *Struggle*.

70 János M. Rainer, *Imre Nagy: Vom Parteisoldaten zum Märtyrer des ungarischen Volksaufstandes. Eine politische Biographie 1896-1958*, Anne Nass, trans. (Paderborn, Germany, 2006), 65.

71 1946년 마차시 라코시가 공산당 중앙위원회에 말한 내용의 기록은 다음 자료를 보라. Csaba Békés et al, eds., *Soviet Occupation of Romania, Hungary, and Austria 1944/45-1948/49* (Budapest, 2015), 185ff.

72 Mark Pittaway, "Politics," 470-471; Kenez, *Hungary*, 128-129.

73 그는 그들이 소비에트화를 교사했다고 비난했다. Kenez, *Hungary*, 130.

74 Alfred Rieber, *Salami Tactics Revisited: Hungarian Communists on the Road to Power*, Trondheim Studies on East European Cultures and Societies no. 33 (Trondheim, 2013), 85.

75 정치적으로 생명력이 없는 러요시 딘네시를 이은 인물은 이슈트반 도비였다. 공산당은 소지주들을 대거 축소시킨 다음 1948년 말 두 개의 소규모 독립 정당을 해산시켰다. Hugh Seton-Watson, *The East European Revolution* (London, 1956), 198-202; "Zwei Kilo Gold," *Der Spiegel*, June 14, 1947; László Borhi, *Dealing with Dictators: The United States, Hungary and East Central Europe* (Bloomington, IN, 2016), 72; Anne Applebaum, *Iron Curtain: The Crushing of Eastern Europe* (New York, 2012), 210-211; Jason Wittenberg, *Crucibles of Political Loyalty* (Cambridge, 2006), 56-57.

76 Keith Hitchins, *Rumania 1866-1947* (Oxford, 1994), 500; Roberts, *Rumania*, 259.

77 Bottoni, "Reassessing," 64.

78 Roberts, *Rumania*, 261.

79 이것이 헝가리의 나치 권력에 대해 안드레프 야노스가 사용한 용어이다. 그는 삼중 지렛대에 대해 말했다. Janos, *Politics of Backwardness*, 301.

80 Bottoni, "Reassessing," 67-68.

81 Crampton, *Concise History*, 187.

82 Hannah Arendt, *Eichmann in Jerusalem: A Report on the Evil of Banality* (New York, 1976), 188; Wilfried F. Schoeller, "Georgi Dimitroff: Held und Schurke," *Der Tagesspiegel*, March 11, 2001.

83 The technique involved seizing the newspaper, then the organization. Seton-Watson, *Revolution*, 213-217.

84 *Sydney Morning Herald*, September 25, 1947.

85 Chary, *History of Bulgaria*, 127.

86 Crampton, *Concise History*, 188; Seton-Watson, *Revolution*, 216; Harold Segel, *The Walls behind the Curtain: East European Prison Literature, 1945-1990* (Pittsburgh, PA, 2012), 11-

12; Michael Bar-Zohar, *Beyond Hitler's Grasp: The Heroic Rescue of Bulgaria's Jews* (Holbrook, MA, 1998), 146; Khaim Oliver, *We Were Saved: How the Jews in Bulgaria Were Kept from the Death Camps* (Sofia, 1978), 65.

87 Michael Padev, *Dimitrov Wastes No Bullets. Nikola Petkov: The Test Case* (London, 1948); Chary, *History of Bulgaria*, 127; "Petkov's Death Shocks West," *Sydney Morning Herald*, September 25, 1947; Seton-Watson, *Revolution*, 217; Crampton, *Concise History*, 186.

88 Papp, "Political Context," 385.

89 "US Excoriates Bulgaria," *New York Times*, September 24, 1947.

90 1946년 1월 미콜라이치크는 브로츠와프에서 체포된 18명의 활동가와 워즈에서 추가적으로 체포된 80명의 활동가 명단을 작성했다. Applebaum, *Iron Curtain*, 198-199. Reale, *Raporty*, 103; "Die Memoiren Mikolajczyks," *Der Spiegel*, March 13, 1948, 48-49; Paczkowski, *Pół wieku*, 192.

91 Cătălin Augustin Stoica, "Once Upon a Time There Was a Big Party: The Social Bases of the Romanian Communist Party," *East European Politics and Societies* 19:4 (2005), 694.

92 Samuel L. Sharp, *Industry and Agriculture in Eastern Europe* (New York, 1951), 184.

93 "Free Speech: Reds Turn Assembly into a Brawl," *Life*, June 30, 1947, 30-31.

94 Krystyna Badurka, "Stalinizm w mojej pamięci," January 17, 2017, at https://obserwatorpolityczny.pl/?p=45317 (accessed October 23, 2018).

19장 냉전과 스탈린주의

1 Daniel Yergin, *Shattered Peace: The Origins of the Cold War and the National Security State* (New York, 1977), 312-313; Vojtech Mastny, *The Cold War and Soviet Insecurity* (Oxford, 1996); Norman M. Naimark, "The Sovietization of Eastern Europe, 1944-1953," in *The Cambridge History of the Cold War*, Melvyn P. Leffler and Odd Arne Westad, eds., vol. 1 (Cambridge, 2010), 175-197. 다음 자료도 보라. Francesca Gori and Silvio Pons., eds., *The Soviet Union and Europe in the Cold War, 1943-53* (London, 1996); and Norman M. Naimark and Leonid Gibianskii., eds., *The Establishment of Communist Regimes in Eastern Europe 1944-1949* (Boulder, CO, 1997).

2 Scott D. Parrish, "The Turn toward Confrontation: The Soviet Reaction to the Marshall Plan, 1947," Cold War International History Project Working Paper 9 (Washington, DC, 1994), 14.

3 Parrish, "Turn toward Confrontation," 3.

4 Hubert Ripka, *Czechoslovakia Enslaved: The Story of the Communist Coup d'Etat* (London, 1950), 70.

5 W. Gomułka, *Artykuły i przemówienia*, vol. 1 (Warsaw, 1962), 295 (from June 1945); Krystyna Kersten, *Narodziny systemu władzy, Polska 1943-1948* (Warsaw, 1990), 239-240; Jerzy Jagiełło, *O polską drogę do socjalizmu* (Warsaw, 1983), 134; Jan Ciechanowski, "Postwar Poland," in *The History of Poland since 1863*, R. F. Leslie, ed. (Cambridge, 1983), 296-297.

6 '사회주의'를 선호하는 세력 간의 상관관계는 스탈린이 희망한 대로 모스크바에 이익이 되는 방향으로 작동하지 않았다. 이것은 1947년 중반에 분명해졌다. Mastny, *Cold War*, 25.

7 Ted Hopf, *Reconstructing the Cold War* (Oxford, 2012), 84-85.

8 *Sydney Morning Herald*, September 25, 1947. The statement is by Clement Davies (Liberal), Lord Vansittart (Conservative), and A. R. Blackburn (Labour).

9 Mastny, *Cold War*, 33; Jiří Pernes, "Specifická cesta KSC k socialismu," *Soudobé dějiny* 1-2 (2016), 11-53.

10 Connelly, *Captive University*, 127-132, 250-251.

11 이것은 1950년까지 지속된 확장된 과정이었고, 모든 경우에 수십만 명의 사회민주당원의 숙청을 수반했다. Joachim von Puttkamer, *Ostmitteleuropa im 19. und 20. Jahrhundert* (Munich, 2010), 117-119.

12 다음 사이트에서 6월 28일 결의안을 보라. http://www.fordham.edu/halsall/mod/1948cominform-yugo1.html (accessed November 23, 2016).

13 Richard West, *Tito and the Rise and Fall of Yugoslavia* (New York, 1995), 220-221.

14 Georg Hodos, *Schauprozesse: stalinistische Säuberungen in Osteuropa 1948-54* (Frankfurt am Main, 1988), 68-69.

15 Hopf, *Reconstructing*, 84-85.

16 네 명 중 두 명(에르노 게뢰와 미할리 파르카스)는 KGB 요원이었다. 1948년 5월 라코시는 소련 비밀경찰 수장 베리아와 함께 라이크의 공개재판을 준비하기 위해 모스크바로 왔다.

17 Applebaum, *Iron Curtain*, 164-165.

18 Roger Gough, *A Good Comrade: János Kádár, Communism and Hungary* (London, 2006), 43-44, 46.

19 Geoffrey Swain, *Tito: A Biography* (London, 2011), 103; Andrzej Leder, *Prześniona rewolucja* (Warsaw, 2014), 155.

20 체코슬로바키아에서의 문제에 대해서는 다음 자료를 보라. Kevin McDermott, "A Polyphony of Voices? Czech Popular Opinion and the Slánský Affair," *Slavic Review* 67:4 (2008), 859; Jiří Pernes, *Krize komunistického režimu v Československu v 50. letech 20. století* (Brno, 2008), 41-56.

21 이 사실을 지적한 딜란 브룩스 덕분에 스페인 자원병이자 전쟁 중 런던에 망명한 사람이었던 슐링은 체코슬로바키아 공산당의 최고위층과 접촉을 유지했다. Karel Kaplan, *Report on the Murder of the General Secretary*, Karl Kovanda, trans. (London, 1990), 86.

22 북부 헝가리 공산주의자 가정의 젊은 금속공의 시각의 사례에 대해서는 다음 자료를 보라. Sándor Kopácsi, *In the Name of the Working Class* (New York, 1986), 33-34.

23 헝가리 공산주의자 자매 이야기가 있다. 두 사람 모두 재판 중 공산당에 실망했으나 다른 자매가 아직 공산당을 신봉한다고 생각하고 서로에게 마음을 털어놓지 않았다. Applebaum, *Iron Curtain*, 292.

24 Kevin McDermott, *Communist Czechoslovakia 1945-89* (London, 2015), 70; Mark Pittaway, *The Workers' State: Industrial Labor and the Making of Socialist Hungary* (Pittsburgh, PA, 2012), 101-102; Kovaly, *Under a Cruel Star*, 140.

25 Marián Lóži, "A Case Study of Power Practices: The Czechoslovak Stalinist Elite at the Local Level," in *Perceptions of Society in Communist Europe: Regime Archives and Popular Opinion*, Muriel Blaive, ed. (London, 2019), 49-64; McDermott, *Communist Czechoslovakia*, 70.

26 Hana Kubátová and Jan Láníček, *The Jew in Czech and Slovak Imagination 1938-89* (Leiden, 2018), 169-211; Bożena Szaynok, "The Anti-Jewish Policies of the USSR in the Last Decade of Stalin's Rule and Its Impact on East European Countries," *Russian History* 29:2-4 (2002), 301-315. 여러 세기 동안 지속된 유대인 혐오의 더 깊은 역사에 대해서는 다음 자료를 보라. David Nirenberg, *Anti-Judaism: The Western Tradition* (New York, 2013).

27 Kaplan, *Report*, 242.

28 폴란드의 힐라리 민츠와 야쿠프 베르만이나 헝가리의 마타아스 야코시와 요제프 레바이를 그 예로 들 수 있다.

29 František Nečásek et al., eds., *Dokumenty o protilidové a protinárodní politice T. G. Masaryka* (Prague, 1953); McDermott, "Polyphony," 856; Martin Wein, *A History of Czechs and Jews: A Slavic Jerusalem* (New York, 2015), 162.

30 이것은 1949년 6월 1일 당 중앙위원회에 그가 보고한 자료에서 나온 것이다. Gough, *Good Comrade*, 45.

31 István Rev, *Retroactive Justice: A Prehistory of Postcommunism* (Stanford, CA, 2005), 120-121; Bennett Kovrig, *Communism in Hungary* (Stanford, CA, 1979), 245.

32 Kuroń and Żakowski, *PRL*, 74; Jörg K. Hoensch, *A History of Modern Hungary, 1867-1994* (London, 1996), 192.

33 부당한 공개재판을 표현하기 위해 '괴물 재판'이란 용어가 1차 세계대전 중에도 사용되었다. Vladimir Nosek, *Independent Bohemia: An Account of the Czechoslovak Struggle for Liberty* (London, 1918), 53.

34 글자 'B'는 부르주아를 상징한다. 체코슬로바키아의 경우 그 숫자는 1만 5000명에 달했다. 소련의 전조에 대해서는 다음 자료를 보라. Sheila Fitzpatrick, *Education and Social Mobility in the Soviet Union 1921-1934* (Cambridge, 1979), 76-77.

35 Dariusz Jarosz, *Polacy a stalinizm 1948-1956* (Warsaw, 2000), 64; Pittaway, *Workers' State*, 145.

36 Sharon Wolchik, "The Status of Women in a Socialist Order: Czechoslovakia 1948-1978," *Slavic Review* 38:4 (1979), 583-602; Isabel Marcus, "Wife Beating: Ideology and Practice in State Socialism," in *Gender Politics and Everyday Life in State Socialist Eastern Europe*, Shana Penn and Jill Massino, eds., (New York, 2009), 120.

37 1950년대 여성의 숫자는 폴란드와 동독에서는 3분의 1, 체코슬로바키아에서는 4분의 1에 달했다. 앞의 두 나라에서 목표는 40퍼센트였다. Connelly, *Captive University*, 267.

38 일례로 1970년 루마니아의 여성 74.9퍼센트가 가정 외에서 고용되었다. 이것은 절반에 머문 프랑스, 영국과 비교되었다. Jill Massino, "Workers under Construction," in *Gender Politics*, Massino and Penn, eds., 16-17.

39 1951년 전반기에 자라르도프 면방직 공장에서 노동 경쟁에 참가한 노동자의 절반은 여성이었다. Małgorzata Fidelis, *Women, Communism and Industrialization in Postwar Poland* (Cambridge, 2010), 80.

40 전쟁 전 폴란드에서 여성은 법과대학에 입학하기 시작했지만, 사법부에 아무런 흔적도 남기지 못했다. 첫 여성 판사는 1929년에 임명되었다. 인민공화국 폴란드에서 상대적 기회 평등에 의해 여성 판사 숫자는 1968년 33.2퍼센트에서 1990년 61.6퍼센트로 올라갔다. Małgorzata Fuszara, "Women Lawyers in Poland," in *Women in the World's Legal Professions*, Ulrike Schultz and Gisela Shaw, eds. (Oxford, 2003), 375.

41 1956년 광부로 훈련받은 여성 비율은 7.63퍼센트, 경공업 작업 훈련을 받은 비율은 61.06퍼센트였다. Jarosz, *Polacy*, 127-129; Pittaway, *Workers' State*, 155. 평균적으로 여성들은 남성에 비해 25-35퍼센트 수입이 적었다. Lynne Haney, "After the Fall. East European Women since the Collapse of State Socialism," *Contexts* (Fall 2002), 29.

42 Robert Levy, *Ana Pauker: Rise and Fall of a Jewish Communist* (Berkeley, 2001), 108-109, 126; Norman Naimark, review of Levy, *Ana Pauker, Slavic Review* 61:2 (2002), 389-390. 그녀를 목표로 삼은 데 소련이 행한 역할에 대해서는 다음 자료를 보라. Vladimir Tismaneanu, *Stalinism for all Seasons: A Political History of Romanian Communism* (Berkeley, 2003), 128-129.

43 1955년 농업적으로 유용한 토지의 9퍼센트만이 집단농장에 포함되었다. Włodzimierz Borodziej, *Geschichte Polens im 20. Jahrhundert* (Munich, 2010), 288.

44 공공학교에서 교리문답은 1952-1955년 47퍼센트에서 1955-1956 26퍼센트로 감소하는

데 성공했다. Jarosz, *Polacy*, 195-196. 그러나 1956년 12월 국가와 교회는 종교 교육을 학교에 복원하는 합의에 이르렀다(1961년 국가는 공공학교를 환속시켰다). Paweł Załęcki, "Roman Catholic Church," in *Europe since 1945*, Bernard A. Cook, ed., vol. 2 (New York, 2001), 1011-1012. 1950년까지 국가는 약 100명의 사제를 체포했다. Andrzej Paczkowski, *Pół wieku dziejów Polski : 1939-1989* (Warsaw, 1996), 277; Andrzej Friszke, *Polska: Losy Panstwa i narodu* (Warsaw, 2003), 200-201. (898쪽

45 이것은 비신스키의 체포와 키엘체 주교 카치마레크의 공개재판이 왜 스탈린 사후에 일어났는지를 설명해준다. 공산당은 적대적 사회에서 스스로를 취약하다고 느꼈고, 당 관료들은 압제된 열망이 표면으로 분출할 것을 두려워했다. Krystyna Kersten, "The Terror, 1949-1956," in *Stalinism in Poland, 1944-1956*, A. Kemp-Welch, ed. (London, 1999), 87.

46 1947-1949년 즈다노프의 사상이 어떻게 동유럽 음악에 침투했는지에 대해서는 다음 자료를 보라. Steven Stucky, *Lutosławski and His Music* (Cambridge and New York, 1981), 35-36; Robert V. Daniels, *A Documentary History of Communism in Russia* (Hanover, NH, 1993), 236.

47 음악가들이 열성적으로 스스로 사회주의 리얼리즘에 적응해나간 것에 대해서는 다음 자료를 보라. David G. Tompkins, *Composing the Party Line: Music and Politics in Early Cold War Poland and East Germany* (West Lafayette, IN, 2013).

48 그는 작가인 스테판 헤름린과 같이 작업을 했다. 그 결과는 7부로 된 만스펠더 오라토리움이다. Tompkins, *Composing the Party Line*, 55.

49 Janina Falkowska, *Andrzej Wajda: History, Politics, and Nostalgia in Polish Cinema* (New York, 2007), 36-38. On Wolf see Anna Chiarloni, "Nachdenken über Christa Wolf," in *Rückblicke auf die Literatur der DDR*, Hans-Christian Stillmark, ed. (Amsterdam, 2002), 117-118; Hermann Kurzke, "Warum 'Der geteilte Himmel' ein Klassiker ist," *Die Welt*, December 30, 2006.

50 Tamás Aczél and Tibor Merry, *The Revolt of the Mind; A Case History of Intellectual Resistance Behind the Iron Curtain* (New York, 1959), 122.

51 소련의 공식에서 기본적 요구는 예술가는 '현실을 혁명적 발전으로 묘사하는 것'이었다. 그러나 정확히 이것을 어떻게 수행할 것인가에 대해서는 끊임없는 논쟁이 있었고, 특히 음악에서 어떤 종류의 작곡 경향이 지배해야 하는지를 정의하는 것은 불가능한 것으로 드러났다. 분명한 것은 실험적으로 더 '어려운' 현대 음악은 선호되지 않는다는 것이었다. 다음 자료를 보라. Tompkins, *Composing the Party Line*, 19 and passim.

52 어떤 방법으로 기여도 전반을 측정할 것인가는 분명하지 않았고, 이에 대한 평가는 다양했다. 좀 더 회의적인 입장에 대해서는 다음 자료를 보라. Jeffrey Kopstein, *The Politics of Economic Decline in East Germany* (Chapel Hill, NC, 1997), 33; 긍정적인 평가(그리고

헨네케 스토리)에 대해서는 다음 자료를 보라. Christoph Klessmann, *Arbeiter im Arbeiterstaat DDR* (Bonn, 2007), 216-218.

53 Mark Pittaway, *The Workers' State*, 104-105.

54 Nigel Swain, *The Rise and Fall of Feasible Socialism* (London, 1992), 55.

55 Ferenc Fehér, Agnes Heller, and György Markus, *Dictatorship over Needs* (Oxford, 1983).

56 그는 1956년 석방되었고, 서독으로 가서 교사가 되었다. 그의 아버지는 작가인 한스 나토네크이다. Ilko-Sascha Kowalczuk, *Geist im Dienste der Macht: Hochschulpolitik in der SBZ/DDR 1945 bis 1961* (Berlin, 2003), 503-504.

57 Kovaly, *Under a Cruel Star*, 70; Hanna Świda-Ziemba, "Stalinizm i społeczeństwo polskie," in *Stalinizm*, Jacek Kurczewski, ed. (Warsaw, 1989), 49.

58 이것이 1950년대 초 유명한 체코 감독 프란티셰크 차프의 운명이었다. Jiří Knapík, "Arbeiter versus Künstler: Gewerkschaft und neue Elemente in der tschechoslowakischen Kulturpolitik," *Sozialgeschichtliche Kommunismusforschung*, Peter Heumos and Christiane Brenner, eds. (Munich, 2005), 243-260.

59 체코슬로바키아에서 월급과 임금의 차이는 1953년 철폐되었다. 1955년 사무 노동자의 평균 수입은 산업 노동자의 수입보다 14.9퍼센트 낮았다. Alice Teichová, *Wirtschaftsgeschichte der Tschechoslowakei 1918-1980* (Vienna, 1988), 93.

60 McDermott, *Communist Czechoslovakia*, 82; Andrew Port, *Conflict and Stability in the German Democratic Republic* (Cambridge, 2008), 102-103. 노동자와 농민들을 교화소로 보낸 범죄에 대해서는 다음 자료를 보라. Kopácsi, *In the Name*, 43.

61 Jan Rychlík, "Collectivization in Czechoslovakia in Comparative Perspective," in *The Collectivization of Agriculture in Communist Eastern Europe*, Constantin Iordachi and Arnd Bauerkämper, eds. (Budapest, 2014), 213.

62 때로 그들은 소수민족의 희생을 대가로 이익을 취했다. Nigel Swain, "Eastern European Collectivization Campaigns Compared," in Iordachi and Bauerkämper, *Collectivization*, 582, 585.

63 Swain, "Eastern European Collectivization," 577, 603; Rychlík, "Collectivization in Czechoslovakia," 217.

64 1960년대 이 숫자는 50퍼센트로 줄어들었다. József Ö. Kovács, "The Forced Collectivization of Agriculture in Hungary," in Iordachi and Bauerkämper, *Collectivization*, 249.

65 지도부는 '자주' 구성원들의 기본권을 침해했고, 대체로 위원회의 동의나 정당한 이유 없이 이들을 추방했다. 부당한 소득 배분과 배당금의 불법적 편취에 대한 수천 건의 정당한 불만이 제기되었다. 1955년 내부 보고서에서. 다음 자료에서 인용함. Kovács, "Forced Collectivization," 252.

66 Kovács, "Forced Collectivization," 245-247; Swain, "Eastern European Collectivization," 588.

67 체코슬로바키아에 그런 사례가 있었다. 1421개의 부농 가족들이 1951년 9월부터 1953년 8월 사이 접경 지역으로 강제이주되어 국영농장에서 노동자로 일하게 되었다. Swain, "Eastern European Collectivization," 572; Rychlík, "Collectivization in Czechoslovakia," 225.

68 Rychlík, "Collectivization in Czechoslovakia," 223; Swain, "Eastern European Collectivization," 595-596, 593.

69 1953년 기준으로 불가리아에서 영농지의 50퍼센트만이 집단화되었다. 체코슬로바키아는 40퍼센트, 헝가리는 26퍼센트, 폴란드와 루마니아는 각각 7퍼센트와 8퍼센트의 집단화율을 보였다. 동독에서는 집단화가 막 시작되었다(3.3퍼센트). 헝가리와 폴란드는 집단화율이 1953년 이후 감소했고, 1956년 이후 다시 감소했다. 폴란드 정부는 결국 집단화 프로젝트를 포기했다. Ben Fowkes, *Rise and Fall of Communism in Eastern Europe* (New York, 1993), 58, 199.

70 Kovács, "Forced Collectivization," 245; Swain, "Eastern European Collectivization," 575, 601.

71 Rychlík, "Collectivization in Czechoslovakia," 228; Swain, "Eastern European Collectivization," 596.

72 국가 중앙계획의 이익과 비용에 대한 논의는 다음 자료를 보라. Judy Batt, *Economic Reform and Political Change in Eastern Europe* (New York, 1988), 56-61; Teichova, *Wirtschaftsgeschichte, 112-115; Ivan T. Berend, The Hungarian Economic Reforms 1953-1988* (Cambridge, 1990), 1-14; Janusz Kalinski and Zbigniew Landau, *Gospodarka polska w XX wieku* (Warsaw, 1999), 233-240.

73 Świda-Ziemba, "Stalinizm," 53-54.

74 Alec Nove, *An Economic History of the USSR* (New York, 1982), 316. 다른 사회주의 경제에 대한 연구는 다음 자료를 보라. Nigel Swain, *The Rise and Fall of Feasible Socialism* (London, 1992); Andre Steiner, *The Plans That Failed: An Economic History of the GDR*, Ewald Osers, trans. (New York, 2010).

75 Oskar Schwarzer, *Sozialistische Zentralplanwirtschaft in der SBZ/DDR: Ergebnisse eines ordnungspolitischen Experiments* (1945-1989 (Stuttgart, 1999), 61-62.

76 Támas Aczél and Tibor Méray, *Revolt of the Mind: A Case History of Intellectual Resistance behind the Iron Curtain* (New York, 1960), 195; Batt, *Economic Reform*, 56-67.

77 Richard Frucht, *Eastern Europe: An Introduction to the People, Lands, and Culture* (Santa Barbara, CA, 2005), 363; Kenez, *Hungary*, 77.

78 '베르민 조치(Action Vermin)'라고 불린 동독의 사례에 대해서는 다음 자료를 보라. Edith

Sheffer, *Burned Bridge: How East and West Germans Made the Iron Curtain* (Oxford, 2008), 102-117.

20장 탈스탈린화: 헝가리 혁명

1 체포는 6월 26일 진행되었다. 음모를 꾸민 사람에는 베리야가 쿠데타를 일으킬 것을 우려한 그의 적수인 니키타 흐루쇼프와 게오르기 말렌코프가 포함되었다. William Taubman, *Khrushchev: The Man and His Era* (New York, 2003), 250-257.

2 1951년 자신의 전차에 올라탈 힘이 없는 대중교통 승객들에 대한 보도가 크게 늘어났다. 이들은 아침을 먹지 않았다. Błażej Brzostek, *Robotnicy Warszawy. Konflikty codzienne (1950-1954)* (Warsaw, 2002), 133. 개인이 운영하는 상점 수는 1948년 13만 개에서 1955년 1만 4000개로 줄어들었고, 개인이 운영하는 카페와 식당 수는 1만 4000개에서 500개 이하로 줄어들었다. Borodziej, *Geschichte*, 289.

3 이것은 1956년 당의 경제주간지 보도에서 나온 것이다. Judy Batt, *Economic Reform and Political Change in Eastern Europe* (New York, 1988), 62.

4 이것은 폴란드 성인 세 명 중 한 명에 해당되었다. 헝가리 경찰은 85만 건의 처벌을 할당했다. László Borhi, *Hungary in the Cold War, 1945-1956* (Budapest, 2004); Peter Heumos, *"Vyhrňme si rukávy, než se kola zastaví!" Dělnici a státní socialismus v Československu 1945-1968* (Prague, 2006), 17; Dariusz Jarosz, *Polacy a stalinizm* (Warsaw, 2000), 236-237; Applebaum, *Iron Curtain*, 110-111.

5 이러한 변화는 게오르기 말렌코프와 연관이 있다. Taubman, *Khrushchev*, 260.

6 Jan Foitzik, "Ostmitteleuropa zwischen 1953 und 1956," in *Entstalinisierung in Ostmitteleuropa: Vom 17. Juni bis zum ungarischen Volksaufstand*, Jan Foitzik, ed. (Paderborn, Germany, 2001), 30-31, and passim; Steffen Plaggenborg, introduction to Galina Ivanova, *Entstalinisierung als Wohlfahrt: Sozialpolitik in der Sowjetunion, 1953-1970* (New York and Frankfurt, 2015), 8-9.

7 보르바(Borba) 집단은 파리에 거주하는 좌파 작가들로 구성되었다. Jan Plamper and Klaus Heller, *Personality Cults in Stalinism* (Göttingen, 2004), 28-29.

8 Dennison Rusinow, *The Yugoslav Experiment 1948-1974* (Berkeley, 1977), 33.

9 〈공산당 선언〉을 인용한 것임. 다음에서 인용함. Pavel Câmpeaneu, *Exit: Toward Post-Stalinism* (London, 1990), 52.

10 Rusinow, *Yugoslav Experiment*, 51.

11 Patrick Hyder Patterson, *Bought and Sold: Living and Losing the Good Life in Socialist*

Yugoslavia (Ithaca, NY, 2011), 25.

12 이것이 2차 5개년 계획이었다. 1952년부터 1960년 사이 1인당 GDP는 54퍼센트 늘었고, 소비율은 4.8퍼센트씩 증가했다. 1960년부터 1965년 사이 실질 개인 소득도 연 9퍼센트라는 놀라운 비율로 성장했다. Patterson, *Bought and Sold*, 30-31, 33.

13 Patterson, *Bought and Sold*, 34-35.

14 Novak Janković, "The Changing Role of the U.S.A. in Financing Yugoslav Economic Development Since 1945," in *Economic and Strategic Issues in U.S. Foreign Policy*, Carl-Ludwig Holtfrerich, ed. (Berlin and New York, 1989), 266.

15 Marian Gyaurski, "Die Unversöhnlichen-Widerstand gegen den Kommunismus in Bulgarien," in *Texte zum Kommunismus in Bulgarien. KAS e.V. Bulgarien*, Konrad-Adenauer Stiftung, ed., November 26, 2014, 6-7; available at http://www.kas.de/wf/doc/kas39743-1522-1-30.pdf?141208085543 (accessed November 24, 2016).

16 Seymour Freidin, *The Forgotten People* (New York, 1962), 151-159. On Zápotocký: Alena Zemančíková, "Plzeň 1953 a Masaryk se smyčkou na krku," *Denik Referendum Domov*, March 7, 2016, available at http://denikreferendum.cz/clanek/tisk/22492-plzen-1953-a-masaryk-se-smyckou-na-krku (accessed December 19, 2018).

17 이 개혁은 노동자들이 동일한 임금을 받고 4분의 1을 더 생산해야 한다는 것을 의미했다. Ivan Pfaff, "Weg mit der Partei," *Die Zeit*, May 22, 2003, 76; Keven McDermott, *Communist Czechoslovakia* 1945-1989*: A Political and Social History* (London, 2015); Jakub Šlouf, *Spřízněni měnou : genealogie plzeňské revolty* 1. *června 1953* (Prague, 2016).

18 Pfaff, "Weg mit der Partei."

19 Heumos, "Vyhrňme si rukávy," 72.

20 Jeffrey Kopstein, "Chipping Away at the State: Workers' Resistance and the Demise of East Germany," *World Politics* 48:3 (1996), 412. 그 관리는 오토 레만이었다. 그가 쓴 기사 "Zu einigen schädlichen Erscheinungen bei der Erhöung der Arbeitsnormen," in *Tribüne*, June 16, 1953은 Ernst Deuerlein, ed., DDR (Munich, 1966), 133에 다시 실렸다.

21 서베를린 관리는 에른스트 샤르노프스키였다. Ilko-Sascha Kowalczuk, *17. Juni 1953* (Munich, 2013), 43. 샤르노프스키의 전화('Naturrecht jedes bedrückten Menschen')에 대해서는 다음 자료를 보라. Gerhard Beier, *Wir wollen freie Menschen Sein: Die Bauarbeiter gingen voran* (Cologne, 1993), 104.

22 "우리는 노동자들 중에 사회민주적인 의식은 있을 수 없다고 말해왔다. 이것은 외부에서 들어온 것이 틀림없다. 모든 나라의 역사는 노동계급은 순수하게 자신들의 노력으로 노동조합 의식만 발전시킬 수 있다는 것을 보여준다." V. I. Lenin, "What Is to Be Done" (1902), in *Essential Works of Lenin*, Henry Christman, ed. (New York, 1966), 74.

23 Tony Judt, *Postwar: A History of Europe since 1945* (New York, 2005), 177.

24 7월 3일까지 1만 506명이 6월 17일 범죄에 가담한 혐의로 체포되었다. 이 중 절반 이상은 석방되었고, 나머지는 공개 재판에 회부되었다. "Chronologie des Aufstandes," *Die Tageszeitung*, June 14, 2003.

25 Zemančíková, "Plzeň 1953"; Memoirs of Bohumil Vávra, *Dnes* (Plzeň), October 14, 2014. For the US flags: Čestmír Císař, *Paměti* (Prague, 2005), 412-417.

26 이들은 1953년 6월 13-16일 크렘린에 있었다. György T. Varga, "Zur Vorgeschichte der ungarischen Revolution von 1956," in Foitzik, *Entstalinisierungskrise*, 64.

27 Charles Gati, *Failed Illusions: Moscow, Washington, Budapest, and the 1956 Hungarian Revolt* (Stanford, CA, 2006), 32; János M. Rainer, "Der 'Neue Kurs' in Ungarn 1953," in *1953: Krisenjahr des Kalten Krieges in Europa*, Christoph Klessmann, Bernd Stöver, eds., 77, 79; George Paloczi-Horvath, *Khrushchev: The Making of a Dictator* (Boston, 1960), 225.

28 Gati, *Failed Illusions*, 40.

29 나지의 연설은 다음 자료에서 인용함. Rainer, "Der 'Neue Kurs,'" 89.

30 집단농장 수는 1년 만에 14퍼센트 감소했다. 그 비율은 26퍼센트에 머물렀는데, 이것은 1950년 이후 대단한 증가였다. 1953년 비율은 1959년까지 다시 도달하지 못했다. Samuel Baum, *The Labor Force in Hungary* (Washington, DC, 1962), 20-22; Ben Fowkes, *The Rise and Fall of Communism in Eastern Europe* (New York, 1993 58, 199.

31 László Varga, "Der Fall Ungarn Revolution, Intervention, Kádárismus," in *Kommunismus in der Krise*, Roger Engelmann et al., eds. (Göttingen, 2008), 129. 4만 명 이상의 죄수를 수감했던 수용소가 해체되었고, 1만 5000명 이상이 군대 감옥과 민간 감옥에서 석방되었다. István Vida, "Vorgeschichte," in *Ungarn 1956: Zur Geschichte einer gescheiterten Volkserhebung*, Rüdiger Kipke, ed. (Wiesbaden, 2007), 16; Lendvai, *Hungarians*, 446.

32 L. K. Gluchowski, "The Defection of Józef Światło and the Search for Jewish Scapegoats in The Polish United Workers' Party, 1953-1954," *Intermarium* 3:2 (1999); George Błażyński, ed., *Mówi Józef Światło: Za kulisami bezpieki i partii 1940-1955* (London, 1986), 12.

33 Adam Ważyk, "Poemat dla dorosłych," [Poem for Adults] *Nowa Kultura*, August 21, 1955.

34 William E. Griffith, "The Petőfi Circle: Forum for Ferment in the Hungarian Thaw," *Hungarian Quarterly*, January 1962, 15-16.

35 이것은 1953년부터 레바이가 라코시에게 주장한 것이다. Varga, "Zur Vorgeschichte," 64. Árpád von Klimó and Alexander M. Kunst, "Krisenmanagement und Krisenerfahrung. Die ungarische Parteiführung und die Systemkrisen 1953, 1956 und 1968," in *Aufstände im Ostblock. Zur Krisengeschichte des realen Sozialismus*, Henrik Bispinck et al., eds. (Berlin 2004), 287-308.

36 Varga, "Zur Vorgeschichte," 76.

37 Klimó and Kunst, "Krisenmanagement," 292; Jörg Hoensch, *A History of Modern Hungary* (London, 1988), 212-213.

38 Hoensch, *History*, 212; Griffith, "Petőfi Circle," 19-20; Charles Gati, "From Liberation to Revolution, 1945-1956," in Sugar et al., *History*, 377-378; Varga, "Fall Ungarn," 129.

39 개혁에 대한 공유된 희망에도 불구하고 상호 적대감에 대해서는 다음 자료를 보라. Taubman, *Khrushchev*, 258-261.

40 T. H. Rigby, *The Stalin Dictatorship: Khrushchev's "Secret Speech" and Other Documents* (Sydney, 1968), 37-66.

41 Paweł Machcewicz, *Rebellious Satellite: Poland 1956* (Stanford, CA, 2009), 21-22.

42 Gati, "From Liberation," 378; Andrea Petö, "Julia Rajk or the Power of Mourning," *Clio* 41 (2015), 147.

43 Machcewicz, *Rebellious Satellite*, 87, 92, 95.

44 Neal Ascherson, *The Polish August: The Self-Limiting Revolution* (New York, 1982), 71; Janusz Karwat, "Powstanie poznańskiego Czerwca 1956," in *1956: Poznań, Budapest*, Janusz Karwat and Janos Tischler (Poznań, 2006), 19.

45 Łukasz Jastrząb, "Rozstrzelano moje serce w Poznaniu," in *Poznański Czerwiec 1956 r. — straty osobowe i ich analiza* (Poznań, 2006), 152, 178; Johanna Granville, "Poland and Hungary, 1956. A Comparative Essay Based on New Archival Findings," in *Revolution and Resistance in Eastern Europe: Challenges to Communist Rule*, Kevin McDermott and Matthew Stibbe, eds. (New York, 2006), 57-77.

46 Machcewicz, *Rebellious Satellite*, 101, 132; Karwat, "Powstanie, 33.

47 Maria Jarosz, *Bearing Witness: A Personal Perspective on Sixty Years of Polish History*, Steven Stoltenberg, trans. (London, 2009), 64-65.

48 Krzysztof Pomian, *W kręgu Giedroycia* (Warsaw, 2000), 95.

49 전체 면적은 1955년 모든 농경지의 11.2퍼센트에서 1960년 1.2퍼센트로 줄어들었다. Jerzy Kostrowicki et al., *Przemiany struktury przestrzennej rolnictwa Polski, 1950-1970* (Wrocław, 1978), 39.

50 이것은 1956년 9월 스테판 키젤레프스키가 언급한 것을 요약한 것이다. 다음 자료에서 인용함. Pomian, *W kręgu Giedroycia*, 95.

51 Pomian, *W kręgu Giedroycia*, 97.

52 그는 소련의 허락 없이 고무우카를 다시 정치국 회의에 복귀시키는 것을 의미했다. Mark Kramer, "Soviet-Polish Relations," in Engelmann et al., *Kommunismus in der Krise*, 118; Borodziej, *Geschichte*, 299.

53 Kramer, "Soviet-Polish Relations," 120, note 223.

54 그는 소련과의 좀 더 강한 군사적·정치적 연대를 요구했고, 폴란드를 바르샤바조약기구에서 멀어지게 하려고 시도하는 사람들을 비난했다. Kramer, "Soviet-Polish Relations," 122-123.

55 Granville, "Poland and Hungary," 61; János Tischler, "Polska wobec powstania węgierskiego 1956 roku," in Karwat and Tischler, *1956*, 192-193.

56 정권의 추산(1959-1960년 비밀경찰 조사의 의해 수집된)에 의하면 첫 시위에는 25만 명이 참가했다(1만-2만 명의 학생들이 시위를 시작했다). Janos M. Rainer, "A Progress of Ideas: The Hungarian Revolution of 1956," in *The Ideas of the Hungarian Revolution, Suppressed and Victorious, 1956-1999*, Lee Congdon and Béla K. Király, eds. (New York, 2002), 24; Granville, "Poland and Hungary," 61.

57 Paul E. Zinner, *Revolution in Hungary* (New York, 1962), 253.

58 Granville, "Poland and Hungary," 62.

59 최대 200명의 시위자가 사망했다. Paul Lendvai, *One Day That Shook the Communist World: The 1956 Hungarian Uprising and Its Legacy* (Princeton, NJ, 2008), 77-78; Varga, "Fall Ungarn," 132.

60 Lendvai, *One Day*, 67.

61 당은 "완전히 산산조각이 났다". Ferenc Donáth, reform Communist, cited in Lendvai, *One Day*, 86-87. Rainer, "Progress of Ideas," 24.

62 이러한 고발은《프라우다》가 제기했다.

63 이 보고를 세로프, 미코얀, 수슬로프가 했다. Lendvai, *One Day*, 88.

64 János M. Rainer and Bernd-Rainer Barth, "Ungarische Revolution: Aufstand—Zerfall der Partei—Invasion," in *Satelliten nach Stalins Tod*, András B. Hegedüs and Manfred Wilke, eds. (Berlin, 2000), 250-251; János M. Rainer, "The Yeltsin Dossier: Soviet Documents on Hungary, 1956," *CWIHP* 5 (Spring 1995), 25.

65 Vladislav M. Zubok, *A Failed Empire: The Soviet Union in the Cold War from Stalin to Gorbachev* (Chapel Hill, NC, 2007), 117.

66 Taubman, *Khrushchev*, 299. 헝가리 측에서는 공식적으로 2700명이 사망한 것으로 기록되었다. Lendvai, *Hungarians*, 453; 소련 당국은 소련군 669명이 사망했다고 집계했다. Joanna Granville, "In the Line of Fire: The Soviet Crackdown on Hungary 1956-57," in *Hungary 1956—Forty Years On*, Terry Cox, ed. (London, 1997), 82.

67 Rainer and Barth, "Ungarische Revolution," 279-281.

68 Machcewicz, *Rebellious Satellite*, 30, 101, 237.

21장 각국의 공산주의로의 여정: 1960년대

1 Marcin Zaremba, *Komunizm, legitymizacja, nacjonalizm: Nacjonalistyczna legitymizacja władzy komunistycznej w Polsce* (Warsaw, 2001), 179.

2 Zoltan D. Barany, *Soldiers and Politics in Eastern Europe: The Case of Hungary* (New York, 1993), 47.

3 Zaremba, *Komunizm*, 270; Peter Zwick, *National Communism* (Boulder, CO, 1983), 88.

4 Zaremba, *Komunizm*, 272. 이 말을 한 사람은 미에치스와프 라코프스키이다.

5 Zaremba, *Komunizm*, 267.

6 독일연방공화국에는 축출된 기관들이 있기는 했지만, 국가는 서방과 나토를 지향했기 때문에 '표면적'으로는 그랬다.

7 David Crowley, "Socialist Recreation? Amateur Film and Photography in the People's Republic of Poland and East Germany," in *Sovietization of Eastern Europe*, E. A. Rees et al., eds. (Washington, DC, 2008), 104.

8 Crowley, "Socialist Recreation?" 108.

9 마르크스는 《자본론》에서 자유의 영역을 서술했다. "자유의 영역은 사실은 필요와 세속적 고려에 의해 결정되는 노동이 중단되는 지점에서만 시작된다. … 이 영역의 자유는 합리적으로 자연과 교섭하고, 인간이 어쩔 수 없는 자연의 힘으로서 자연에 통제되는 대신에 자연을 공동의 통제 아래 두는 사회화된 사람, 서로 연관된 생산자에게만 있다." Cited in Crowley, "Socialist Recreation?" 97.

10 코민포름은 1956년 4월 해체되었다.

11 "Der Fakt," *Der Spiegel*, January 2, 1967, 37. 1960년 서독으로 탈주한 숫자는 20만 명이었다.

12 See the contributions in Wolf Oschlies and Hellmuth G. Bütow in *Die Rolle der DDR in Osteuropa*, Gert Leptin, ed. (Berlin, 1974); and Erwin Weit, *Ostblock intern* (Hamburg, 1970).

13 "Die SED unterscheidet zwischen Nation und Nationalität," *Die Zeit*, February 21, 1975.

14 François Fejtö, *A History of the Peoples Democracies: Eastern Europe since Stalin* (London, 1971), 188-189.

15 몰나르는 당 중앙위원이었고, 헝가리역사회 회장이었다. Balázs Trencsényi, "Afterlife or Reinvention? 'National Essentialism' in Romania and Hungary after 1945," in *Hungary and Romania Beyond National Narratives: Comparisons and Entanglements*, Anders Blomqvist et al., eds. (Frankfurt, 2013), 540.

16 L. Péter, "A Debate on the History of Hungary between 1790 and 1945," *Slavonic and East*

European Review 50:120 (1972), 443-444.

17 György Péteri, "Demand Side Abundance: On the Post-1956 Social Contract in Hungary," *East Central Europe* 43 (2016), 315-343; Gough, *Good Comrade*, 127.

18 이 제도는 1961년 2월 시행되었다.

19 이러한 공식은 괴르기 페테리 덕분이다.

20 Péteri, "Demand Side," 322; Tibor Valuch, "After the Revolution," in *Hungary under Soviet Domination*, Tibor Valuch and Gyorgy Gyarmati (New York, 2009), 315. 이 지적을 해준 리디아 마허에게 감사한다.

21 Péteri, "Demand Side," 325, 329; Derek H. Aldcroft and Steven Morewood, *Economic Change in Eastern Europe since* 1918 (Aldershot, UK, 1995), 112.

22 Gough, *Good Comrade*, 135, 141.

23 Iván T. Berend, *The Hungarian Economic Reforms 1953-1988* (Cambridge, 1990), 113; Zsuzsanna Varga, "Reshaping the Socialist Economy: The Hungarian Case," in *Österreich und Ungarn im Kalten Krieg*, István Majoros, Zoltán Maruzsa, and Oliver Rathkolb, eds. (Vienna, 2010), 407.

24 Berend, *Hungarian Economic Reforms*, 114.

25 Zsusanna Varga, "Questioning the Soviet Economic Model," in *Muddling Through in the Long* 1960*s: Ideas and Everyday Life in High Politics and the Lower Classes of Communist Hungary*, János M. Rainer and György Péteri, eds. (Trondheim, 2005), 113, 115.

26 Varga, "Questioning," 115.

27 Nigel Swain, *Hungary: The Rise and Fall of Feasible Socialism* (London, 1992), 123; Aldcroft and Morewood, *Economic Change*, 123.

28 Varga, "Questioning," 125.

29 Varga, "Reshaping," 415; Gough, *Good Comrade*, 152-153.

30 Varga, "Reshaping," 415.

31 기업 이윤에 세금이 부과되어 이것은 중앙에 의해 손실을 입은 공장에 재배분되었다. Varga, "Reshaping," 415-416.

32 Varga, "Questioning," 126; Berend, *Hungarian Economic Reforms*, 117-118.

33 Varga, "Reshaping," 409.

34 Péteri, "Demand Side," 327.

35 Roman Laba, *The Roots of Solidarity: A Political Sociology of Poland's Working-Class Democratization* (Princeton, NJ, 1991), 18-19.

36 Paweł Machcewicz, *Władysław Gomułka* (Warsaw, 1995), 56. 1964년 폴란드 통합노동자당 4차 회의에서 선출된 85명의 당 중앙위원 중 8명만이 자유주의적인 푸와위 집단에 속했다.

Andrzej Friszke, *Polska: losy państwa i narodu* (Warsaw, 2003), 250.

37 Friszke, *Polska*, 250-251, 262; Machcewicz, *Gomułka*, 57.

38 Zbigniew Landau and Jerzy Tomaszewski, *The Polish Economy in the Twentieth Century* (London, 1985), 266.

39 Kuroń and Żakowski, *PRL*, 127.

40 못과 연장은 비쌌다. Wiesław P. Kęcik, "The Lack of Food in Poland," in *Poland: Genesis of a Revolution*, Abraham Brumberg, ed. (New York, 1983).

41 1971년 이후 이들은 농지를 최대 30헥타르까지 늘릴 수 있었고, 농민들도 국가건강보험 혜택을 받게 되었다. George Blazynski, *Flashpoint Poland* (New York, 1979), 190.

42 Friszke, *Polska*, 263.

43 1970년이 되자 폴란드 가족의 40퍼센트는 TV를 소유하게 되었다. Friszke, *Polska*, 265.

44 Borodziej, *Geschichte*, 319. 프랑스 외교관의 회고록에서.

45 Friszke, *Polska*, 264.

46 불가리아에서도 마찬가지였다. Andrzej Jezierski and Cecylia Leszczyńska, *Historia Gospordarcza Polski* (Warsaw, 1999), 504.

47 1960년대 중반과 후반, 당 기구는 헝가리(7000명), 체코(8700명), 폴란드(8000명)과 같은 규모였지만 폴란드 인구는 세 배 더 많았다(1970년 기준 폴란드 인구 3260만, 헝가리 인구 1030만, 체코 990만 명). 폴란드 공산당은 스탈린주의가 형성되는 시기에 다른 곳의 공산당보다 작아서, 인구의 6퍼센트인 데 반해, 1950년대 중반 체코, 헝가리, 동독 공산당은 인구 대비 각각 13퍼센트, 8.8퍼센트, 9퍼센트였다. Anna M. Grzymała-Busse, *Redeeming the Communist Past: The Regeneration of Communist Parties in East Central Europe* (Cambridge, 2002), 32, 43, 52; John Connelly, *Captive University* (Chapel Hill, NC, 2000), 351, note 18.

48 Machcewicz, *Gomułka*, 54, 58.

49 Paczkowski, *Pół wieku*, 342.

50 Sheldon Anderson, *A Cold War in the East Bloc: Polish-East German Relations* (Boulder, CO, 2001), 227-228. 대결이 진행된 다른 도시로는 크라스니크, 그우호와지, 글리비체, 토룬이 있다. Paczkowski, *Pół wieku*, 343.

51 Machcewicz, *Gomułka*, 59.

52 Brian Porter-Szűcs, *Faith and Fatherland: Catholicism, Modernity, and Poland* (Oxford, 2011), 208 and passim.

53 Robert Jarocki, *Czterdzieści pięć lat w opozycji* (Kraków, 1990), 205.

54 Pope John Paul II, *Wybór kazań nowohuckich oraz homilie Jan Pawła II w Krakowie-Nowej Hucie* (Kraków, 2013), 134, 222; Monika Golonka-Czajkowska, *Nowe miasto nowych ludzi:*

Mitologie nowohuckie (Kraków, 2013), 341.

55 Karol Sauerland, "Die Verhaftung der Schwarzen Madonna," *Frankfurter Allgemeine Zeitung*, August 17, 2010.

56 그는 1966년 1월 민족통합전선에 이렇게 말했다. Robert Żurek, "Der Briefwechsel der katholischen Bischöfe von 1965," in *Versöhnung und Politik*, Friedhelm Boll et al., eds. (Bonn, 2009), 70-71.

57 Borodziej, *Geschichte*, 310; *Życie Warszawy*, December 10, 1965, cited in Andrzej Micewski, *Kościół i państwo* (Warsaw, 1994), 45.

58 Sauerland, "Verhaftung."

59 Paczkowski, *Pół wieku*, 343.

60 Comments of Tadeusz Mazowiecki, cited in Stefan Bratkowski, ed., *Październik 1956: Pierwszy wyłom w systemie* (Warsaw, 1996), 220-221; Paczkowski, *Pół wieku*, 346. 1914년 러시아 분할 지역에서 자란 학생의 77퍼센트는 자신을 '비신자'로 간주했다. Porter-Szűcs, *Faith*, 217.

61 그는 당이 필요한 수단으로 자신을 방어할 것이라고 말했기 때문에 '가스 파이프' 장군이라고 불렸다. Paulina Codogni, *Rok 1956* (Warsaw, 2006), 159. On Tokarski, see Hansjakob Stehle, *Nachbar Polen* (Frankfurt, 1968), 67-69.

62 A. M. Rosenthal, "Polish Reds Turn Bitter over Rule," *New York Times*, December 1, 1959.

63 Borodziej, *Geschichte*, 304; Paczkowski, *Pół wieku*, 317; Andrzej Werblan, "Władysław Gomułka and the Dilemma of Polish Communism," *International Political Science Review* 9:2 (1988), 154; Friszke, *Polska*, 248-249; Adam Leszczyński, "Najsłynniejszy list Peerelu," *Gazeta Wyborcza*, March 17, 2014.

64 Paczkowski, *Pół wieku*, 318; Borodziej, *Geschichte*, 307.

65 그 잡지는 *Nowa kultura*와 *Przegląd kulturalny*였다. Paczkowski, *Pół wieku*, 328.

66 예술사가인 카롤 에스트라이헤르가 체포되었다. 징벌자 전체 명단은 다음 자료를 보라. Aleksandra Ziółkowska-Boehm, *Melchior Wankowicz: Poland's Master of the Written Word* (Lanham, MD, 2013), 31-33.

67 그 관리는 미에치스와프 야스투룬이었다. Cited in Joanna Szczęsna and Anna Bikont, *Lawina i kamienie: pisarze wobec komunizmu* (Warsaw, 2006), 323-324.

68 Paczkowski, *Pół wieku*, 329.

69 이것은 1964년 6월 17일 자 일기에서 나온 것이다. Cited in Szczęsna, and Bikont, *Lawina*, 328.

70 이것은 과거 파시스트였던 볼레스와프 피아세츠키가 수장을 맡은 가톨릭 전위조직 PAX 내부에서 일어난 일이다. Mikołaj Kunicki, *Between the Brown and the Red* (Athens, OH, 2012).

71 Machcewicz, *Gomułka*, 60; Friszke, *Polska*, 292-293.

72 Maryjane Osa, *Solidarity and Contention* (Minneapolis, MN, 2003), 92-93.

73 Szczęsna and Bikont, *Lawina*, 341-342.

74 Paczkowski, *Pół wieku*, 329.

75 Krzysztof Szwagrzyk, ed., *Aparat Bezpieczenstwa w Polsce*, vol. 3 (Warsaw, 2008 59. 이것은 제논 노바크의 시각이다. Zaremba, *Komunizm*, 237-238.

76 Włodzimierz Rozenbaum, "The March Events: Targeting the Jews," *POLIN: A Journal of Polish-Jewish Studies* 21 (2008), 64.

77 다른 예로는 카지미에즈 위타세프스키 장군과 그레고르즈 코르친스키 장군이다. Rozenbaum, "March Events."

78 일례로 투표를 하지 않은 사람들은 '종족적 연계, 피와 땀의 신화'로 이해되는 국가에 대항한 적이었다. Zaremba, *Komunizm*, 301; Borodziej, *Geschichte*, 309.

79 Zaremba, *Komunizm*, 301. 이 분석은 미하우 그워빈스키의 작업에 기초한 것이다.

80 Tomasz Leszkowicz, "Zbigniew Załuski: niepokorny pisarz reżimowy," Histmag .org, May 3, 2013, at http://histmag.org/Zbigniew-Zaluski-niepokorny-pisarz-rezimowy-7681 (accessed December 19, 2018). 다른 비평가로는 카지미에즈 코즈네프스키, 다리우스 피쿠스, 보구스와프 레스노도르스키 교수와 스테판 키셀레프스키, 즈비그뉴 브레진스키가 포함되었다. Zbigniew Brzezinski, *Alternative to Partition* (New York, 1965), 32; Dariusz Stola, *Kampania antysyjonistyczna w Polsce 1967-1968* (Warsaw, 2000), 22.

81 고무우카 정권은 '파르티잔들'이 제기하는 점증하는 도전에 비정상적으로 수동적이었다. 그 이유는 아마도 교회와의 투쟁에 에너지를 소진했기 때문이었을 수 있다. Borodziej, *Geschichte*, 309.

82 원 위협은 25만 명의 병력을 이동한다는 것이었다. Mark Biondich, *The Balkans: Revolution, War, and Political Violence since 1878* (Oxford, 2011), 172.

83 David Binder, "Todor Zhivkov Dies at 86," *New York Times*, August 7, 1998.

84 R. J. Crampton, *A Concise History of Bulgaria* (Cambridge, 1997), 203.

85 Biondich, *Balkans*, 175.

86 Biondich, *Balkans*, 173.

87 Bulgarian Helsinki Committee, *The Human Rights of Muslims in Bulgaria in Law and in Politics since 1878* (Sofia, 2003), 56.

88 Biondich, *Balkans*, 173.

89 새로운 신분증과 출생, 결혼 신고서의 시행이 포함되었다. 민족적 국수주의도 개혁에 대한 저항의 한 형태였다. 이것은 소련에 개혁가 미하일 고르바초프가 등장하면서 강화되었다. Vladimir Tismaneanu, "What Was National Stalinism," in *The Oxford Handbook of Postwar*

European History, Dan Stone, ed. (Oxford, 2012), 473.

90 Matthew Brunwasser, "Bulgaria's Unholy Alliances," *New York Times*, March 7, 2013; Bulgarian Helsinki Committee, *Human Rights*, 52.

91 Vladimir Tismaneanu, *Stalinism for All Seasons* (Berkeley, 2003), 144.

92 그리고 바실레 루카와 테오하리 게오르게스쿠도 추방되었다. Tismaneanu, *Stalinism*, 175. 발터 올브리히트는 1953년 6월 17일 시위가 가능하도록 만든 것은 '문제'에 대한 토론이었다는 사고를 확산시켰고, 그는 소련의 지원과 나치즘 치하에서 시험을 받은 당원들의 일관성에 의존했으며, 당에 대한 비판에 대항하여 이들이 단합하기를 촉구했다. 1956년 사건은 탈스탈린화의 실책을 확인시켜줄 뿐이라고 가정했다. Catherine Epstein, *The Last Revolutionaries* (Cambridge, MA, 2003), 167-184.

93 Stefano Bottoni, "Nation-Building through Judiciary Repression: The Impact of the 1956 Revolution on Romanian Minority Policy," in *State and Minority in Transylvania, 1918-1989: Studies on the History of the Hungarian Community*, Attila Hunyadi, ed. (Boulder, CO, 2012), 415.

94 Bottoni, "Nation-Building," 421.

95 Bottoni, "Nation-Building," 415.

96 Bottoni, "Nation-Building," 404, 409.

97 Tismaneanu, *Stalinism*, 179; Zbigniew K. Brzezinski, *The Soviet Bloc: Unity and Conflict* (Cambridge, MA, 1957), 383-384.

98 "This policy was the underpinning of the nationalist Communism developed beginning in 1971." Caius Dobrescu, "Conflict and Diversity in East European Nationalism, on the Basis of a Romanian Case Study," *East European Politics and Societies* 17:3 (2003), 404.

99 Stefano Bottoni, "Find the Enemy: Ethnicized State Violence and Population Control in Ceaușescu's Romania," *Journal of Cold War Studies* 19:4 (2017), 4.

100 Tismaneanu, *Stalinism*, 183. 이 용어는 즈비그뉴 브레진스키가 사용한 것이다.

101 아나 파우커를 포함한 초기의 국제주의적 지도부는 자신들 국가에 대한 대(大) 루마니아주의적 이해를 보여주었다(2013년 7월 보그단 야코프의 개인 서신). 일례로 1944년 스탈린과의 대화에서 '루마니아 공산당원들은 로마 정복 시기 이후 트란실바니아의 역사를 주장하며' 자신들의 청원을 제기했다. 1960년대 이들은 '마르크스에 기반한 베사라비아 병합을 주장하는 학술적 저작'을 출간했다. Dragoș Petrescu, "The Alluring Facet of Ceaușescuism: Nation-Building and Identity Politics in Communist Romania, 1965-1989," *New Europe College Yearbook* 11 (2003/2004), 249-250.

102 Judt, *Postwar*, 431.

22장 1968년과 소비에트 블록: 개혁적 공산주의

1 Peter Zwick, *National Communism*, 108. Emphasis added.

2 다음 자료에 인용됨. Pavel Kolář, "Post-Stalinist Reformism and the Prague Spring," in *The Cambridge History of Communism*, Norman Naimark, Silvio Pons, and Sophie Quinn-Judge, eds., vol. 2 (Cambridge, 2017), 170-172.

3 1956년 체코슬로바키아의 도전에서 지도적 역할을 한 학생인 무리엘 블라이베는 많은 사람들이 좀 더 민주적인 통치 형태의 복권을 희망하고, 특정 당 지도자를 거부했지만, 위험을 부담하기에는 안락한 생활에 너무 안주했다고 말했다. Muriel Blaive, "Perceptions of Society in Czechoslovak Secret Police Archives: How a 'Czechoslovak 1956' was Thwarted," in *Perceptions of Society in Communist Europe*, Muriel Blaive, ed. (London, 2019), 101-122.

4 John N. Stevens, *Czechoslovakia at the Crossroads: The Economic Dilemmas of Communism in Postwar Czechoslovakia* (New York, 1985), 306.

5 약 750명의 당 중앙을 운영했다. Kieran Williams, *The Prague Spring and Its Aftermath* (Cambridge, 1997), 14.

6 Varga, "Reshaping," 408.

7 스탈린주의자 브로노 쾰러, 요세프 우발레크, 카롤 바칠레크가 떠났고, 개혁가인 체스트미르 치사르와 알렉산더 둡체크는 초기 시기에 승진했다. Galia Golan, *The Czechoslovak Reform Movement: Communism in Crisis 1962-68* (Cambridge, 1971), 27, 32-34.

8 회의 아이디어를 제시한 사람은 장 폴 사르트르였다. 그는 동방과 서방의 작가들에게 카프카를 냉전 대결의 '시험 케이스'로 생각하도록 촉구했다. 연로한 공산주의자인 골드스퀴커가 이 도전을 받아들였다. 알프레드 쿠렐라가 이끄는 동독 문화 관리들은 정치적 도전에 시달렸다. 즉, 사회주의가 자본주의의 소외를 척결하지 못했다는 데 자신들도 동의해야 하는 상황을 우려했다. Martina Langermann, "'Nicht tabu, aber erledigt.' Zur Geschichte der Kafka-Debatte aus der Sicht Alfred Kurellas," *Zeitschrift für Germanistik* 4:3 (1994), 606-621. On the naps: Antje Schmelcher, "Onkel Franz Geht Spazieren," *Die Welt*, June 14, 2000.

9 대규모 생산은 노동자와 자원과 기계의 숫자 확장을 필요로 했다. 집중 생산은 모든 생산과정 요소들이 좀 더 효과적으로 기능해서 세계 시장에서 경쟁할 수 있게 만드는 것을 목표로 했다.

10 이 보고는 〈교차로에 선 문명〉이라는 제목이 붙었다. Zbyněk A. B. Zeman, *Prague Spring: A Report on Czechoslovakia 1968* (Harmondsworth, UK, 1969), 89 and passim.

11 "사람은 사냥꾼이나 낚시꾼이나 방목자나 비평가가 되지 않고도 아침에 사냥을 하고, 오후에 낚시를 하고, 저녁에는 소를 키우고, 저녁식사 후에는 비평을 할 수 있다." Karl Marx and Frederick Engels, *German Ideology*, C. J. Arthur, ed. (London, 1970), 53.

12 개혁 과정에 대한 내부로부터의 생생한 이야기는 믈리나르의 당시 회고록을 보라. *Nightfrost*

in Prague: The End of Humane Socialism (London, 1980).

13 그가 한 말은 "체코슬로바키아인들의 문화적 가치는 민족으로서 자신들의 존재를 정당화할 만큼 충분히 위대한가?"였다.

14 Jaromír Navrátil, *The Prague Spring 1968* (New York, 1998), 8.

15 H. Gordon Skilling, *Czechoslovakia's Interrupted Revolution* (Princeton, NJ, 1976), 70; Navrátil, *Prague Spring*, 10.

16 Skilling, *Interrupted Revolution*, 71.

17 Dušan Hamšík, *Spisovatelé a moc* (Prague, 1969), 190.

18 Maria Dowling, *Czechoslovakia* (London, 2002), 104-105.

19 Eugen Steiner, *The Slovak Dilemma* (Cambridge, 1973), 154-159.

20 Frank Magill, *The Twentieth Century, Dictionary of World Biography*, vol. 7 (Pasadena, CA, 2008), 968.

21 일례로 그는 회고록에서 자신이 나보트니와 카드 게임에 불려가는 사람에 포함되고 싶은 욕구가 전혀 없었다고 말했다. Alexander Dubček, *Hope Dies Last*, Jiří Hochman, trans. (New York, 1993), 83.

22 Richard Severo, "Alexander Dubcek, 70, Dies in Prague," *New York Times*, November 9, 1992. 앞의 발언은 1968년 2월 22일 레오니트 브레즈네프가 있는 자리에서 나온 것이다.

23 Dubček, *Hope Dies Last*, 302-303, 313.

24 Williams, *Prague Spring*, 15.

25 개혁 프로그램의 모호성과 인기에 대해서는 다음 자료를 보라. Kolář, "Post-Stalinist Reformism," 176-178.

26 "Action Program of the Communist Party of Czechoslovak Communist Party," *Marxism Today*, July 1968, 205-213. 이 집단에 대해서는 다음 자료를 보라. Skilling, *Interrupted Revolution*, 264-266.

27 1920년대로 거슬러 올라가는 이 원칙은 당원의 엄격한 통제와 바탕으로부터 선출이 아니라 지도부에 의한 당 관료 임명을 의미했다.

28 이것은 자신들이 자신들의 노선을 선택해야 한다는 확신에 일부 기인했고, 체코슬로바키아 개혁가들과 보수주의자들이 언론에 대한 단호한 간섭을 찬성할지 반대할지 결정을 하지 못한 것에 일부 기인했다.

29 8월 13일 격앙된 긴 통화가 있었다. 이 통화 중 브레즈네프는 둡체크가 반소비에트적 비방을 　다고 생각을 했기 때문에 기만을 하고 태업을 한 것을 비난했다. Jaromir Navratil, ed., *The Prague Spring 1968. A National Security Archives Document Reader* (Budapest, 1998), 345-348; Valenta, *Soviet Intervention*, 172.

30 그들은 바실 빌라크, 알로이스 인드라, 드라호미르 콜더였다. 이들은 올드리히 슈베스트카

와 안토닌 카페크와 함께 8월 레오니트 브레즈네프에게 '반혁명'을 진압하는 데 지원을 요청했다. 원문은 다음 자료를 보라. F. Janáček and M. Michálková, "Příběh zvacího dopisu," *Soudobé dějiny* 1 (1993), 92-93.

31 Valenta, *Soviet Intervention*, 174.

32 Dubček, *Hope Dies Last*, 213.

33 Dubček, *Hope Dies Last*, 209.

34 Dubček, *Hope Dies Last*, 239. 이것은 소련이 프라하에서 도발을 한 아이스하키 게임 직후에 일어났다. 아에로플로트 사무실 앞에 거대한 돌무더기를 쌓아 시민들이 이 돌을 던지게 했다. 이 시점에 소련은 추가 병력을 파견했다.

35 Sabine Stach, *Vermächtnispolitik. Jan Palach und Oskar Brüsewitz als politische Märtyrer* (Göttingen, 2016), 87.

36 이것은 1975년에 발생했다. 다음 사이트를 참조하라. http://www.radio.cz/en/section/czech-history/president-gustav-husak-the-face-of-czechoslovakias-normalisation (accessed November 25, 2016).

37 약 1500만 명 중 약 50만 명이 제거되었다. Jiří Vykoukal, Bohuslav Litera, and Miroslav Tejchman, *Východ: vznik, vývoj a rozpad sovětského bloku, 1944-1989* (Prague, 2000), 575-576.

38 Vykoukal et al., *Východ: vznik*, 575. 1970년 1월 전체회의 때 당원증을 확인하기로 한 결정이 있었다. 이 체크가 너무 느슨했기 때문에 4월에 다시 당원증을 체크했다.

39 다음에서 인용함. Maruška Svašek, "Styles, Struggles, and Careers: An Ethnography of the Czech Art World, 1948-1992" (PhD dissertation, University of Amsterdam, 1996), 114.

40 Svašek, "Styles," 120. In 1975.

41 Svašek, "Styles," 122.

42 Małgorzata Fidelis, *Women, Communism, and Industrialization in Postwar Poland* (Cambridge, 2010), 203-230; Małgorzata Mazurek, *Społeczeństwo kolejki. O doświadczeniach niedoboru 1945-1989* (Warsaw, 2010), 153-154.

43 저자들은 고무우카나 지도부의 다른 인물들이 '개인적으로' 반유대적이지는 않았다는 데 동의한다. 그들은 이것을 자신들의 정책에 대한 지지 집단을 형성하는 데 이용했다. Adam Schaff, *Moje spotkania z nauką polską* (Warsaw, 1997), 107 and passim.

44 고무우카는 소련의 이익이 위협을 받을 때 반응을 하고 나섰다. Zaremba, *Komunizm*, 334.

45 Zaremba, *Komunizm*, 336.

46 Janina Bauman, *A Dream of Belonging: My Years in Postwar Poland* (London, 1988), 177.

47 Jacek Kuroń and Jacek Żakowski, *PRL dla początkujących* (Wrocław, 1996), 137; Adam Michnik, "Rana na czole Adama Mickiewicza," *Gazeta Wyborcza*, November 4, 2005; Harold

B. Segel, "Introduction," in *Polish Romantic Drama: Three Plays in English Translation* (Ithaca, NY, 1977), 42; Jerzy Eisler, *Polskie miesiące: czyli Kryzys(y) w PRL* (Warsaw, 2008), 180; Zaremba, *Komunizm*, 340.

48 Eisler, *Polskie miesiące*, 31.

49 Eisler, *Marzec 1968: geneza, przebieg, konsekwencje* (Warsaw, 1991), 158; Szczęsna and Bikont, *Lawina*, 356.

50 Bauman, *Dream*, 185-186.

51 1968년 당시 학생이었던 안드제이 코요노프스키의 발언. Barbara Polak, "Pytania, które należy postawić," *Biuletyn IPN* 3:86 (2008), 9.

52 Andrzej Friszke, "Miejsce marca 1968 wśród innych polskich miesięcy," in *Oblicza marca 1968*, Konrad Rokicki and Sławomir Stępień, eds. (Warsaw, 2004), 17; comments of Paweł Tomasik in Polak, "Pytania, które należy postawić," 2.

53 바르샤바, 그단스크, 슬리위체, 카토비체, 크라쿠프, 루블린, 우쯔, 포즈난, 슈체친, 비엘스크-비아와, 레그니체, 라돔, 타르노우, 체신, 프레므이슬, 오폴레에서 시위가 일어났다. 결의를 통과시킨 공식 모임은 브로츨라프, 비알리스토크, 비드고슈치, 올슈틴과 토룬에서 진행되었다. Eisler, *Polskie miesiące*, 32-33.

54 폴란드어로는 dyktatura ciemniaków이다. 키셀레프스키는 자신이 검열관만을 지칭했다고 주장했다.

55 Bauman, *Dream*, 189-191.

56 Michnik, "Rana."

57 Schaff, *Moje Spotkania*, 115.

58 Zaremba, *Komunizm*, 354-355; Edward Jan Nalepa, *Wojsko polskie w grudniu 1970* (Warsaw, 1990), 7.

59 Schaff, *Moje Spotkania*, 113; Michał Głowiński, "공산주의는 파시즘으로 들어났고, 전체주의적이고 좌익일 뿐만 아니라 우익이었다." 다음 자료에서 인용함. Szczęsna and Bikont, *Lawina*, 372.

60 다음 자료에서 인용함. Włodzimierz Rozenbaum, "The March Events: Targeting the Jews," *Polin* 21 (2009), 63.

61 Stephen D. Roper, *Romania: The Unfinished Revolution* (Amsterdam, 2000), 49.

62 Petrescu, "Alluring Facet," 251.

63 Bernard Wheaton and Zdeněk Kavan, *The Velvet Revolution: Czechoslovakia, 1988-1991* (Boulder, CO, 1992), 14-15; Robert V. Daniels, *A Documentary History of Communism*, vol. 2 (London, 1985), 338.

64 체코슬로바키아는 5.5퍼센트에서 3.7퍼센트로, 불가리아는 7.9퍼센트에서 6.1퍼센트로 헝

가리는 6.5퍼센트에서 3.5퍼센트로, 동독은 5.4퍼센트에서 4.1퍼센트로 루마니아는 9.1퍼센트에서 7.2퍼센트로, 소련은 5.6퍼센트에서 4.3퍼센트로 감소되었다. Vykoukal et al., *Východ: vznik*, 475.

65 Florin Abraham, *Romania since the Second World War* (London, 2017), 51.

66 그의 '낮 직업'은 심리치료사였다. 주교를 비밀스럽게 임명한 것에 대해서는 다음 자료를 보라. David Doellinger, *Turning Prayers into Protests: Religious-Based Activism and Its Challenge to State Power* in Slovakia and East Germany (Budapest, 2013), 41.

67 교육에 관한 법률(1961년 7월 15일) 2조는 학교는 세속학교가 되어야 한다고 규정했다. "Ustawa z dnia 15 lipca 1961 r. o rozwoju systemu oświaty i wychowania," *Dziennik Ustaw* 1961, no. 32, position 160.

23장 실제 존재하는 사회주의: 소련 블록의 생활

1 이것이 소련의 스탈린주의를 이해하는 자체 기본선이었다. Stephen Kotkin, *Magnetic Mountain: Stalinism as a Civilization* (Berkeley, 1995), 360.

2 에리히 호네커는 지붕 수선공이었고, 브와디스아프는 유전 기술자였고, 야노스 카다르는 타자기 수선공이었고, 안토닌 노보트니는 금속공이었고, 토도르 지브코프는 인쇄공이었고, 헤오르헤 헤오르기우 데이는 철로 전기공이었고, 요시프 브로즈 티토는 기계 제작자였다. Ghiţa Ionescu, *Communism in Rumania, 1944-1962* (New York, 1964), 45; Jozo Tomasevich, "Yugoslavia during the Second World War," in *Contemporary Yugoslavia*, Wayne Vucinich and Jozo Tomasevich, eds. (Berkeley, 1969), 84; Obituary (Zhivkov), *New York Times*, August 7, 1998; on Kádár, see John Moody, "Hungary Building Freedoms out of Defeat," *Time*, August 11, 1986.

3 1970년대 말 무신론 확인의식에서 동독 10대들에게 제공된 책에서 소련 철학자 글레세르만은 사회주의와 공산주의를 같은 경제·사회 질서의 두 단계로 서술했다. 두 체제는 이익을 목적으로 하지 않는 생산수단의 사회적 소유이지만, '주민들의 커가는 필요를 만족시키는' 것을 목적으로 했다. 공산주의는 더 높은 단계의 물질-기술 기반을 보여주고, 여기에는 생산과정의 자동화, 모든 경제 부문의 전기화, 새롭고 더 효율적인 에너지 자원의 탐사가 포함되었다. 노동자의 문화적·기술적 수준은 향상되고, 지식인, 노동자, 농민 사이의 모든 장벽은 사라지게 되어 있었다. G. I. Gleserman, "Auf dem Weg zur kommunistischen Zukunft," in *Der Sozialismus: Deine Welt*, Heinrich Gemkow et al., eds. (Berlin, 1975), 290.

4 실제 존재하는 사회주의는 '공산주의로 향하는 노정에 잠시 정차'하는 것이 아니라고 글라세르만은 경고했고, 제 때가 오기 전에 유토피아의 도래를 공표하는 것은 해롭다고 말했다.

그 미래는 새로운 사회뿐만 아니라 사회 질서와 규율의 지속적인 강화와 사람들이 사회주의 공존과 더 이상 무력이 필요하지 않는 사회 발전 과정을 달성하는 것이라고 서술했다. Gleserman, "Auf dem Weg," 296.

5 엥겔스는 노동자들이 어떻게 자신들의 생활을 지배하는 경향이 있는지에 대해서는 분명히 밝히지 않았지만, 기술적 발전이 의식의 변화를 가져온다는 기본적 신념을 가지고 있었다. Karl Marx and Friedrich Engels, *Werke*, vol. 38 (Berlin, 1968), 64. (A letter of March 1891 to Max Oppenheim).

6 이 표현들은 1950년 공산주의자 시인인 요한에스 베커가 쓴 것이다. Michael Brie and Dieter Klein, *Der Engel der Geschichte: befreiende Erfahrungen einer Niederlage* (Berlin, 1993), 267.

7 알렉 노베는 스탈린주의의 극단성을 감안하면, 좀 더 온건한 노선으로의 회귀는 정치적으로 모든 사람에게 편리한 것으로 보인다고 썼다. Alec Nove, *Stalinism and After* (London, 1975), 120. "Around 1981," Martin McCauley writes, "Communism meant almost entirely food and consumer goods. The material was again the master." *The Soviet Union 1917-1991* (London, 1993), 219.

8 Steffen Plaggenborg, introduction to Galina Ivanova, *Entstalinisierung als Wohlfahrt: Sozialpolitik in der Sowjetunion, 1953-1970* (New York and Frankfurt, 2015), 8-9.

9 William Taubman, *Khrushchev: The Man and His Era* (New York, 2003), 260.

10 Stephen E. Hanson, *Time and Revolution: Marxism and the Design of Soviet Institutions* (Chapel Hill, NC, 1997), 172. 흐루쇼프는 '시간 제약에 대한 혁명적 부정'과 연관시켰지만 브레즈네프는 중도주의자였고, 우파와 좌파의 이탈을 공격하고 마르크스주의-레닌주의 교조의 순수성을 지지했다.

11 Ivan T. Berend, *Central and Eastern Europe* 1944-93: *Detour from the Periphery to the Periphery* (Cambridge, 1998), 162; Vernon Aspaturian, "Eastern Europe in World Perspective," in *Communism in Eastern Europe*, Teresa Rakowska-Harmstone, ed. (Bloomington, IN, 1984), 22-23.

12 John Keane, ed., *The Power of the Powerless: Citizens against the State in Central-Eastern Europe* (Armonk, NY, 1985), 45.

13 Małgorzata Mazurek, "Keeping It Close to Home: Resourcefulness and Scarcity in Late Socialist Poland," in *Communism Unwrapped: Consumption in Cold War Eastern Europe*, Paulina Bren and Mary Neuburger, eds. (Oxford, 2012), 300-302; Paul Betts, *Within Walls: Private Life in the German Democratic Republic* (Oxford, 2012), 180.

14 Gábor Kovács, "Revolution, Lifestyle," in Rainer and Péteri, *Muddling Through*, 29.

15 Janos Rainer, "The Sixties in Hungary," in Rainer and Péteri, *Muddling Through*, 16, note 57.

16 Rainer, "The Sixties in Hungary," 13.

17 Varga, "Questioning," 110-111.

18 Annette Kaminsky, *Illustrierte Konsumgeschichte der DDR* (Erfurt, 1999), 51.

19 Mark Pittaway, *The Workers' State: Industrial Labor and the Making of Socialist Hungary* (Pittsburgh, PA, 2012), 6-7; Katherine Verdery, *What Was Socialism, and What Comes Next?* (Princeton, NJ, 1996).

20 Mark Pittaway, *Eastern Europe, 1939-2000* (London, 2004), 122; Kaminsky, *Illustrierte Konsumgeschichte*, 31.

21 T. Dombos and L. Pellandini-Simányi, "Kids, Cars, or Cashews?: Debating and Remembering Consumption in Socialist Hungary," in Bren and Neuburger, *Communism Unwrapped*, 325-326.

22 Bradley Abrams, "Buying Time: Consumption and Political Legitimization in Late Communist Czechoslovakia," in *The End and the Beginning: The Revolutions of 1989 and the Resurgence of History*, Vladimir Tismaneanu with Bogdan C. Iacob, eds. (Budapest, 2012), 405.

23 Abrams, "Buying Time," 401; Dombos and Pellandini-Simányi, "Kids, Cars," 326.

24 지니계수 0은 완전한 평등을 의미하고, 1은 완전한 불평등을 의미한다. 체코슬로바키아의 지니계수는 0.22, 동독은 0.28, 쿠바는 0.27, 폴란드는 0.31이었다. K. Griffin, *Alternative Strategies for Economic Development* (New York, 1999), 219. 미국의 숫자는 1986년 0.37퍼센트, 1991년 0.38퍼센트, 1994년 0.40퍼센트로 증가했다. World Bank, "GINI Index for the United States," retrieved from Federal Reserve Bank of St. Louis, https://fred.stlouisfed.org/series/SIPOVGINUSA (accessed November 9, 2018). 서유럽의 숫자는 0.5퍼센트 이상이었고, 프랑스는 0.68퍼센트, 서독은 0.78퍼센트였다.

25 일례로 기술자 디에터 모제만은 노동자보다 적게 벌었다. http://www.spiegel.de/wissenschaft/technik/patente-der-letzte-erfinder-der-ddr-a-702108.html (accessed November 25, 2016).

26 냉장고는 용량이 140리터였고, 이 중 7리터가 냉동실이었다. Kaminsky, *Illustrierte Konsumgeschichte*, 42. 미국에서 가정에서 냉장고를 소유한 비율은 1940년 56퍼센트에서 1960년 80퍼센트로 늘었고, 1960년대 중반 100퍼센트 이상이 되었다. 프랑스에서는 냉장고 보유율이 1970년 80퍼센트에 달했고, 1980년대 100퍼센트를 넘어섰다. Vaclav Smil, *Transforming the Twentieth Century: Technological Innovations and Their Consequences* (Oxford, 2006), 42.

27 Heike Hüchtmann, "Küchen-Schätzchen entdeckt," In *Südthüringen.de*, July 30, 2011, at http://www.insuedthueringen.de/lokal/suhl_zellamehlis/suhl/Kuechen-Schaetzchen-

entdeckt;art83456,1710085 (accessed November 25, 2016).

28 Kaminsky, *Illustrierte Konsumgeschichte*, 93.

29 Kaminsky, *Illustrierte Konsumgeschichte*, 95.

30 http://doku.iab.de/mittab/1990/1990_4_mittab_stephan_wiedemann.pdf,552 (accessed November 25, 2016).

31 Bernd Stöver, *Der Kalte Krieg, 1947-1991: Geschichte eines radikalen Zeitalters* (Munich, 2007), 304.

32 Stöver, *Der Kalte Krieg*, 303-304. 스퇴버는 이것은 개인용 컴퓨터와 마이크로칩에서는 사실이라고 주장한다.

33 Krisztina Fehérváry, "Goods and States: The Political Logic of State Socialist Material Culture," *Comparative Studies in Society and History* 51:2 (2009), 444, 446.

34 Fehérváry, "Goods and States," 430-431; Verdery, *What Was Socialism*, 28; John Borneman, *After the Wall: East Meets West in the New Berlin* (New York, 1991), 17-18.

35 나는 이 지적에 대해서는 크리스티나 페헤르바리의 신세를 졌다.

36 마이크 부르크하르트에 의하면 이것은 59독일마르크에 팔렸다. http://www.geschichte-entdecken.com/Meine_DDR/ (accessed November 26, 2016).

37 Tobias Wunschik, *Knastware für den Klassenfeind* (Göttingen, 2014).

38 Fehérváry, "Goods and States," 448.

39 http://www.b92.net/eng/news/world.php?yyyy=2013&mm=01&dd=31&nav_id=84442 (accessed November 26, 2016).

40 http://www.balkanalysis.com/romania/2011/12/27/in-romania-opinion-polls-show-nostalgia-for-communism/#edn1 (accessed November 26, 2016). 이 조사는 2010년 수행한 것이다. 전반적인 현상에 대해서는 다음 자료를 보라. Maria Todorova and Zsuzsa Gille, eds., *Postcommunist Nostalgia* (New York, 2010).

41 Paulina Bren, "Mirror, Mirror on the Wall, Is the West the Fairest of Them All. Czechoslovak Normalization and Its (Dis)contents," *Kritika* 9:4 (2008), 842, 844.

42 Bren, "Mirror, Mirror," 846.

43 다음에서 인용. Bren, "Mirror, Mirror," 846.

44 Daniela Dahn, "Wir wollten doch auch noch leben oder Die Legende vom faulen Ossi," in *Ein Land genannt die DDR*, Ulrich Plenzdorf and Rüdiger Dammann, eds. (Frankfurt am Main, 2005), 117.

45 György Konrad, "Wir schauspielern alle in ein und demselben Stück," in *Ungarn: Ein kommunistisches Wunderland?* István Futaky, ed. (Reinbek bei Hamburg, 1983), 29.

46 다음에서 인용. Dahn, "Wir wollten," 139.

47 Monika Maron cited in Kaminsky, *Illustrierte Konsumgeschichte*, 92.

48 그녀가 이것을 발견한 날은 그의 생일이었다. Janine R. Wedel, *The Private Poland* (New York, 1986), 23.

49 Wedel, *Private Poland*, 45-47.

50 Wedel, *Private Poland*, 26.

51 Daphne Berdahl, *Where the World Ended: Re-unification and Identity in the German Borderland* (Berkeley, 1999), 120-121.

52 Berdahl, *Where the World Ended*, 12, 120. 1979년 헝가리 주택과 아파트의 유지보수의 3분의 1은 회색 경제가 담당한 것으로 평가된다. Pittaway, *Eastern Europe*, 129. 폴란드 소도시에 있는 나의 친구는 특별한 치료와 서구 의약을 필요로 하는 아버지를 살리기 위해 집 한 채 값에 해당하는 돈을 지불했다.

53 Wedel, *Private Poland*, 12.

54 이것은 146리터의 맥주와 15.5리터의 도수 높은 술에 해당한다. Kaminsky, *Illustrierte Konsumgeschichte*, 89.

55 그녀는 "내가 관료제와 공식 관계를 접근하는 데 부정직성에 너무 익숙해져서 내가 미국으로 돌아오자 몇몇 친구들은 내가 거짓말을 너무 많이 한다고 불평했다"라고 썼다. Wedel, *Private Poland*, 17.

56 Timothy Garton Ash, *The Uses of Adversity: Essays on the Fate of Central Europe* (New York, 1989), 133.

57 Paul Betts, *Within Walls: Private Life in the German Democratic Republic* (Oxford, New York, 2010), 24-25.

58 Jens Gieseke, *Die Stasi: 1945-1990* (Munich, 2011), 163; Betts, *Within Walls*, 22, 39.

59 Betts, *Within Walls*, 24-34.

60 Harald Schultze, *Berichte der Magdeburger Kirchenleitung zu den Tagungen der Provinzialsynode* (Göttingen, 2005), 238.

61 국가와 사회의 이런 '협상'을 위해 발전된 용어는 '기대적 순응(vorausilender Gehorsam)'이었다. 다음 자료를 보라. Stefan Wolle, *DDR: eine kurze Geschichte* (Frankfurt, 2004), 18 and passim; Jürgen Kocka, "Eine durchherrschte Gesellschaft," in *Sozialgeschichte der DDR*, Jürgen Kocka and Hartmut Kaelble, eds., (Stuttgart, 1994), 547-553.

62 사적 농업을 제외하면 이런 기업이 차지한 비율은 31.1퍼센트이다. Simon Commander and Fabrizio Coricelli, *Output Decline in Poland and Hungary in 1990-91* (Washington, DC, 1992), 27. 1984년 기준 약 470,000개의 사적 비농업 기업이 있었다. Wedel, *Private Poland*, 37, 53.

63 내무장관 카쉬차크는 1986년 9월 마지막 326명의 수감자를 석방하도록 직접 명령했다.

Kuroń and Żakowski, *PRL*, 254.

64 지도자들은 공산당이 1980년대 초반 거대한 무역 적자가 발생하도록 무책임하게 허용했다고 믿었다. Jonathan R. Zatlin, *The Currency of Socialism: Money and Political Culture in East Germany* (Cambridge, 2007), 191.

65 이것은 1977년 11월 30일부터 서독 방송에 나온 이야기이다. http://www1.wdr.de/themen/archiv/stichtag/stichtag7126.html (accessed 26 November 2016). 트라반트의 공식 가격은 7850동독마르크였고, 폭스바겐 골프의 가격은 2만 7000-3만 6000동독마르크였다.

66 Bruno Schrep, "Kinder der Schande," *Der Spiegel* 28 (1995), 60.

67 정권이 '열기를 방출하려고(let off steam)' 시도하면서 1984년 약 3만 명의 해외이주자 물결이 있었다. Helge Heidmeyer, "Antifaschisticher Schutzwall oder Bankrotterklärung des Ulbricht-Regimes?" in *Das doppelte Deutschland*, Udo Wengst et al., eds. (Berlin, 2008), 94.

68 문제가 많은 동독 남부 지역에서 정보원 네 명 중 한 명은 반대파에 대한 정보 수집을 했다. Helmut Müller-Enberg, ed. *Inoffizielle Mitarbeiter des Ministeriums für Staatssicherheit: Statistiken*, vol. 3, (Berlin, 2008), 52; Irena Kukutz and Katja Havemann, *Geschützte Quelle : Gespräche mit Monika H., alias Karin Lenz, mit Faksimiles, Dokumenten und Fotos* (Berlin, 1990).

69 Pittaway, *Eastern Europe*, 128.

70 이것은 이런 계층의 증가하면서 스태그플레이션과 일치했다. 1981년 대학생의 61퍼센트는 아버지가 대학 교육을 받았지만, 조부모의 20퍼센트만 숙련 노동자로 훈련받았다. Doris Köhler, *Professionelle Pädagogen? Zur Rekonstruktion beruflicher Orientierungs-und Handlungsmuster von ostdeutschen Lehrern der Kriegsgeneration* (Münster and London, 2000), 75.

71 인구 1000명 당 자동차 대수는 프랑스는 267대, 헝가리는 33대였다. György Péteri, "Streetcars of Desire: Cars and Automobilism in Communist Hungary (1958-70)," *Social History* 34:1 (2009), 2-3.

72 Péteri, "Streetcars of Desire," 13; György Péteri, "Demand Side Abundance: On the Post-1956 Social Contract in Hungary," *East Central Europe* 43 (2016).

73 Gerd Schmidt, *Ich war Butler beim Politbüro : Protokoll der Wahrheit über die Waldsiedlung Wandlitz* (Schkeuditz, 1999), 59-60.

74 Schmidt, *Ich war Butler*, 43; Lothar Herzog, *Honecker Privat: Ein Personenschützer berichtet* (Berlin, 2012).

75 파놉티콘은 간수들이 '모든 곳이 보이는' 한 곳에서 모든 수감자를 감시하는 가장 효율적인 중앙 통제 체계를 보유하게 하는 수형제도를 언급한 것이다. Elemér Hankiss, *East European Alternatives* (Oxford, 1990), 94.

76 Konrad, "Wir schauspielern." 국가가 사회주의를 유지하기 위해 모든 사람을 동원한다는 생각을 한 반체제 인사에는 아담 미츠니크, 마츨라프 하벨, 롤란드 얀이 있었다. 다음 자료를 보라. Jahn's *Wir Angepassten* (Munich, 2014).

77 쉬클로바는 일간지 《믈라다 프론타(Mlada Fronta)》의 편집장 얀 할라다의 예를 들고 있다. Jan Hron, ed., *Věčné časy: československé totalitní roky* (Prague, 2009), 18.

78 Hron, *Věčné časy*, 20.

79 Hron, *Věčné časy*, 17.

80 Keane, *Power of the Powerless*, 38.

81 Caleb Crain, "Havel's Specter?" *The Nation*, April 9, 2012; The Rezek quote is from Paulina Bren, *The Greengrocer and His TV: The Culture of Communism after the 1968 Prague Spring* (Ithaca, NY 2010), 206.

82 Bren, *The Greengrocer*, 204.

83 Quoted in Bren, *The Greengrocer*, 204.

84 Keane, *Power of the Powerless*, 37.

85 Vladimir Tismaneanu, "Understanding National Stalinism: Reflections on Ceauşescu's Socialism," *Communist and Post-Communist Studies* 32:2 (1999), 155-173; "The Fate of Half a Million Political Prisoners," *The Economist*, August 5, 2013.

86 The Müller quotes are in *Die Erblast von Stasi und Securitate: eine Debatte mit deutschen, rumänischen und ungarischen Antworten: Simposium, 6-8.06.2001* (Bucharest, 2002), 116.

87 *Erblast von Stasi und Securitate*, 117-119.

88 Adrian Neculau, ed., *La vie quotidienne en Roumanie sous le communisme* (Paris, 2008), 163.

89 Neculau, *La vie quotidienne*, 60.

90 Neculau, *La vie quotidienne*, 65.

91 이 프로그램은 1988년 3월 발표되었고, 1만 3000부락의 절반 정도의 파괴를 가져왔다. 마을 주민들은 558개의 '농업-산업 도시'로 이주하게 되었다. Dennis Deletant, *Ceauşescu and the Securitate: Coercion and Dissent in Romania, 1965-1989* (Armonk, NY, 1995), 134-135.

92 이것은 다음 자료에 나온 라두 클리트의 관찰에 기초한 것이다. Neculau, *La vie*, 57.

93 포섭된 요원 숫자는 다음 방송에서 오아나 룬게스쿠가 인용한 것이다. '혁명 후 20년 동안 루마니아 보안기관의 유산', 2009년 12월 10일 BBC 방송. 다음 사이트에서 볼 수 있다. http://news.bbc.co.uk/2/hi/europe/8401915.stm (accessed June 21, 2019). 시비우군 상황에 대해서는 다음 자료도 보라. Deletant, *Ceauşescu*, 394.

94 Herta Müller in *Erblast von Stasi und Securitate*, 151.

95 이러한 주장은 룬게스쿠가 다음 BBC 방송에서 한 것이다. "Romania Securitate."

96 Neculau, *La vie*, 57.

97 Decree 770 of October 1, 1966. Jill M. Massino, *Engendering Socialism: A History of Women and Everyday Life in Socialist Romania* (Bloomington, IN, 2007), 165, 210.

98 Massino, *Engendering Socialism*, 165, 190.

99 Ann Furedi, "On Abortion, We Should Study Romanian History," *The Guardian*, January 15, 2013.

100 Massino, *Engendering Socialism*, 191.

101 목사는 라즐로 토케스였다. 25장을 보라.

24장 공산주의의 해체

1 '이것은 정치와 사회의 통상적이고 익숙한 관행에서 갑자기 일탈한' 것이었다. Padraic Kenney, *Carnival of Revolution: Central Europe 1989* (Princeton, NJ, 2002), 305.

2 Miklós Molnar, *From Béla Kun to János Kádár: Seventy Years of Hungarian Communism*, Arnold J. Pomerans, trans. (New York, 1990), 200.

3 Krisztina Fehérváry, "Goods and States."

4 Vladimir Tismaneanu, ed., *The Revolutions of 1989* (New York, 1989); Charles Maier, *Dissolution: The Crisis of Communism and the End of East Germany* (Princeton, NJ, 1997); Tony Judt, *Postwar: A History of Europe since 1945* (New York, 2005); Stephen Kotkin with Jan T. Gross, *Uncivil Society:* 1989 *and the Implosion of the Communist Establishment* (New York, 2009); Timothy Garton Ash, *The Magic Lantern* (New York, 1990); Konrad Jarausch, *Out of Ashes: A New History of Europe in the Twentieth Century* (Princeton, NJ, 2015). 1980년대 중유럽에서 반체제 운동의 발전 과정에 대해서는 다음 자료를 보라. Kenney, *Carnival*.

5 Dahn, "Wir wollten auch doch leben," 132.

6 32퍼센트의 응답자만이 생활수준이 앞으로 5년 안에 향상될 것으로 생각했고, 4분의 1은 생활수준 하락을 예상했다. 29퍼센트의 응답자는 지난 5년간 생활수준이 향상되었다고 말한 반면(1985년 조사의 46퍼센트와 대조됨), 36퍼센트는 생활수준이 하락했다고 생각했다(1985년 조사에는 22퍼센트). Abrams, "Buying Time," 408, 417, 420.

7 주민 1인당 육류 소비량은 두 배 이상 증가했다. 이 모든 통계는 몰나르의 공식 통계에 기반한 것이다. Molnar, *From Bela*, 189.

8 Molnar, *From Bela*, 190-191.

9 Roger Gough, *A Good Comrade: János Kádár, Communism and Hungary* (London, 2006), 176. 니어스는 1998년 시점에서 회고한 것이다.

10 소비재 가격을 높이는 것이 악화되는 부채를 피하는 유일한 길이라는 1979년 지도부의

합의에 대항하여 에리히 호네커는 "만일 우리가 그렇게 한다면, 정치국 전체가 사임해야 할 것이다"라고 말했다. Hans-Hermann Hertle, *Der Fall der Mauer: Die unbeabsichtigte Selbstauflösung des SED-Staates* (Opladen, Germany, 1996), 41-42.

11 카다르는 하나의 공식을 말했다. "우리는 정말 동방에서 차입하고 싶었지만, 그들은 그것이 가능하도록 만들지 않았기 때문에 우리는 그렇게 할 수 없었다." Gough, *Good Comrade*, 192, 200.

12 약 45명이 사망했고, 1100명 이상이 부상당했다. Jerzy Eisler and Tomasz Szarota, eds., *Polska 1944/45-1989. Studia i materiały*, vol. 7 (Warsaw, 2006), 310. 다음도 보라. Roman Laba, *The Roots of Solidarity* (Princeton, NJ, 1991).

13 Włodzimierz Borodziej, *Geschichte Polens im 20. Jahrhundert* (Munich, 2010), 353.

14 Jerzy Eisler, *Polskie Miesiące, czyli kryzysy w PRL* (Warsaw, 2008), 46-48.

15 Borodziej speaks of *Prügelorgien* [orgies of beating], *Geschichte*, 353.

16 Jerzy Andrzejewski, Andrzej Szczypiorski, Stanisław Barańczak, Jan Józef Lipski.

17 Stanisław Barańczak, *Breathing under Water and Other East European Essays* (Cambridge, MA, 1990), 46.

18 1972년 의무적 지원은 완전히 번복되었다. Zbigniew Landau and Jerzy Tomaszewski, *The Polish Economy in the Twentieth Century* (London, 1985), 306.

19 매년 2-3퍼센트씩 상승했다. Andrzej Friszke, *Polska: losy państwa i narodu* (Warsaw, 2003), 265.

20 Zbigniew Pełczyński, "Poland under Gierek," in *History of Poland since 1863*, R. F. Leslie., ed., (Cambridge, 1980), 439.

21 "Polish Workers Protest Increase in Meat Prices," *Washington Post*, July 4, 1980; Kuroń and Żakowski, *PRL*, 131.

22 바스켓 I은 안보문제에 대한 것이었고, 바스켓 II는 기술 협력에 대한 것이었다.

23 다음 자료의 분석을 보라. Adam Michnik, "Unbeugsame Verteidigung der Menschenrechte: was die Polen von dem neuen Papst erwarten," *Der Spiegel*, October 23, 1978, 26-27.

24 Andrzej Brzeziecki, *Tadeusz Mazowiecki: Biografia naszego premiera* (Kraków, 2015), 270.

25 Andrzej Friszke, *Opozycja polityczna w PRL 1945-1980* (London, 1994), 300-302; Adam Zagajewski, *Polen: Staat im Schatten der Sowjetunion* (Reinbek bei Hamburg, 1981), 159-160. 이 상황은 바르샤바, 크라쿠프, 우쯔, 루블린의 가톨릭대학 같은 몇 장소에 집중되어 있었다. Andrzej Paczkowski, *Pół wieku dziejów Polski : 1939-1989* (Warsaw, 1996), 428-429.

26 Jacques Rupnik, "Dissent in Poland, 1968-78," in *Opposition in Eastern Europe*, Rudolf L. Tőkés, ed., (Baltimore, 1979), 78-79.

27 Friszke, *Opozycja*, 326.

28 Samuel Moyn, *The Last Utopia: Human Rights in History* (Cambridge, MA, 2010).

29 Frischke, *Opozycja*, 362-363; Rupnik, "Dissent," 90-91.

30 Adam Michnik, *Letters from Prison and Other Essays*, Maya Latynski, transl. (Berkeley, 1985), 144.

31 10장을 보라.

32 Neal Ascherson, *The Polish August: The Self-Limiting Revolution* (New York, 1982), 115; Michael H. Bernhard, *The Origins of Democratization in Poland: Workers, Intellectuals and Oppositional Politics* (New York, 1993), 185, 196-197; Justyna Błażejowska, *Papierowa rewolucja : z dziejów drugiego obiegu wydawniczego w Polsce 1976-1989/1990* (Warsaw, 2010).

33 반체제 인사이자 정치학자인 얀 샤바타에 의하면 체코슬로바키아에서 77헌장에 서명한 242명 중 140명은 구공산당원이었다. Henry Kamm, "Evolution in Europe," *New York Times*, April 17, 1990; Jan Bažant, Nina Bažantová, and Frances Starn, *The Czech Reader: History, Culture, Politics* (Durham, NC, 2010), 392.

34 Judt, *Postwar*, 569.

35 이 숫자는 1988년 12월 기준이다. 자신의 이름이 드러나지 않기를 바랐던 다른 서명자들도 있다. Vilém Prečan, *Charta 77, 1977-1989* (Prague, 1990), 358.

36 Paczkowski, *Pół wieku*, 430-431; Andrzej Romanowski, "Stansiław Pyjas nie został zamordowany ani pobity," *Ale Historia, Gazeta Wyborcza*, May 4, 2017.

37 Rupnik, "Dissent," 93; Bernhard, *Origins*, 114-115.

38 이것이 정부가 너무 많은 압제를 시행하지 않으려고 조심한 이유였다. Paczkowski, *Pół wieku*, 430-431. 5월 118건의 체포와 20번의 아파트 수색이 기록되었다. Bernhard, *Origins*, 117.

39 다음 자료에 실린 아담 미츠니크의 회고를 보라. Adam Michnik, *Letters from Freedom: Post-Cold War Realities and Perspectives* (Berkeley, 1998), 57. 베오그라드 회의는 헬싱키협정 준수를 감시했고, 서명 국가 대표들이 참석했다. 당시에는 동유럽 국가들이 인권을 존중한다고 약속한 것이 '훈계를 하는 것으로' 생각했지만, 반체제 인사들의 입장을 지지하는 데는 별 역할을 하지 못했다. 그는 미국의 식량 차관을 폴란드의 인권 존중과 명백히 연계시켰다. P. G. Vaughan, "Brzezinski and the Helsinki Final Act," in *The Crisis of Détente in Europe*, Leopoldo Nuti, ed. (London, 2009), 19-23. 베를링거에 대해서는 다음 자료를 보라. Robert Brier, "Broadening the Cultural History of the Cold War: The Emergence of the Polish Workers' Defense Committee and Human Rights," *Journal of Cold War Studies* 15:4 (2013), 104-127.

40 Peter Osnos, "Current Unrest in Poland Reveals Rising Influence of Populace," *Washington Post*, June 3, 1977.

41 Máté Szábo, "Hungary," in *Dissent and Opposition in Communist Eastern Europe*, Detlef Pollack and Jan Wielgohs, eds. (Aldershot, UK, 2004), 58-59. 77헌장 그룹과의 연대 선언에는 250명이 서명했다.

42 Patrizia Hey, *Die sowjetische Polenpolitik Anfang der 80er Jahre* (Berlin, 2010), 137; Ascherson, *Polish August*.

43 Kuroń and Żakowski, *PRL*, 209. 반정부 운동과 교황의 방문에 대해서는 다음 자료도 보라. Brian Porter-Szűcs, *Poland in the Modern World: Beyond Martyrdom* (Hoboken, NJ, 2014), 286-296.

44 Borodziej, *Geschichte*, 356.

45 Kuroń and Żakowski, *PRL*, 209.

46 According to Ascherson, *Polish August*, 14-15.

47 Barbara Szczepuła, *Alina, Miłość w cieniu polityki* (Warsaw, 2013).

48 노동자들의 21개항 요구 중에서 이 요구는 마지막 합의에 포함되었다.

49 1936년 100만 명의 폴란드 노동자의 3분의 2가 이러한 파업에 참여했다. Roman Laba, *The Roots of Solidarity* (Princeton, NJ, 1989), 154.

50 "Alina Pieńkowska," *Gazeta Wyborcza*, August 8, 2005.

51 Borodziej, *Geschichte*, 362.

52 Borodziej, *Geschichte*, 362; Maciej Sandecki, "Mieczysław Jagielski: Musimy wyrazić zgodę," Gazeta Wyborcza, August 18, 2005.

53 Richard Sakwa, *Soviet Politics in Perspective* (London, 1998), 180.

54 "Die Zeiten, in denen die DDR in die Reihe der wirtschaftlich Lahmen und Fusskranken gehörte, sind längst vorbei." 메르세부르거는 동독에 파견된 서독 최고의 기자였다(그는 1982년부터 1987년까지 동독에 거주했다). 다음 자료를 보라. Peter Merseburger, *Grenzgänger: Innenansichten der DDR* (Munich, 1988), 44, 47. 당시 동독 경제에 대한 전반적으로 긍정적인 평가에 대해서는 다음 자료를 참조하라. "It's a Long Way from Prussia to Russia," *The Economist*, February 22, 1986; Roy Vogt, "Prospects for Improvement in the Standard of Living of the German Democratic Republic, *Canadian Slavonic Papers* 29:1 (1987), 63-80.

55 Bennett Kovrig, *Of Walls and Bridges: The United States and Eastern Europe* (New York, 1991), 267.

56 Susanne Wesch, "Mit den Krümeln vom Kuchen," *Handelsblatt*, September 15, 2006.

57 다음 자료에서 인용함. Angela Stent, *Russia and Germany Reborn: Unification, the Soviet Collapse, and the New Europe* (Princeton, NJ, 1999), 55.

58 생각을 자극하는 분석에서 그는 "역사는 매력적이고 실현 가능한 실제 세계 선택에 등을

돌렸다"라고 썼다. Nigel Swain, *Hungary: The Rise and Fall of Feasible Socialism* (London, 1992), 2.

59 Pittaway, *Eastern Europe*, 76-77.

60 Gough, *Good Comrade*, 152, 160-161; Ivan T. Berend, "Veränderungen waren notwendig" in *Ungarn: Ein kommunistisches Wunderland?* István Futaky, ed. (Reinbek bei Hamburg, 1983), 121.

61 "The state far from trying to stop them, tends to encourage diversity and diversification … rural Hungary has become an immense agricultural producer with a flourishing market." Molnar, *From Bela*, 194.

62 János Kornai, "The Soft Budget Constraint," *Kyklos* 39:1 (1986), 10.

63 Swain, *Hungary*, 124.

64 Gough, *Good Comrade*, 154; Mark Pittaway, *The Workers' State: Industrial Labor and the Making of Socialist Hungary, 1944-1958* (Pittsburgh, PA, 2012), 270.

65 Rudolf L. Tökés, *Hungary's Negotiated Revolution: Economic Reform, Social Change, and Political Succession, 1957-1990* (New York, 1996), 115.

66 George Konrád, "Wir schauspielern alle in ein und demselben Stück," in *Ungarn: Ein kommunistisches Wunderland?* István Futaky, ed. (Reinbek bei Hamburg, 1983), 25-26.

67 Emphasis added. Molnar, *From Bela*, 202.

68 Konrád, "Wir schauspielern," 12.

69 약 16억 명이 여기에 해당된다. Minxin Pei, *From Reform to Revolution: The Demise of Communism in China and the Soviet Union* (Cambridge, MA, 1994), 1.

70 Paweł Wierzbicki, "Tygodnik Mazowsze, cudowne dziecko drugiego obiegu," *Dzieje najnowsze* 44:4 (2012), 68; Shana Penn, *Solidarity's Secret: The Women Who Defeated Communism in Poland* (Ann Arbor, MI, 2006).

71 Václav Havel, *Power of the Powerless*, John Keane, ed. (New York, 1985).

72 Padraic Kenney, "Borders Breached: The Transnational in Eastern Europe since Solidarity," *Journal of Modern European History* 8:2 (2010), 187. 폴란드에서 동유럽 반대자들의 조직적인 회합이 있었다. 1988년에는 크라쿠프, 1989년에는 브로츨라프에서 회합이 있었다.

73 '민족 스탈린주의'라는 용어는 블라디미르 티스마네누가 쓴 말이다. 이것은 민족주의를 통해 개혁을 거부하는 체계적인 노력을 의미한다.

74 "Openness Vital, Gorbachev tells Romania," *Los Angeles Times*, May 27, 1987.

75 "Notes from CC CPSU Politburo Session, April 16, 1987," in *Masterpieces of History: The Peaceful End of the Cold War in Eastern Europe*, Svetlana Savranskaya et al., eds. (Budapest, 2010), 247-248.

76 "Notes from CC CPSU Politburo Session, June 4, 1987," in Savranskaya et al., *Masterpieces of History*, 253-254.

77 *Milwaukee Journal*, May 25, 1987; "Notes from CC CPSU Politburo Session, June 4, 1987," in Savranskaya et al., *Masterpieces of History*, 253.

78 Adam Michnik, *Letters from Prison and Other Essays*, Maya Latynski, trans. (Berkeley, 1985), 204.

79 당원 수는 370만 명이었다. 1980년대 헝가리와 폴란드의 비율은 각각 10.3퍼센트와 8.1퍼센트였다. Peter Siani-Davies, *The Romanian Revolution of December 1989* (Ithaca, NY, 2005), 21; Stephen Kotkin, *Uncivil Society* (New York, 2010), 77. 1960년대 체코슬로바키아의 비율은 17퍼센트였고, 동독에서는 1980년 17퍼센트였다. Muriel Blaive, "The Czechs and Their Communism, Past and Present," in *Inquiries into Past and Present*, D. Gard et al., eds., vol. 17 (Vienna, 2005); Rusanna Gaber, *Politische Gemeinschaft in Deutschland und Polen* (Wiesbaden, 2007), 105.

80 Stephen Fischer-Galati, *Twentieth Century Rumania* (New York, 1991), 186; Stephen Roper, *Romania: The Unfinished Revolution* (New York, 2000), 51.

81 1983년부터. 다음 자료에서 인용함. Petrescu, "Alluring Facet," 250.

82 Petrescu, "Alluring Facet," 251, 253.

83 경제 자립은 '공산주의 루마니아에서 잘살고 자유로워지는 국가의 역사적 운명을 실현하는 것'을 도울 것이다. Fischer-Galati, *Twentieth Century Rumania*, 190, 188.

84 그는 그들에게 다섯 시간 이상 말했다. 그가 떠나자 파업이 중단되었다. Fischer-Galati, *Twentieth Century Rumania*, 190-191. 파업자들이 징벌을 받지 않는다는 약속에도 불구하고, 약 4000명이 해고되었다. Dennis Deletant, *Ceaușescu and the Securitate: Coercion and Dissent in Romania* (Armonk, NY, 1995), 246.

85 자세한 사항은 24장을 보라.

86 차우셰스쿠가 좋은 관계를 유지한 이란의 샤가 실각한 것과 연관이 있다. Fischer-Galati, *Twentieth Century Rumania*, 193.

87 Fischer-Galati, *Twentieth Century Rumania*, 195.

88 이것은 1982년부터 지속된 것이다. 가격은 루마니아가 한 사람의 대학 학위를 위해 지출하는 금액을 서방 화폐로 계상한 것과 같다.

89 Fischer-Galati, *Twentieth Century Rumania*, 195-196.

90 Petrescu, "Alluring Facet."

91 Archie Brown, "The Gorbachev Era," in *The Cambridge History of Russia*, Ronald Suny, ed., vol. 3 (Cambridge, 2006), 336. 공개석상에서(일례로 1986년 폴란드 공산당 대회) 고르바초프는 소비에트 블록의 단합의 절대적 필요성을 언급하고, "사회주의가 달성한 것은 되돌

릴 수 없다"라고 말했다. Mark Kramer, "The Demise of the Soviet Bloc," in *The End of the Beginning: The Revolutions of 1989 and the Resurgence of History*, Vladimir Tismaneanu and Bogdan Iacob, eds. (Budapest, 2012), 181.

92 Martin Walker, *The Cold War: A History* (New York, 1994), 309.

25장 1989년

1 Timothy Garton Ash, *The Magic Lantern: Revolution Witnessed in Warsaw, Budapest, Berlin and Prague* (New York, 1990), 78.

2 크네즈에 대해서는 다음 자료를 보라. Wolfgang Leonhard, *Meine Geschichte der DDR* (Berlin, 2007), 216. 베를린 장벽 설치 후 동독 상황에 대해서는 다음 자료를 보라. Roland Jahn, *Wir Angepassten: Überleben in der DDR* (Munich, 2014); Peter C. Caldwell and Karrin Hanshew, *Germany since 1945: Politics, Culture, and Society* (London, 2018); Patrick Major, *Behind the Berlin Wall: East Germany and the Frontiers of Power* (Oxford, 2010), 156-159.

3 탈출하려는 일부 동독 사람들의 결심과 이것을 저지하려는 정권의 결의는 불가리아 사례에 반영되었다. 불가리아는 동독 사람들이 휴가 때 자유롭게 방문할 수 있는 곳이었는데, 이들은 차단된 그리스와의 국경을 넘어가려고 시도하다가 체포되거나 살해되었다. 그럼에도 불구하고 동독 정부는 슈타지 요원들을 파견해 국경 요새를 점검하여 최대한 월경이 불가능하도록 만들었다. Christopher Nehring, *Tödliche Fluchten über Bulgarien: Die Zusammenarbeit von bulgarischer und DDR-Staatssicherheit zur Verhinderung von Fluchtversuchen* (Berlin, 2017).

4 Mary Elise Sarotte, *The Collapse: The Accidental Opening of the Berlin Wall* (New York, 2014), 22-29.

5 George Barany, "Epilogue," in *History of Hungary*, Peter Sugar Tibor Frank and Péter Hának, eds. (Bloomington, 1990), 401.

6 M. S. Gorbachev, *Memoirs* (New York, 1996), 468.

7 Gough, *Good Comrade*, 239.

8 이 변화는 1989년 2월에 일어났다. Nigel Swain, "Negotiated Revolution in Poland and Hungary, 1989," in *Revolution and Resistance in Eastern Europe: Challenges to Communist Rule*, Kevin Mc-Dermott and Matthew Stibbe, eds. (New York, 2006), 147.

9 민주포럼은 1987년 작가 산도르 레자크가 설립했다. 과학적 노동민주연맹은 1988년 5월에 결성되었다. 이것은 솔리다르노시치 이후 동유럽에서는 처음으로 생긴 독립 노조이다. Pittaway, *Eastern Europe*, 189.

10 Tökés, *Hungary's Negotiated Revolution*, 308.

11 David Stark and László Bruszt, "Remaking the Political Field in Hungary: From the Politics of Confrontation to the Politics of Competition," in *Eastern Europe in Revolution*, Ivo Banac, ed. (Ithaca, NY, 1992), 30.

12 국가가 스스로에게 제한을 가하고 '사회가 스스로 대표 조직을 가질 수 있는 권리를 제도화할 것'을 주장했음에도 불구하고 이런 일이 발생했다. Stark and Bruszt, "Remaking the Political Field," 26.

13 Stark and Bruszt, "Remaking the Political Field," 26.

14 이 변화는 2월에 일어났다. Barany, "Epilogue," 402.

15 Pittaway, *Eastern Europe*, 190.

16 Tökés, *Hungary's Negotiated Revolution*, 329.

17 베레츠는 과거 당의 강경파 이념 담당 책임자였다. Henry Kamm, "Party's Hardliners Form Party to Toe the Old Line," *New York Times*, October 13, 1989.

18 이제 그 사무실들은 다른 '정상적인' 정당과 마찬가지로 동네에 있게 되었다. Tökés, *Hungary's Negotiated Revolution*, 296, 332.

19 Tökés, *Hungary's Negotiated Revolution*, 330. 카다르는 1989년 4월 당중앙위원회에서 길고 당혹스런 연설을 했다. 그는 자신이 1958년 처형하도록 명령한 사람들에 대해 다시 언급했다. "나의 책임은 무엇인가? … 의사는 내 문제가 내가 밤낮 가리지 않고 항상 내 책임을 생각하고, 내 머리가 나의 책임에 대해 늘 빙빙 도는 것이라고 말했다." Gough, *Good Comrade*, 244.

20 Tökés, *Hungary's Negotiated Revolution*, 33, 349. 재창당된 사회당은 10.89퍼센트를 득표했다. Swain, *Hungary: The Rise and Fall of Feasible Socialism*, 31.

21 Ákos Róna-Tas, *The Great Surprise of the Small Transformation: The Demise of Communism and the Rise of the Private Sector in Hungary* (Ann Arbor, MI, 1997 167.

22 폴란드는 당시 평화적 체제 이행의 유일한 모델이었다. András Bozóki, "Hungary's Road to Systemic Change. The Opposition Roundtable," in *Lawful Revolution in Hungary,* 1989-94, Béla K. Király, ed. (Boulder, CO, 1995), 65.

23 이것은 1947년 이후 공산당의 모든 움직임을 지지했지만, 지금은 새로운 자유의 이익을 누리는 농민당을 포함했다. Francis X. Clines, "Isvestia Reports Poland's Changes in Detail and Straightforwardly," *New York Times*, April 7, 1989.

24 Anna Machcewicz, "Historia sentymentalna," *Więź* 37:7 (1995), 135; John Tagliabue, "For Many the Accords Seem a Non-event," *New York Times*, April 7, 1989. 지하 운동 세력이 실시한 여론 조사에서 노동자 85퍼센트가 완전한 자유선거를 원한다고 나왔다.

25 István Rev, *Retroactive Justice: Pre-history of Postcommunism* (Stanford, CA, 2005), 304.

26 그로스, 네메스, 포즈가이와 외무장관 호른 덕분에 이것이 가능해졌다. Norman Naimark, "'Ich will hier raus,' Emigration and Collapse of the German Democratic Republic," in Banac, *Eastern Europe*, 84; Robert J. Macartney, "Bonn, Budapest Discuss East German Escapees," *Washington Post*, August 26, 1989.

27 "Und wenn sie die ganze Stasi schicken," *Der Spiegel*, August 21, 1989, 30-31.

28 약 6000명의 동독 주민들이 10월 초 서독으로 여행이 허가되기 전에 바르샤바에 모였다. http://www.tagesschau.de/ddrfluechtlinge-warschau-101.html (accessed December 20, 2018).

29 서독 당국은 이 국적을 인정한 적이 없지만, 단 하나의 독일 국적만 존재한다고 주장했다. 대사관 안에 들어온 사람은 4000명이었지만, 더 많은 사람이 밖에서 대기하고 있었다. Karel Vodicka, *Die Prager Botschaftsflüchtlinge 1989* (Göttingen, 2014).

30 "Gift für die Stasi," *Tageszeitung*, March 12, 2011.

31 Günter Johannsen, "Ironie der Geschichte oder wunderbare Fügung: Die Wurzeln des Montagsfriedensgebetes in Leipzig," http://www.gesellschaft-zeitgeschichte.de/geschichte/friedensgebete/ironie-der-geschichte/ (accessed June 19, 2019); Charles S. Maier, *Dissolution: The Crisis of Communism and the End of East Germany* (Princeton, 1995), 139.

32 "Demonstrationen und Kundgebungen in Leipzig," http://www.archiv-buergerbewegung.de/index.php/demonstrationen?bezirk_ddr=Leipzig&ort =Leipzig (accessed June 19, 2019).

33 Thomas Küttler, *Die Wende in Plauen. Eine Dokumentation* (Plauen, Germany, 1991). 역사학가 일코-사스카 코왈추크는 이것은 그해 가을 국가 권력에 대한 최초의 승리라고 말했다. "Die unbemerkten Helden," *Der Spiegel*, July 20, 2009.

34 Sarotte, *Collapse*, 190.

35 메르켈은 동독이나 서독에서 기민당 가입 원서에 직접 서명한 적이 없는 것으로 보였다. Ewald König, "'Mit der CDU will ich nichts zu tun haben,'" *Die Zeit*, June 18, 2015.

36 Sarotte, *Collapse*, 147; Kerstin Völlig, "Uns war klar, das war's mit der DDR," *Bergedorfer Zeitung*, November 28, 2014.

37 "Václav Havel: Living in Truth," *The Economist*, December 31, 2011.

38 Daniel Shanahan, "20 Years Too Late for Czechs: In Time of Glasnost, Restraint Still the Rule," *Los Angeles Times*, August 13, 1988. 1987년 3월 프라하를 방문한 고르바초프는 아직 소련 지도부에서 중도파였기 때문에 프라하의 봄이나 체코슬로바키아 지도부 중 루보미르 슈트로우갈 같은 개혁가들을 공개적으로 지지하지는 않았다. Jacques Levesque, *The Enigma of 1989* (Berkeley, 1997), 62-63.

39 다음에서 인용. Jürgen Danyel, "Abschied von der DDR," in *ZeitRäume: Potsdamer Almanach des Zentrums für Zeithistorische Forschung 2009*, Martin Sabrow, ed. (Göttingen,

2010), 43-46.

40 1988년 8월 21일 추정컨대 약 1만 명이 프라하에서 시위에 나섰고, 1989년 1월 15일에는 수천 명이 얀 팔라치의 분신을 기리기 위해 모였다. Milenko Petrovic, *The Democratic Transition of Post-Communist Europe* (New York, 2013), 106.

41 이것은 10월 25일 오스트리아를 방문하는 중에 일어난 일이다. Jiří Vykoukal, Bohuslav Litera, and Miroslav Tejchman, *Východ: vznik, vývoj a rozpad sovětského bloku, 1944-1989* (Prague, 2000), 722.

42 Vykoukal et al., *Východ*, 726; Adam Michnik, "Wielka Historia Vaclava Havla," *Gazeta Wyborcza*, April 27, 2012.

43 Jonathan C. Randal, "Prague Names Havel President," *Washington Post*, December 30, 1989.

44 James Krapfl, *Revolution with a Human Face* (Ithaca, NY, 2013), 104.

45 Katherine Verdery and Gail Kligman, "Romania," in Banac, *Eastern Europe*, 118.

46 On December 15. Stephen D. Roper, *Romania: The Unfinished Revolution* (Amsterdam, 2000), 58. Denis Deletant, *Romania under Communist Rule* (Portland, 1999), 135.

47 Verdery and Kligman, "Romania," 120; Vykoukal et al., *Východ*, 733.

48 Vykoukal et al., *Východ*, 733.

49 György Dalos, *Der Vorhang geht auf: das Ende der Diktaturen in Osteuropa* (Munich, 2009), 236. 클로이-나포하에서 사망자는 26명이었다. 그날 오후 이른 시간 무장병력이 시내 중심부에 모인 군중에게 발포하면서 다른 사람들도 항의시위에 참여하겠다는 결의를 다지게 만들었다. Siani-Davies, *Romanian Revolution*, 79-80.

50 Vykoukal et al., *Východ*, 732-734.

51 사망자(1104명)의 절대다수(942명)는 12월 12일 차우셰스쿠가 권력을 상실한 이후에 발생했다. Dalos, *Vorhang*, 236.

52 혁명이 음모의 결과라는 증거는 전혀 없다. Siani-Davies, *Romanian Revolution*, 175-176; Fischer-Galati, *Twentieth Century Rumania*, 200-205.

53 Vykoukal et al., *Východ*, 734-736.

54 그는 1954년 3월 당수가 되었다.

55 R. J. Crampton, *A Concise History of Bulgaria* (Cambridge, 1997), 209. 이것은 이슬람에 대한 광범위한 공격의 일부였다. 여기에는 몇 년 전 포경을 불법화한 것과 메카 여행을 금지한 것이 포함되었다.

56 Gorbachev, *Memoirs*, 485.

57 Crampton, *Concise History*, 214; Vykoukal et al., *Východ*, 729.

58 1971년 이후 외무장관을 맡아온 페타르 믈라데노프가 국가수반이 되었다.

59 Dalos, *Vorhang*, 169.

60 Crampton, *Concise History*, 219; Vykoukal et al., *Východ*, 731.

61 Vykoukal et al., *Východ*, 731-732.

62 Tökés, *Hungary's Negotiated Revolution*.

63 국제적 압력과 '지역적 자문'에 의해 페레스트로이카와 같은 정부 개혁에서 (다소 애매모호하지만) 민주주의 시행에 이르기까지 새 정부 수사의 변화에 대해서는 다음 자료를 보라. John Gledhill, "Three Days in Bucharest: Making Sense of Romania's Transitional Violence, Twenty Years On," in *Reflections on 1989 in Eastern Europe*, Terry Cox, ed. (London, 2013), 116-117.

64 Máté Szabó, 'Hungary' in *Dissent and Opposition in Communist Eastern Europe*, Detlev Pollack and Jan Wielgohs, eds. (Burlington VT, 2004), 62-63. 바르샤바의 미국 영사관 직원들은 1980년대 지하운동을 적극 장려했다.

65 Charles Maier, *Dissolution*.

26장 폭발하는 동유럽: 유고슬라비아의 국가 승계 전쟁

1 Dan Stone, *Goodbye to All That: The Story of Europe since 1945* (Oxford, 2014), 252.

2 John Lampe, *Yugoslavia as History: Twice There Was a Country* (Cambridge, 1996), 284-286; Sabrina P. Ramet, *The Three Yugoslavias: State-Building and Legitimation* (Washington, DC, 2006), 335; Robert Donia and John V. A. Fine, *Bosnia-Herzegovina: A Tradition Betrayed* (New York, 1994), 180.

3 Audrey Helfant Budding, "Nation/People/Republic: Self-Determination in Socialist Yugoslavia," in *State Collapse in South-Eastern Europe*, Lenard J. Cohen and Jasna Dragović-Soso, eds. (West Lafayette, IN, 2008), 91-130.

4 베오그라드에 무역회사들이 집중해 있었기 때문에 세르비아가 유고슬라비아 무역의 56퍼센트를 차지한 데 반해, 크로아티아는 18퍼센트를 차지했다. 베오그라드 은행들은 유고슬라비아 재무 자본의 70퍼센트 이상을 보유했다. Branka Magaš, *Croatia through History: The Making of a European State* (London, 2007), 624.

5 Jill Irvine, "The Croatian Spring and the Dissolution of Yugoslavia," in Cohen and Dragović-Soso, *State Collapse*, 149-178.

6 Savka Dabčević-Kučar, *John Maynard Keynes: teoretičar državnog kapitalizma* (Zagreb, 1957).

7 Misha Glenny, *The Balkans: Nationalism, War, and the Great Powers, 1804-1999* (New York, 2000), 591. 그리고 시 경찰의 40.8퍼센트가 크로아티아인이었다. 이 자료는 1971년 기준이다.

8 크로아티아 경제의 상대적 약화에 대한 불만도 있었다. 유고슬라비아 산업 생산에서 크로아티아가 차지하는 비중은 1925년 35퍼센트에서 1965년 19퍼센트로 줄어들었다. 그리고 인구 감소도 남쪽 지역의 높은 출생률과 외국으로 나가는 노동자들 중에 크로아티아인들이 차지하는 비중이 비정상적으로 높다는 사실에 연유했다. Marcus Tanner, *Croatia: A Nation Forged in War* (New Haven, CT, 1997), 196–197; Andrej Milivojević, "Almost a Revolution: 1960s Liberal Reforms in Slovenia, Croatia, and Serbia" (PhD dissertation, UC Berkeley, 2013).

9 이것은 1971년 상황이다. Ronelle Alexander, *Bosnian, Croatian, Serbian: A Grammar with Sociolinguistic Commentary* (Madison, WI, 2006); Lampe, *Yugoslavia*, 299; Tanner, *Croatia*, 190–191.

10 Holm Sundhaussen, *Geschichte Serbiens* (Vienna, 2007), 374–375.

11 Jože Pirjevec, *Tito and His Comrades* (Madison, WI, 2018), 388–389. Also: Tim Judah, *Serbs: History, Myth, and the Destruction of Yugoslavia* (New Haven, CT, 1997), 147; Tanner, *Croatia*, 202; Sundhaussen, *Geschichte Serbiens*, 375; Milivojević, "Almost a Revolution," 137–138.

12 Tanner, *Croatia*, 202; Magaš, *Croatia through History*, 629. 티토는 크로아티아 민족주의 자체에 대해서는 크게 우려하지 않았지만, 이것이 세르비아인들 사이에 격렬한 반응을 일으킬 가능성에 대해서는 염려했다. 이것은 후자에 비하면 '어린애 장난감'이었다. Tanner, *Croatia*, 199.

13 Aleksandar Pavković, *The Fragmentation of Yugoslavia: Nationalism and War in the Balkans* (New York, 2000), 70; Marc Weller, *Contested Statehood: Kosovo's Struggle for Independence* (Oxford, 2009), 35; Tim Judah, *Kosovo: What Everyone Needs to Know* (New York, 2008), 57. 1960년대부터 헌법 제정 작업이 진행되고 있었다.

14 지적인 면에서 추동력이 된 것은 슬로베니아인 에드바르트 카르델리였다. Aleksandar Pavković, "The Role of Serbia in the Process of the Disintegration of Yugoslavia," in *Serbien und Montenegro: Raum und Bevölkerung, Geschichte, Sprache*, Walter Lukan, ed. (Berlin and Vienna, 2006), 336–337.

15 알바니아 공산주의에 대한 뛰어난 역사 서술은 다음 자료를 보라. Daniel I. Perez, "Between Tito and Stalin: Enver Hoxha, Albanian Communists and the Assertion of Albanian National Sovereignty," (PhD dissertation, Stanford University, 2017); Elidor Mëhilli, *From Stalin to Mao: Albania and the Socialist World* (Ithaca, NY, 2017).

16 1948년 코소보 거주 알바니아인 73퍼센트는 문맹이었다. 1979년이 되자 이 숫자는 31.5퍼센트로 감소했지만, 이것은 여전히 유고슬라비아 내에서 가장 높은 비율이었다. Judah, *Kosovo*, 58; Julie Mertus, *Kosovo: How Myths and Truths Started a War* (Berkeley, 1999), 29.

17 1952년 코소보의 1인당 사회 소득은 유고슬라비아 평균의 44퍼센트에 불과했고, 1988년에는 27퍼센트로 떨어졌다. 이러한 감소는 부분적으로 높은 출생률에 기인한다. Momčilo Pavlović, "Kosovo under Autonomy, 1974–1990," in *Confronting the Yugoslav Controversies: A Scholars' Initiative*, Charles Ingrao and Thomas Emmert, eds. (West Lafayette, IN, 2013), 54. 1980년대 초반 코소보의 실업률은 유고슬라비아에서 가장 높은 수치인 27.56퍼센트에 달했다. 슬로베니아의 실업률은 2퍼센트였다. Mertus, *Kosovo*, 23.

18 세르비아인들은 알바니아인들이 학교를 원하지 않는다고 주장했다. Kristaq Prifti, *The Truth on Kosovo* (Tirana, 1993), 136. 252라는 숫자는 다음 자료에 나온 것이다. Radošin Rajović, *Autonomija Kosova: istorijsko pravna studija* (Belgrade, 1985).

19 정확한 숫자는 47.88퍼센트와 77.42퍼센트다.

20 Mertus, *Kosovo*, 25.

21 Kosta Mihailović and Vasilije Krestić, eds., *Memorandum of the Serbian Academy of Sciences and Arts: Answers to Criticisms* (Belgrade, 1995), 124, 139.

22 Gale Stokes, *The Walls Came Tumbling Down: The Collapse of Communism in Eastern Europe* (Oxford, 1993), 235; Laura Silber and Allan Little, *Yugoslavia: Death of a Nation* (New York, 1997), 63; Robert J. Donia, *Radovan Karadžić: Architect of the Bosnian Genocide* (Cambridge, 2015), 44; Sabrina P. Ramet, *Nationalism and Federalism in Yugoslavia* (Bloomington, IN, 1992), 226–234.

23 이에 대한 서술은 다음 자료를 보라. Budding, "Nation/People/Republic," 91–130.

24 야세노바치에서 사망한 사람 숫자는 수십만 명이 될 것으로 추정되지만, 투지만은 10만 명 이하라고 주장했다. Ejub Štitkovac, "Croatia: The First War," in *Burn This House: The Making and Unmaking of Yugoslavia*, Jasmina Udovicki, ed. (Durham, NC, 2000), 155. 그는 유고슬라비아 공식 역사학자들보다 진실에 더 가까웠다. 야세노바치에 대해서는 다음 자료를 보라. http://www.ushmm.org/wlc/en/article.php?ModuleId=10005449 (accessed November 29, 2016). 그의 전기로는 다음 저술이 있다. Branka Magaš, "Obituary: Franjo Tudjman," *The Independent*, December 13, 1999.

25 다음 자료에서 인용함. Stokes, *Walls*, 242. 선거는 4월에 치러졌고, 그의 연설은 2월에 행해졌다.

26 그는 1990년 5월 크로아티아 대통령직에 취임했다. Štitkovac, "Croatia: The First War," 156.

27 크로아티아 이민자들이 극단주의에 재정 지원을 한 것에 대해서는 다음 자료를 보라. Paul Hockenos, *Homeland Calling: Exile Patriotism and the Balkan Wars* (Ithaca, NY, 2003), 100–102.

28 이 사실은 다음 자료에 지적되었다. Silber and Little, *Yugoslavia*, 97. 이 자료는 밀란 바비치의 부상을 추적하면서 크라이나의 세르비아공화국을 장악한 민족주의 극단주의자들에 대

해 서술했다. 세르비아인들이 거주하는 많은 지역들은 "자그레브와의 대화에 관심이 있었고, 바비치가 자신의 권위를 강요하기 위해 무력을 사용한 이 지역의 새 정부에 적대적이지 않았다".

29 Štitkovac, "Croatia: The First War," 155.

30 Thomas Roser, "Als mitten in Europa wieder der Krieg ausbrach," *Die Presse*, June 24, 2016; James Gow and Cathie Carmichael, *Slovenia and the Slovenes* (Bloomington, IN, 2000), 174-202.

31 Silber and Little, *Yugoslavia*, 180; Dunja Melčić, *Der Jugoslawien-Krieg: Handbuch zu Vorgeschichte, Verlauf und Konsequenzen* (Wiesbaden, 2007), 555. 동슬라보니아에서 사망한 크로아티아인 수는 2000명에서 5000명으로 추산된다. Brendan O'Shea, *Perception and Reality in the Modern Yugoslav Conflict* (London, 2001), 20; Central Intelligence Agency, Office of Russian and European Analysis, *Balkan Battlegrounds: A Military History of the Yugoslav Conflict*, vol. 1 (Washington, DC, 2002), 101.

32 전투는 8월에 시작되었다. 1991년 11월 23일 투지만과 밀로셰비치는 휴전 합의안에 서명했고, 휴전은 1월 초부터 발효되었다.

33 이를 지지하는 다른 주장은 다음과 같다. 유고슬라비아는 이미 사망했다. 공산주의로부터 분리해서 독립을 실현하려는 국가를 징벌해서는 안 된다. 이에 대한 비판적 논의는 다음 자료를 보라. Glenny, *Balkans*, 637-638. 독일 통일은 1990년 10월 3일 이루어졌다.

34 David Binder, "Alija Izetbegović, Muslim Who Led Bosnia, Dies at 78," *New York Times*, October 20, 2003; Cathie Carmichael, *A Concise History of Bosnia* (Cambridge, 2015), 106. 청년이슬람당은 전 세계 무슬림들의 단합과 '대 이슬람 국가' 설립을 지향했다. Marko Attila Hoare, *The History of Bosnia* (New York, 2007), 135. 이슬람을 '서방의 가치를 포함한 영적이고 지적인 종합'으로 고양시킨 이제프베고비치의 주장에 대해서는 다음 자료를 보라. Noel Malcolm, *Bosnia: A Short History* (New York, 1994), 219-221. 한트샤르 부대에 대해서는 16장 미주 45를 보라.

35 숫자에 대해서는 다음 자료를 보라. Sundhaussen, *Geschichte Serbiens*, 424.

36 민간인 강간과 학대에 대해서는 다음 자료를 보라. Norman Naimark, *Fires of Hatred: Ethnic Cleansing in the Twentieth Century* (Cambridge, MA, 2001), 163-171; 비옐리이나에 대해서는 다음 자료를 보라. Eric D. Weitz, *A Century of Genocide: Utopias of Race and Nation* (Princeton, NJ, 2015), 215.

37 첫 번째는 캐링턴-쿠틸레이로 계획이고, 두 번째는 밴스-오웬 계획이다. 누가 캔톤의 경계를 강제할 것인가? 이것이 이슬람 주민들의 우려였다. 클린턴 행정부의 우려에 대해서는 다음 자료를 보라. John W. Young and John Kent, *International Relations since 1945* (Oxford, 2013), 465; '귀환할 권리'를 허용하지 않은 '현실주의적' 계획에 대한 이러한 비판은 다음

자료를 보라. Gearoid O'Tuathail and Carl Dahlman, "The Clash of Governmentalities," in *Global Governmentality: Governing International Spaces*, Wendy Larner and William Walters, eds. (London, 2004), 143.

38 '인종청소'라는 용어를 적용하는 한계와 이에 훨씬 모자라는 인권 유린에 대한 처벌의 어려움에 대해서는 다음 자료를 보라. A. Dirk Moses, "Raphael Lemkin, Culture, and the Concept of Genocide," in *Oxford Handbook of Genocide Studies*, A. Dirk Moses and Donald Bloxham, eds. (Oxford, 2013).

39 나토의 F-16기들이 보스니아 세르비아 탱크를 파괴한 후 라드코 믈라디치는 네덜란드 평화유지군을 살해하겠다고 위협해서 더 이상의 폭격을 중단시켰다(이 명령은 미국 특별대표 야수시 아키시가 내렸다). Sabrina Ramet, *The Three Yugoslavias: State-Building and Legitimation* (Bloomington, IN, 2006), 460.

40 4232명의 유고슬라비아인을 민족별로 표본 조사한 결과이다. Anthony Oberschall, "The Manipulation of Ethnicity: From Ethnic Cooperation to Violence and War in Yugoslavia," *Ethnic and Racial Studies* 23:6 (November 2000), 988.

41 처음에 세르비아인과 크로아티아인들은 보스니아군에서 싸웠지만 시간이 지나면서 그 수는 줄어들었다.

42 다음 자료에서 인용함. Oberschall, "Manipulation," 996. 마조비에츠키는 보스냐카두비카의 사례를 이용하여 보스니아의 상황, 인종청소를 달성하는 데 사용된 방법을 일반화했다. Tadeusz Mazowiecki, *Report on the Situation of Human Rights in the Territory of the Former Yugoslavia* (New York, 1992), 4, available at: http://repository.un.org/bitstream/handle/11176/54365/A_47_418-EN.pdf?sequence=3&isAllowed=y (accessed January 5, 2015).

43 Mazowiecki, *Report*, 12.

44 Tatjana Pavlović, "Women in Croatia: Feminists, Nationalists, and Homosexuals," in *Gender Politics in the Western Balkans: Women and Society in Yugoslavia*, Sabrina P. Ramet, ed. (University Park, PA, 1999), 136.

45 Oberschall, "Manipulation," 989.

46 이것은 온건한 베오그라드 신문 사라예보 판에서 나온 것이다. Oberschall, "Manipulation," 991. 다음 자료도 보라. Ivan Turov, "The Resistance in Serbia," in *Burn This House: The Making and Unmaking of Yugoslavia*, Jasminka Udovicki and James Ridgeway, eds. (Durham, NC, 2001), 250; Roger Cohen, *Hearts Grown Brutal* (New York, 1998), 222; Michael Sells, "Islam in Serbian Religious Mythology and Its Consequences," in *Islam and Bosnia*, Maya Shatzmiller, ed. (Montreal, 2002), 58.

47 "젊은 여성들이 피를 흘리게 하는 예니체리의 하렘의 성노예가 되고, 15-16세기 식의 튀

르크/이슬람의 유럽 침공이 인종말살과 위기 틀에서 지배의 믿을 만한 이야기가 되는, 평화 상황에서는 도저히 상상할 수 없는 일이다"라고 오베칼은 결론 내렸다. Oberschall, "Manipulation," 991-992.

48 다음 에세이도 보라. Cohen and Dragović-Soso, *State Collapse*.

49 Chuck Sudetic, *Blood and Vengeance: One Family's Story of the War in Bosnia* (New York, 1999), 52.

50 사라예보에서 다른 인종 간의 결혼 사례는 10퍼센트를 조금 넘었다(이 조사 항목은 인구센서스에 더 이상 포함되지 않았다).

51 그는 '금지 철회와 공습(lift and strike)', 즉 무기수출 금지 철회와 보스니아 측을 무장시키는 문제를 결정해야 하는 시점에 이 책을 읽었다. 서방에서 지지를 확보하지 못하고 국내에서도 지지가 약한 상황에서 이것을 거부하려고 할 때 카플란의 책은 클린턴에게 '비간섭'에 대해 사과할 '비전'을 주었다. 즉, 그가 아주 주저하는 선택을 하는 것을 합리화시키는 것을 도와주었다. 이것이 분명한 전환점이었다. 클린턴이 카플란의 시각에 대해 말하는 것을 국방장관 리 애스틴은 "맙소사, 그는 금지를 철회하고 공습하려고 한다"라고 말했다. Drew, *On the Edge*, 150. 다음도 보라. Michael Kaufman, "The Dangers of Letting a President Read," *New York Times*, May 22, 1999.

52 7월 13일 찰리 로즈와의 인터뷰에서. 다음 자료에서 인용함. Michael Sells, *The Bridge Betrayed: Religion and Genocide in Bosnia* (Berkeley, 1996), 204.

53 Arne Johan Vetlesen, *Evil and Human Agency: Understanding Collective Evil-Doing* (Cambridge, 2005), 247.

54 무력을 사용하는 문제가 거론될 때마다 콜린 파월 국무장관은 정확하게 어떤 효과를 기대할 수 있는지를 물었다. "무엇이 최종 목표인가?" "미국의 군사 개입은 거대한 무력을 동원하게 되고, 분명하게 정의된 목표가 있어야 한다." Drew, *On the Edge*, 149, 154.

55 이 UN 정책은 1991년 9월 25일 채택된 UN안보리 결의 713에 명시되었다. 안보리는 "UN 헌장 7부에 의거해 모든 국가는 유고슬라비아에 평화와 안정을 이룩하는 목적을 위해 유고슬라비아에 무기와 군사 장비를 공급하는 것을 즉각적으로 중단할 것을 결정했다".

56 자국의 군인들을 위험하게 만들 가능성에 대한 두려움이 프랑스와 영국이 1993년 '금지 철회와 공습' 선택에 반대한 이유를 설명한다. Drew, *On the Edge*, 155.

57 다음 자료에서 인용함. Mark Danner, "Operation Storm," *New York Review of Books*, October 22, 1998.

58 시장 포격으로 사망한 수는 37명이나 38명으로 추정된다. 2003년 5월까지 스레브레니차 학살 희생자 시신 5000구 이상이 화장되었다. Ramet, *Three Yugoslavias*, 460, 703.

59 George Packer, *Our Man: Richard Holbrook and the End of the American Century* (New York, 2019).

60 Dabibor Bjelitsa, ed., *Prostorni plan Republike Srpske do 2015* (Banja Luka, 2008), 67, 69.

61 1999년 6월 빌 클린턴은 원칙을 제시했다. "우리는 무고한 민간인 학살과, 인종, 인종적 배경, 신앙 방법으로 인한 집단적 민간인 제거를 막아야 한다." 1999년 6월 11일 짐 레러와의 인터뷰에서. http://clinton6.nara.gov/1999/06/1999-06-11-pbs-interview-of-the-president.html (accessed November 30, 2016).

62 다른 버팀목은 보안 병력과 비밀경찰이다. Thomas E. Ricks, "Clinton Edges Closer to Supporting the Use of Ground Troops in Kosovo," *Wall Street Journal*, April 23, 1999.

63 Valerie Bunce and Sharon Wolchik, "Defining and Domesticating the Electoral Model: A Comparison of Slovakia," in *Democracy and Authoritarianism in the Post-Communist World*, Valerie Bunce, Michael McFaul, and Katyhryn Stoner-Weiss, eds. (Cambridge, 2010), 139-140, 141, 146.

64 밀로셰비치의 반대파인 미로 주카노비치가 1997년 몬테네그로 대통령으로 선출되었고, 세르비아의 연계를 신속히 해체했다. Raymond Detrez, "The Right to Self-determination and Secession in Yugoslavia," in *Contextualizing Secession*, Bruno Coppieters and Richard Sakwa, eds. (Oxford, 2003), 127.

27장 유럽과 통합된 동유럽

1 이 정권들은 경쟁적 권위주의 또는 반권위주의 정권으로 불린다.

2 Padraic Kenney, *The Burdens of Freedom: Eastern Europe since 1989* (London, 2006), 114-122; Sharon L. Wolchik and Jane L. Curry, "Democracy, the Market, and the Return to Europe: From Communism to the European Union and NATO," in *Central and East European Politics from Communism to Democracy*, Sharon L. Wolchik and Jane L. Curry, eds. (New York, 2011), 5-6. '단계적인 민주화(Democratization in stages)'에 대해서는 다음 자료를 보라. Valerie Bunce, "The Political Transition," in Wolchik and Curry, *Central and East European Politics*, 33-35.

3 Bunce, "The Political Transition," 40-41; Grzegorz Ekiert, "Patterns of Postcommunist Transformation in Central and Eastern Europe," in *Capitalism and Democracy in Central and Eastern Europe: Assessing the Legacy of Communist Rule*, Grzegorz Ekiert and Stephen Hanson, eds. (Cambridge, 2003), 89-119; Kenney, *Burdens of Freedom*.

4 체코에서 시행된 사유화로 인해 자산 빼돌리기(Asset tunneling)가 가능해졌다. 이 상황에서 부도덕한 새 소유주는 자산을 현금화하여 외국 은행으로 '빼돌리기'를 할 수 있었다. 체코는 신티와 로마 주민(집시)에 적대적인 것으로 알려졌다. 특히 우스티와 라벤시에서 시 당국은

집시 주민들을 격리시키려고 시도했다.

5 단크바르트 루스토프의 시각은 다음 자료에 요약되어 있다. Bunce, "The Political Transition," 38.

6 "최소한 중동부 유럽에서 민주주의로의 급속한 진전은 공산당의 권력 독점 종식과 함께 공산주의 시기 반대파에서 변신한 정당들이 첫 선거에서 두각을 나타냈고, 이것은 양질의 민주주의에 좋은 전조였다"라고 발레리 분스는 썼다. Bunce, "The Political Transition," 42.

7 일부는 이러한 실패가 헌법과 포스트공산주의 정부 체계의 합법성을 축소시켰다고 주장했다. András Körösényi, *Government and Politics in Hungary* (Budapest, 1999), 145.

8 1989년 4월 12월의 개정으로, 1952년 당 규약(당헌)에서 폴란드 통합노동당을 '사회의 지도적 정치 세력'으로 만든 3항이 삭제되었다. "Konstytucja Polskiej Rzeczypospolitej Ludowej uchwalona przez Sejm Ustawodawczy w dniu 22 lipca 1952 r." and "Ustawa z dnia 29 grudnia 1989 r. o zmianie Konstytucji Polskiej Rzeczypospolitej Ludowej," available at http://isap.sejm.gov.pl (accessed November 29, 2016).

9 2010년 이후 빅토르 오르반의 청년민주세력연합은 자신들의 권력 장악에 유리한 새 헌법을 만들었다. '새로운 민주적 정치 체제'를 형성하는 데 성공 사례로 보였던 헝가리에 대해 기술한 엘리슨 스탱거는 오래전에 이러한 대단원이 예기되었다고 썼다. "핵심 문제는 번영이 사라질 때나 이러한 체제가 소속된 국제 체제가 큰 변화를 겪을 때 이 체제가 얼마나 지속될 수 있는가이다." Allison Stanger, "Leninist Legacies and Legacies of State Socialism in Postcommunist Central Europe's Constitutional Development," in Ekiert and Hanson, *Capitalism and Democracy*, 204.

10 다음 자료를 보라. Robert Brier, "The Roots of the 'Fourth Republic': Solidarity's Cultural Legacy to Polish Politics," *East European Politics and Societies* 23:1 (February 2009), 63-85.

11 이와 대조적으로 빅토르 오르반의 청년민주세력연합은 다수파가 되어 헌법 개정이 가능해졌다. 법과정의당은 2005년 의회 선거에서 유권자 투표의 33.7퍼센트만을 득표했고, 연합과 함께 헌법 개정에 필요한 3분의 2 의석에 도달하지 못했다. Andrzej Chwalba, *Kurze Geschichte der Dritten Republik Polen 1989 bis 2005*, Andreas Hoffmann, transl. (Wiesbaden, 2010 198-200.

12 Philipp Ther, *Die neue Ordnung auf dem alten Kontinent: Eine Geschichte des neoliberalen Europa* (Berlin, 2014), 93.

13 이것이 당시 재무장관의 이름을 딴 보크로스 내핍 패키지였다. below. László Andor, *Hungary on the Road to the European Union* (Westport, CT, 2000), 63.

14 Agnieszka Stawariarska, "21 lat temu dopiero były podwyżki," *Gazeta Lubelska*, March 14, 2011; "Obwieszczenie prezesa głównego urzędu statystycznego z dnia 7 lutego 1990 r. w sprawie przeciętnego wynagrodzenia miesięcznego w gospodarce uspołecznionej w 1989 r.,"

Monitor Polski 5 (1990), 40, 44.

15 Ther, *Neue Ordnung*, 91; Frances Millard, *Polish Politics and Society* (London, 1999), 152, 155.

16 유럽 경제통화연합의 3단계에 가입하고 유로화를 자국 화폐로 사용하기를 원하는 국가들을 위한 마스트리흐 기준이 있다. Millard, *Polish Politics*, 153.

17 Ther, *Neue Ordnung*, 93.

18 그는 마르크스-레닌주의연구소에서 일하다가 1981년 계엄령이 시행된 후 폴란드 통합노동자당을 떠났다. 정부의 경제 정책에 대한 비판은 다음 자료를 보라. Tadeusz Kowalik, *From Solidarity to Sellout: The Restoration of Capitalism in Poland*, Eliza Lewandowska, trans. (New York, 2011); David Ost, *The Defeat of Solidarity* (Ithaca, NY, 2005).

19 Eva Hoffman, *Exit into History: A Journey through the New Eastern Europe* (New York, 1993 xv, 67.

20 Anna Grzymala-Busse, *Redeeming the Communist Past: The Regeneration of Communist Parties in East Central Europe* (Cambridge, 2002); Ther, *Neue Ordnung*, 91. 다수파는 54.1퍼센트를 득표했다. 그들은 자유민주당과 연정을 하기로 결정했다.

21 이것은 새 재무장관 그레고르즈 콜로드코 밀라드의 주도로 시행되었다. Millard, *Polish Politics*, 153. 민주좌파연합은 20퍼센트를 득표했고, 파우라크의 인민당은 15퍼센트를 득표했다.

22 일례로 그단스크 조선소 노동자들은 자유 임금의 40퍼센트를 받았고, 웨델 초콜릿 공장 노동자들은 10퍼센트를 받았다. 1997년 사유화 법 시행에 앞서 다양한 행위자, 즉 SKD, PSL, 야당, 여당 내에서 많은 협상과 거래가 있었다. 노동자들은 당연히 주식 지분을 공유하기를 희망했다. Millard, *Polish Politics*, 154.

23 레반도프스키는 1962년 태어났다. 그는 2010-2014년 유럽연합 재무 프로그램과 예산 담당 집행위원이 되었다.

24 다음 자료에서 인용함. Millard, *Polish Politics*, 155. 그러나 그는 사유화를 지연시키는 정부를 크게 비판했다.

25 SLD는 중도좌파 정당들 연정으로 형성되었다. 여기에는 옛 노동조합 관리들도 포함되었다. Grzymala-Busse, "Redeeming the Communist Past," 157-181.

26 최소치는 가정의 수입과 자녀 수 등에 기초하여 계산되었다. Millard, *Polish Politics*, 157.

27 1998년 초보 미용사는 외래 의사보다 수입이 많은 것으로 평가되었다. Millard, *Polish Politics*, 157.

28 30억 달러에 이르는 심각한 재정 적자에 대해 대응하고, 헝가리 상품을 더 매력적으로 만들기 위해 외국 상품은 더 비싸졌다.

29 1997년 이후이다. Andor, *Hungary on the Road*, 65.

30 Donald Blinken, "Privatization Helps: The Hungarian Example," *Huffington Post*, July 31, 2011. Available at http://www.huffingtonpost.com/donald-blinken/privatization-helps-the-h_b_914383.html (accessed December 20, 2018).

31 Andor, *Hungary on the Road*, 62-64.

32 Ther, *Neue Ordnung*, 100-101, 120.

33 세계은행 조사 자료에 다르면 폴란드와 체코슬로바키아에서 초기 평가절하는 폴란드와 체코 상품의 구매력 표준을 유지하는 데 필요한 것보다 네 배나 폭이 컸다. Ivan T. Berend, *From the Soviet Bloc to the European Union: The Economic and Social Transformation of Central and Eastern Europe since 1973* (Cambridge, UK, 2009), 67.

34 "Unfinished Czech Reforms," *New York Times*, December 2, 1997; Ther, *Neue Ordnung*, 99. 1999년 말까지 '과보호된 산업'에 종사하는 노동자의 60퍼센트는 1989년 이래 직업을 바꾸지 않았다. "Little to Cheer About," *Time*, November 29, 1999.

35 이 하락은 정체된 성장과 함께 진행되어서 실업률이 상승하고 화폐의 급격한 평가절하가 진행되었다. *The Economist*, December 4, 1997. '자산 빼돌리기'의 좀 더 단순한 방법은 자산을 다른 회사에 비정상적으로 싼 가격에 매도하기 위해 하나의 공적 회사를 소유하는 것이었다. 첫 회사의 소유자가 두 번째 회사를 소유하고 있는 경우가 많았다. Jonathan Stein, "Between Stagnation and Integration," in *Holding the Course: Annual Survey of Eastern Europe and the Soviet Union*, Peter Rutland, ed. (Armonk, NY, 1999), 74.

36 "대부분의 자산 빼돌리기는 1994년 완료된 '바우처(voucher)' 사유화 프로그램에 참여한 600만 명 이상의 성인에게 분배된 명목 주식의 소유를 집중하기 위해 만들어진 제대로 규제되지 않은 투자펀드에 의해 수행하는 것이 일반적이었다." Stein, "Between Stagnation and Integration," 75.

37 "Unfinished Czech Reforms," *New York Times*, December 2, 1997.

38 Ther, *Neue Ordnung*, 172-173.

39 1968년 연방법은 1960년 헌법의 부분 개정이었다. Josef Žatkuliak, "Slovakia's Position within the Czecho-Slovak Federation," in *Slovakia in History*, Mikuláš Teich et al., eds. (Cambridge, 2011), 324-326.

40 "이렇게 소수의 입법 집단이 그렇게 큰 입법 저지 권력을 가진 민주 정부는 세계 다른 곳에는 없었다"라고 앨리슨 스탠거는 커틀러와 슈바르츠를 인용하여 썼다. Stanger, "Leninist Legacies," 199.

41 Abby Innes, *Czechoslovakia: The Short Goodbye* (New Haven, CT, 2001), 209.

42 "'Wir haben die Nase voll von Prag!' und 'Fort mit dem tschechischen Kolonialismus!'" *Der Spiegel*, September 30, 1991. 경제는 중공업이 지배하고 있었고, 이 중 상당 부분은 경쟁력이 없는 군수산업이었다. 이것은 당연히 슬로바키아가 착취당하고 있다는 믿음을 증폭시켰다.

외국 직접 투자도 부진했다. Bunce and Wolchik, "Defining and Domesticating," 139-140.

43 이것은 우크라이나에 거주하고 있는 소수의 폴란드인에게 도움이 되었다. Timothy Snyder, *The Reconstruction of Nations: Poland, Ukraine, Lithuania, Belarus, 1569-1999* (New Haven, CT, 2003), 220-231.

44 〈독일인에게 짐승처럼 되지 말자〉라는 제목의 그의 노래를 보라. *The Noel Coward Reader*, Barry Day, ed. (New York, 2011), 440.

45 Milada Vachudova, "Democratization in Postcommunist Europe: Illiberal Regimes and the Leverage of International Actors," *Center for European Studies Working Paper Series* 139 (Cambridge, MA, 2006), 5.

46 민족구국전선은 1989년 12월 22일 성명을 발표했다. 이 성명은 '유럽 대륙의 모든 국민들의 공동의 집인 통합된 유럽 건설 과정에 참여하고자' 하는 바람을 표현했다. Dimitris Papadimitriou and David Phinnemore, *Romania and the European Union: From Marginalization to Membership* (London, 2008), 66. 1990년 6월 이온 일리에스쿠 대통령은 실제로는 학생과 반대당이 집회이지만, 자신은 파시스트 혁명이라고 부른 소요를 진압하기 위해 광부들을 부쿠레슈티로 불러들였다. 약 7000명의 광부가 반대파 본부를 습격하고 행인들을 무차별적으로 폭행했다. 경찰로 시위를 진압하기 위해 출동해서 최소한 네 명의 시위대가 사망했다. *New York Times*, June 15, 1990; Dennis Deletant, *Ceaușescu and the Securitate: Coercion and Dissent in Romania* (Armonk, NY, 1997), 397.

47 다음 자료에 나옴. Lenka Fedorová, *The Effectiveness and Limits of EU Conditionality: Changing Domestic Policies in Slovakia (1989-2004)* (Berlin, 2011), 40.

48 Ther, *Neue Ordnung*, 156-159.

49 Ther, *Neue Ordnung*, 163-164.

50 플롭디프 영어학교 졸업생인 비데노프는 선출될 당시 35세였다. 오리온그룹은 불가리아 농업산업은행을 설립했다. 이 은행은 농민들의 저축을 사취하는 역할을 했다. 오리온그룹 멤버들은 불가리아를 떠나 남아프리카에서 안락한 생활을 즐겼다. Venelin I. Ganev, *Preying on the State: The Transformation of Bulgaria after 1989* (Ithaca, NY, 2007), 78.

51 Milenko Petrovic, *The Democratic Transition of Post-Communist Europe: In the Shadow of Communist Differences and Uneven Europeanization* (New York, 2013), 27.

52 Tsveta Petrova, "A Post Communist Transition in Two Acts," in *Democracy and Authoritarianism in the Postcommunist World*, Valerie Bunce et al., eds. (Cambridge, 2009), 113-115.

53 Crampton, *Concise History*, 234; Petrova, "A Post-Communist Transition," 127.

54 총리가 실제 권력을 가지고 있었기 때문에, 이 선거는 UDF 대 사회당과 이 당의 제3의 길에 대한 국민투표와 같았다. Petrova, "A Post-Communist Transition," 119.

55 Petrova, "A Post-Communist Transition," 124: 단 15퍼센트의 주민만이 이런 상황에 대해 부정적 시각을 가졌다.

56 Petrova, "A Post-Communist Transition," 117, 119; Crampton, *Concise History*, 234.

57 Ekaterina Balabanova, *Media, Wars, and Politics: Comparing the Incomparable in Western and Eastern* (Aldershot, UK, 2013), 99-101.

58 Petrova, "A Post-Communist Transition," 108, 120.

59 Bunce and Wolchik, "Defining and Domesticating," 134.

60 1999년 유럽연합은 '남동부 유럽 안정협약'에서 유럽연합 가입 가능성을 서부 발칸 지역에 대한 외교 정책의 '초석'으로 만들었다. Vachudova, "Democratization," 8.

61 Fedorová, "Effectiveness," 40. '수동적 지렛대'라는 용어는 밀라다 바추도바가 만든 것이고, '존재와 통상적 행위를 바탕으로 신뢰할 만한 후보 국가의 국내 정치에 대해 EU가 자신 견인력'으로 정의되었다. Milada Vachudova, *Europe Undivided: Democracy, Leverage, and Integration after Communism* (Oxford, 2005), 65.

62 Fedorová, "Effectiveness," 42.

63 Petrova, "A Post-Communist Transition," 108.

64 아들 코바치는 독일 당국에 의해 사기 혐의를 받았다. 이 사건을 수사 중이던 수사관은 자신의 차량에 화염병이 던져진 것을 발견했다. Bunce and Wolchik, "Defining and Domesticating," 143. 차르노구르스키 사건에 대해서는 다음 자료를 보라. Marci Shore, *The Taste of Ashes: The Afterlife of Totalitarianism in Eastern Europe* (New York, 2013), 99.

65 납치는 메치아르가 실각시키기를 원한 코바치의 신뢰를 떨어뜨리기 위한 것이었다. Sharon Fisher, "Slovakia Heads toward International Isolation," in *Transition* 3:2 (1997), 23.

66 Federova, "Effectiveness," 47-48.

67 Marián Leško, *Mečiar a mečiarizmus: politik bez škrupúl', politika bez zábran* (Bratislava, 1996), 56. 그의 지지율은 1991년 3월 90퍼센트까지 치솟았다.

68 Bunce and Wolchik, "Defining and Domesticating," 138.

69 그는 민족주의적인 슬로바키아민족당과도 연대했다. http://www.zrs.zvolen.szm.com (accessed February 20, 2015).

70 그러나 메치아르는 EU와 NATO의 요구에 순응하면 자신의 정부가 붕괴할 가능성을 우려했다. Ivo Samson, "Slovakia: Misreading the Western Message," in *Democratic Consolidation in Eastern Europe*, Jan Zielonka and Alex Pravda, eds., vol. 2 (Oxford, 2001), 363-382.

71 Stephen R. Grand, *Understanding Tahrir Square: What Transitions Elsewhere Can Teach Us about the Prospects for Arab Democracy* (Washington, DC, 2014), 43.

72 Rodger Potocki, "Slovakia's Election: Outcomes and Consequences," available at http://www.wilsoncenter.org/publication/167-slovakias-elections-outcomes-and-consequences

(accessed December 3, 2016).

73 이것과, OK98(시민 행동 98) 같은 행위들이 최초 투표자들의 80퍼센트의 투표 참여 결과를 가져왔다. Bunce and Wolchik, "Defining and Domesticating," 146.

74 러시아와의 협력은 1999년 주린다 정부하에서 중단되었다. Rüdiger Kipke, "Das politische System der Slowakei," in *Die politischen Systeme Osteuropas*, Wolfgang Ismayr, ed., second ed., (Opladen, 2004), 315.

75 Fedorová, "Effectiveness," 52.

76 Vachudova, "Democratization," 18-19.

77 루마니아 사회민주당은 1992년 민족구국전선의 분파로 이온 일리에스쿠가 창당했다. Vachudová, "Democratization," 25.

78 2002년 스페인은 슬로바키아가 폭스바겐에 10년 납세 의무 면제를 통해 과도한 국가 지원을 한다는 이유로 슬로바키아의 유럽연합 가입을 지연시키려고 시도했다. 스페인은 2002년 10월 24일 열린 가입 허가 회의 20분 전 비토를 철회했다. Mikael Lönnborg, Mikael Olsson, and Michael Rafferty, "The Race for Inward FDI in the Baltic States," in *European Union and the Race for Foreign Direct Investment in Europe*, Lars Oxelheim and Pervez Ghauri, eds. (Amsterdam, 2004), 338.

79 Vachudová, "Democratization," 5, 24. 예외는 유럽 대륙의 민주화였다. 유럽연합 가입은 포르투갈, 스페인, 그리스에서 체제 이행과 공고화로 인정받았다.

80 "Meeting on Greek Debt Produces an Ultimatum," *New York Times*, February 17, 2015.

81 "Putin Offers Hungary Natural Gas Deal," *Wall Street Journal*, February 17, 2015; http://www.tagesschau.de/ausland/putin-ungarn-101.html (accessed December 3, 2016).

82 Árpád von Klimó, "Trianon und der Diskurs über nationale Identität in Rumpf-Ungarn," in *Die geteilte Nation. Nationale Verluste und Identitäten im 20. Jahrhundert*, Andreas Hilger and Oliver von Wrochem, eds. (Munich, 2013), 11.

83 2015년 2월 7일 51차 뮌헨안보회의 연설. 라브로프는 "키예프가 소수민족인 헝가리인들을 학대하는 것을 러시아가 반군을 지원하는 이유로 들었다". Alison Smale, "Crisis in Ukraine Underscores Opposing Lessons of Cold War," *New York Times*, February 9, 2015.

84 2014년 5월 16일 연설, 다음 사이트에서 인용함. http://www.reuters.com/article/2014/05/17/us-ukraine-crisis-hungary-autonomy-idUSBREA4G04520140517 (accessed December 3, 2016).

85 2002년 3월 23일 연설, 다음 사이트에서 인용함. http://2001-2006.orbanviktor.hu/angol/hir.php?aktmenu=0&id=384 (accessed December 3, 2016).

86 "Four More Years," *The Economist*, April 5, 2014, 다음 사이트에서 인용함. http://www.economist.com/news/europe/21600169-viktor-orban-heads-third-termand-wants-

centralise-power-four-more-years.

87 다음 사이트를 참조. http://www.rferl.org/content/ukraine-hungarian-minority-autonomy/25412593.html (accessed December 3, 2016).

88 Frances Coppola, "The Bulgarian Game of Thrones," *Forbes*, July 15, 2014.

89 다음 사이트를 참조. http://seekingalpha.com/article/2296535-bulgarias-strange-bank-run (accessed 3 December 2016).

90 Max Rivlin-Nadler, "Think the E.U. Is Great for Eastern Europe," *New Republic*, December 16, 2013.

결론

1 "민족주의는 집단 상황에서 열정을 자극하지만 … 그 구심점은 종종 사건이 종결되면 사라졌다가 좀 더 일상적인 염려가 일어난다." Judson, *Habsburg Empire*, 10; Rogers Brubaker et al., *Nationalist Politics and Everyday Ethnicity in a Transylvanian Town* (Princeton, NJ, 2006). 보헤미아의 민족 정체성의 우발 사태에 대해서는 다음 자료를 보라. Jeremy King, "The Nationalization of East Central Europe: Ethnicism, Ethnicity, and Beyond," in *Staging the Past: The Politics of Commemoration in Habsburg Central Europe, 1848 to the Present*, Nancy Wingfield and Maria Bucur, eds. (West Lafayette, IN, 2001), 112-152. 민족주의는 19세기 말에야 '혐오'를 하기 시작했다는 주장에 대해서는 다음 자료를 보라. Brian Porter, *When Nationalism Began to Hate* (Oxford, 2000), 7. 민족적 무관심이 민족적 정체성에 잠재적 대안이 될 수 있다는 주장에 대해서는 다음 자료를 보라. Tara Zahra, "Imagined Non-Communities: National Indifference as a Category of Analysis," *Slavic Review* 69:1 (2010), 93-119.

2 Giuseppe Mazzini, "On the Slavonian National Movement," *Lowe's Edinburgh Magazine*, July 1847, 189.

3 Chad Bryant, *Prague in Black: Nazi Rule and Czech Nationalism* (Cambridge, MA, 2009). 민족적으로 무관심한 사람들을 민족 정체성을 의식하는 사람들로 바꾸는 노력에 대한 뛰어난 연구는 다음 자료를 보라. Peter Judson, *Guardians of the Nation: Activists on the Language Frontiers of Imperial Austria* (Cambridge, MA, 2006); Jeremy King, *Budweisers into Czechs and Germans: A Local History of Bohemian Politics* (Princeton, NJ, 2002); Tara Zahra, *Kidnapped Souls: National Indifference and the Battle for Children in the Bohemian Lands* (Ithaca, NY, 2008).

4 Miroslav Hroch, *Na prahu národní existence: touha a skutečnost* (Prague, 1999), 59. 프란티셰

크 그라우스와 다른 사람들은 이러한 형태의 기원을 훨씬 이전으로 본다. *Die Nationenbildung der Westslawen im Mittelalter* (Sigmaringen, 1980).

5 이 사안에 대해서는 다음 자료를 보라. Henry Ashby Turner, *Hitler's Thirty Days to Power* (New York, 1996).

6 그러나 그들은 반대를 하지 않은 것은 아니었다. 일례로 5-6명의 암살자 중 한 명이 황태자 프란츠 페르디난트 암살에 성공할 것이라는 가능성을 염두에 두고 무기 사용 훈련을 받았고, 요제프는 황제 자리에 오르기 전 여러 해 동안 자료와 아이디어를 모았다.

7 Max Weber, "The Logic of Historical Explanation," in *Weber: Selections in Translation*, W. G. Runciman, ed. (Cambridge, 1978), 118.

8 다시 말해 역사가 다른 노선을 택했을 순간을 의미한다.

9 민족과 민족 정체성이 '일시적' 현상이라는 주장에 대해서는 다음 자료를 보라. Judson, *Guardians*, 176; Ernest Gellner, *Encounters with Nationalism* (Oxford, 1994), 60.

10 이 주제에 대한 자료 목록은 다음 자료를 보라. Bruce S. Hall, *A History of Race in Muslim West Africa* (Cambridge, 2012), 12.

11 John Efron, *Defenders of the Race: Jewish Doctors and Race Science in Fin-de-Siecle Europe* (New Haven, CT, 1994); Aleksander Hertz, *The Jews in Polish Culture* (Evanston, IL, 1988), 15-17.

12 이것이 내가 수천 통의 폴란드 고등교육기관과 언론의 교신을 보고 내린 결론이다. 그러나 유대인 동포들이 갑자기 사라진 동유럽 다른 지역에서도 이것이 진실이다.

13 유대인들이 돌아올 수 있다고 전쟁 중 우려를 표명하기 시작한 체코인들의 태도에 대해서는 다음 자료를 보라. Hana Kubátová and Jan Láníček, *The Jew in Czech and Slovak Imagination 1938-89* (Leiden, 2018), 115. 이것은 전쟁 중 독일의 입장에 대한 지지를 전혀 의미하지 않는다. 내용에는 반독일 적대감이 가득 차 있다.

14 한때 유대인들이 살았던 주택 앞 도로에 세워진 청동 기념비인 독일 예술가 군터 뎀니크의 Stolpersteine은 체코공화국으로 옮겨졌다. 이 조치를 지지하는 지역 집단들이 있었다.

15 나치와 공산당 모두 동유럽인들에게 유럽 담론으로 호소했다. 동독 언론은 청취자들에게 유럽의 3분의 2가 사회주의 국가라고 방송했고, 고르바초프도 유럽 공동의 집에 대해 말했다.

16 Yuri Slezkine, *The House of Government: A Saga of the Russian Revolution* (Princeton, NJ, 2017).

17 동독에 대한 이런 시각을 우아하게 표현한 예로 다음 자료를 보라. Jeffrey Kopstein, *The Politics of Economic Decline in East Germany* (Chapel Hill, NC, 1997).

18 예르지 홀저가 회고한 마리아 투렐이스카. Joanna Szymoniczek and Eugeniusz Cezary Król, eds., *Rok 1956 w Polsce i jego rezonans w Europie* (Warsaw, 2009), 311.

19 István Zimonyi, *Muslim Sources on the Magyars in the Second Half of the Ninth Century*

(Leiden, 2016), 185; Theodore Duka, "The Ugor Branch of the Ural-Altaic Family of Languages," *Journal of the Royal Asiatic Society of Great Britain and Ireland* 21 (1889), 627.

20 사헬에서도 상황이 비슷했다. "외국 기원을 찾아내어 귀족적 사회 지위를 정당화하는 사헬의 지식인들의 혈통 재구성이 널리 시도되었다." Hall, *History of Race*, 40.

21 Lucian Boia, *History and Myth in Romanian Consciousness* (Budapest, 2001), 43.

22 "Playing the Last Hour in the Life of Hemingway," *San Francisco Examiner*, August 21, 1977.

23 이것은 로베르트 칼렌브룬너와 오토 스토르제니를 포함한 나치 잡단을 조롱하기 위한 것이었다. Heike Specht, *Curd Jürgens: General und Gentleman: Die Biographie* (Berlin, 2015).

24 George Barany, *Stephen Széchenyi and the Awakening of Hungarian Nationalism* (Princeton, NJ, 1968), 225.

25 C. A. Macartney, *The Habsburg Empire 1790-1918* (London, 1969), 732. 유고슬라비아 영토에 적용된 측면영토(flanking) 개념에 대해서는 다음 자료를 보라. Robert Hislope, "Intra-ethnic Conflict in Croatia and Serbia: Flanking and the Consequences for Democracy," *East European Quarterly* 30:4 (Winter 1996), 471-494. 제레미 킹은 청년체코당과 구체코당 모두 자신들의 체코성을 강조한 1890년대 보헤미아에서 이 현상이 일어난 것을 지적했다. Jeremy King, *Budweisers into Czechs and Germans: A Local History of Bohemian Politics, 1848-1948* (Princeton, NJ, 2002), 86. 이 원칙에 대한 일반적 언급은 복사한 참고 자료를 포함한 다음 자료를 보라. also Judson, *Guardians*, 9,

26 계몽된 외브쾨스도 헝가리왕국의 소수민족에게 문화적 권리를 확대하는 것을 이들의 반대를 약화시키는 방법으로 생각했다. 그는 헝가리왕국의 모든 시민의 궁극적 운명은 문화적으로 마자르인화되는 것이고, 이들은 결국 이러한 매력을 거부할 수 없다는 것을 추호도 의심하지 않았다. Andreas Moritsch, *Ein verfrühtes Konzept zur politischen Neugestaltung Mitteleuropas* (Vienna, 1996), 94.

27 Christian Braun, *Vom schwierigen Umgang mit Massengewalt* (Wiesbaden, 2016), 95-96.

28 다음 자료를 보라. Hislope, *Interethnic Conflict*; Nina Caspersen, *Contested Nationalism: Serb Elite Rivalry in Croatia and Bosnia in the 1990s* (New York, 2010); Ivan Grdešić et al., *Hrvatska U Izborima '90* (Zagreb, 1991). 이 지적에 대해 안드레이 밀리보예비치에게 감사한다.

29 이것은 요크대학의 재스민 무야노비치의 설명이다. Elizabeth Zerofsky, "The Counterparty: Can Bosnia Escape the Stranglehold of Ethnic Politics?" *Harpers*, December 2015.

30 콜 총리의 조치는 여러 해 동안 지속된 독일-폴란드 양해를 위한 세심한 노력을 망쳐버렸고, 독일인들은 신뢰할 수 없다는 생각을 뒷받침해주었다. Helga Hirsch, "Geprägt von Krieg und Geschichte," *Die Zeit*, April 6, 1990.

31 Árpád von Klimó, "Nation, Konfession, Geschichte," 293-294 and passim.

32 Eric Hobsbawm, *Nations and Nationalism since 1780* (Cambridge, 1992), 24, 32-33. 언어가 경쟁적인 다른 자기 정체성보다 훨씬 강하게 사람들은 민족 공동체에 끌어들이는지에 대해서는 다음 자료를 보라. Gale Stokes, "Cognition and the Function of Nationalism," *Journal of Interdisciplinary History* 4:4 (1974), 536-538.

33 Edward W. Said, *Orientalism* (New York, 1977), 137.

34 그러나 앤더슨이 중동부 유럽에 대한 자신의 이해에 사용한 주요 저작에도 들어 있다. 오스카 야지의 《합스부르크 군주정의 붕괴(The Dissolution of the Habsburg Monarchy)》는 1780년대를 새로운 시대로 지적하고 있다. 그 이유는 요제프 2세가 민족적 진화의 심리를 이해했기 때문이다. 만약에 이것이 존재하지 않았다면 어떻게 그가 이렇게 할 수 있었겠는가?

35 보헤미아에 대해서는 다음 자료를 보라. Eugen Lemberg, *Nationalismus*, vol. 1 (Reinbek, 1964), 136. 민족주의와 산업화 사이의 분명한 상관관계가 존재하지 않는다는 것에 대해서는 다음 자료를 보라. Miroslav Hroch, *European Nations: Explaining Their Formation* (London, 2015), 95.

36 앤더슨은 '인쇄 자본주의가 언어에 새로운 고정성(fixity)을 마련해주었고' 이것은 '과거 행정 구어와는 다른 힘을 가진 언어'를 만들어냈다고 썼다. Benedict Anderson, *Imagined Communities: Reflections on the Origin and Spread of Nationalism* (New York, 1991), 44-45. 실제로 일어난 일은 자본주의와 독립적으로 행정가들은 공식 언어를 도입했고, 애국자들은 이에 반기를 들고 동원되었다. 그는 인쇄 언어의 고정성은 대체적으로 '무의식적인 과정'이었다고 썼다. 사실은 그 반대이다. 게오프 엘에이가 쓴 것처럼 "언어는 문화적 혁신의 복잡한 과정보다 민족성의 우선적인 결정 요인이 되지 않는다". Geoff Eley, "Nationalism and Social History," *Social History* 6:1 (1981), 91.

37 고대 유산에 의해 과도하게 위압되지 않았다. Anderson, *Imagined Communities*, 68-69. 유럽 지도 전체에서 예외 없이 민족적이 된 보편적 계몽사상에 대해서는 다음 자료를 보라. Balázs Trencsényi et al., *A History of Modern Political Thought in East Central Europe*, vol. 1, (Oxford, 2016), 143 and passim.

38 이러한 혜안은 문학사가 크리스틴 로스가 제기한 주장의 변형이다. 그녀는 1968년에 대한 연구에서 프랑스를 다른 세 개의 '세계'의 넓은 초점에 위치시켰다. 그녀는 1968년을 쿠바와 인도네시아의 해방 투쟁, 헝가리와 체코슬로바키아에서의 반관료주의 투쟁, 그리고 유럽과 북미의 제국적 대도시에서 일어난 반자본주의, 반권위주의 투쟁이 수렴한 해로 본다. Kristin Ross, *May '68 and Its Afterlives* (Chicago, 2002), 19. 편집자에 보낸 편지에 대해서는 다음 자료를 보라. Béla Liptak, "Hungary's Plight," *New York Times*, January 4, 2019.

도판 출처

67쪽 Akos, via creativecommons.org.

134쪽 Via Wikicommons(from old postcard).

157쪽 Based on painting by Soma Orlai Petrich / Petőfi Literary Museum, Budapest.

173쪽 Drawing by Vinzenz Katzler. Via Wikimedia Commons.

197쪽 *Zlatá Praha* 33(1908), 378. Via Wikimedia Commons.

209쪽 Jean-Pierre Norblin de la Gourdaine, National Museum, Warsaw. Via Wikimedia Commons.

236쪽 Polish Army Museum / GFDL CC-BY-SA 3.0 or CC BY 2.5.

246쪽 F. Werner(lithographer). Via Wikimedia Commons.

279쪽 F. Werner(lithographer). *Domová pokladnica* 5(1851), 241. Via Wikimedia Commons.

315쪽 Edmund Tull(painter). Via Wikimedia Commons.

324쪽 Uroš Predić(painter). Via Wikimedia Commons.

330쪽 Military Museum, Belgrade. Via Wikimedia Commons.

381쪽 Period postcard. Via Wikimedia Commons.

397쪽 Hermanus Willem Koekkoek(lithographer), based on sketch of Rook Carnegie, *London Illustrated News*, April 6, 1907. Via Wikimedia Commons.

428쪽 Via Wikimedia Commons.

433쪽 Herbert Hoffmann(photographer). Via Wikimedia Commons.

478쪽 Josip Horvat, *Politička povijest Hrvatske*(Zagreb, 1989). Via Wikimedia Commons.

513쪽 Miroslav Honzík and Hana Honzíková, *Léta zkázy a naděje*(Prague, 1984), 187. Via Wikimedia Commons.

541쪽 Agence Rol. Agence photographique 1920, from French National Library.

563쪽 Library of Congress, Prints & Photographs Division, American National Red Cross Collection. Retrieved from http://www.loc.gov/pictures/item/2017677690/.

571쪽 Jindřich Eckert(photographer). Via Wikimedia Commons.

572쪽 Cynthia Paces, *Radical History Review*(2001), 142. Via Wikimedia Commons.

583쪽 Marian Fuks (photographer), *Światowid*, June 1926.

634쪽 Jan Szeląg, *13 lat i 113 dni*(Warsaw, 1968), 221. Via Wikimedia Commons.

638쪽 Daily "Pod Pręgierz." Via Wikimedia Commons.

664쪽 Scherl/Weltbild, Bundesarchiv, Bild 183-H13160.

669쪽 Julien Bryan(photographer). Via Wikimedia Commons.

679쪽 *Celje weekly*(March 24, 1961). Via Wikimedia Commons.

684쪽 United States Holocaust Memorial Museum, Photo #46726. Courtesy of Muzej Revolucije Narodnosti Jugoslavije.

712쪽 Jewish Community of Olomouc, used with permission.

778쪽 CTK/Alamy Stock Photo.

787쪽 Erich Höhne, Erich Pohl(photographers); Bundesarchiv, Bild 183-32584-0002 / CC-BY-SA 3.0.

813쪽 CTK/Alamy Stock Photo.

818쪽 Pál Berkó(photographer), Foto Fortepan / CC-BY-SA 3.0.

833쪽 W. Sławny (photographer), Bohdan Garliński, *Architektura Polska 1950-1951* (Warsaw, 1953). Via Wikimedia Commons.

883쪽 Gyula Nagy(donor), Foto Fortepan. CC-BY-SA 3.0.

883쪽 Gabor B. Racz. CC-BY-SA 4.0.

886쪽 Gyula Nagy(donor), Foto Fortepan / CC-BY-SA 3.0.

910쪽 Keystone Press/Alamy Stock Photo.

918쪽 Stefanocec / CC-BY-SA 3.0.

938쪽 Trinity Mirror/Mirrorpix/Alamy Stock Photo.

948쪽 United Archives GmbH/Alamy Stock Photo.

958쪽 CTK/Alamy Stock Photo.

958쪽 Paul Goldsmith. By permission.

961쪽 Paul Goldsmith. By permission.

991쪽 Album/Alamy Stock Photo.

992쪽 Helmut Schaar(photographer), Bundesarchiv, Bild 183-P1124-0029 / CC-BY-SA 3.0.

1000쪽 Katscherowski(photographer), Bundesarchiv, Bild 183-N0521-0013 / CC-BY-SA 3.0.

1004쪽 Bernd Settnik(photographer), Bundesarchiv, Bild 183-1983-0822-009 / CC-BY-SA 3.0.

1008쪽 Wolfgang Arnold/Alamy Stock Photo.

1020쪽 Florian Schäffer(photographer) GFDL or CC-BY-SA-3.0.

1044쪽 Edmund Pelpliński. In Andrzej Wajda, "Uzupełniam swój życiorys," *Tygodnik Solidarnosc* 2:11(July 10, 1981). Via Wikimedia Commons.

1050쪽 Horst Sturm(photographer), Bundesarchiv, Bild 183-P0801-026 / CC-BY-SA 3.0.

1061쪽 Tomasz Mickiewicz(photographer) GFDL or CC-BY-SA 3.0.

1081쪽 SPUTNIK/Alamy Stock Photo.

1094쪽 dpa picture alliance/Alamy Stock Photo.

1103쪽 Bundesarchiv, B 145 Bild-00014228.

1103쪽 Friedrich Gahlbeck(photographer), Bundesarchiv, Bild 183-1989-1023-022 / CC-BY-SA 3.0.

1113쪽 Via Wikimedia Commons.

1114쪽 Răzvan Rotta / CC BY 2.5.

1128쪽 croatia.eu; http://croatia.eu/article.php?lang=1&id=23.

1142쪽 Photograph provided courtesy of the International Criminal Tribunal for the Former Yugoslavia(ICTY). Via Wikimedia Commons

찾아보기

ㄱ

ㄴ

ㄷ

ㄹ

ㅁ

ㅅ

ㅇ

ㅈ

ㅊ

ㅋ

ㅌ

ㅍ

ㅎ

동유럽사

제국의 일원에서 민족의 자각으로, 민족 운동에서 국가의 탄생까지

1판 1쇄 2023년 10월 20일

지은이 | 존 코넬리
옮긴이 | 허승철

펴낸이 | 류종필
책임편집 | 김현대
편집 | 이정우, 이은진, 권준
경영지원 | 김유리
표지 디자인 | 석운디자인
본문 디자인 | 박애영

펴낸곳 | (주)도서출판 책과함께
주소 (04022) 서울시 마포구 동교로 70 소와소빌딩 2층
전화 (02) 335-1982
팩스 (02) 335-1316
전자우편 prpub@daum.net
블로그 blog.naver.com/prpub
등록 2003년 4월 3일 제2003-000392호

ISBN 979-11-92913-39-1 94920 (세트)